LE MASQUE
Collection de romans d'aventures
créee par
ALBERT [illegible]

LE DIABOLIQUE FU MANCHU

Arthur Henry Ward, né à Birmingham le 15 février 1883, publia sa première nouvelle dans le *Chamber's Journal* d'Edimbourg en 1904. Il ne prit le pseudonyme de Sax Rohmer qu'en 1911, au moment où paraissaient dans le *Story Teller* les dix chapitres du premier roman mettant en scène le docteur Fu Manchu. C'est cette figure quasi légendaire, incarnée au cinéma par Boris Karloff, qui, à travers un certain nombre de traductions, assurera sa notoriété et sa renommée comme « spécialiste » de l'occulte. Avec sa version féminine de Fu Manchu, Sumuru, *Nue sous un manteau de vison,* paru en 1950, connut un succès immédiat. Sax Rohmer, ruiné par un avocat véreux, s'éteignit dans une petite chambre du University College Hospital de Londres, le 1er juin 1959.

Sax Rohmer

LE DIABOLIQUE FU MANCHU

Traduit de l'anglais par Henri Thies

Librairie des Champs-Élysées

Ce Roman a paru sous le titre original :

THE DEVIL DOCTOR

1

L'APPEL DE MINUIT

– Avez-vous reçu des nouvelles de Nayland Smith ? demanda mon hôte.

Je réfléchis un instant, la main sur le siphon.

– Depuis deux mois déjà, aucune, dis-je. Il n'aime pas écrire, et je le crois très occupé. Vous le savez peu communicatif. De fait, je ne sais rien.

Je plaçai un whisky soda devant le révérend J. D. Eltham et poussai le pot à tabac à portée de sa main. Les traits fins et intelligents du clergyman ne révélaient en rien son caractère. Ses rares cheveux blonds, déjà grisonnants sur les tempes, donnaient à son visage une expression de placidité et de douceur. Il avait absolument le type de l'homme d'Église anglais ; pourtant, il était encore connu sous le nom du « missionnaire guerrier » et avait bien mérité ce surnom. De fait, cet homme d'allure si pacifique avait provoqué l'insurrection boxer.

– Vous le savez, Petrie, dit-il de sa voix tranquille, tout en bourrant sa pipe avec énergie, cette histoire m'a toujours laissé perplexe. Je n'ai jamais été très sûr...

– De quoi donc ?

– De la mort de ce Chinois de malheur. Depuis l'affaire de la villa incendiée de Dulwich Village et la découverte de la cave, mon inquiétude n'a fait que grandir.

Il alluma sa pipe et alla jeter l'allumette dans la cheminée.

– Voyez-vous, continua-t-il nerveusement, on n'est jamais sûr de rien. Si je pensais que ce Dr Fu Manchu soit encore en vie, si je croyais vraiment que cette prodigieuse intelligence, ce génie... (il hésita) survive, je... je croirais de mon devoir de...

– De... ? fis-je en m'accoudant à la table, un léger sourire aux lèvres.

– Si cet esprit satanique n'avait pas été anéanti, la paix du monde serait menacée à tout instant.

Son calme l'abandonnait. Il serrait les dents et scandait ses paroles en claquant des doigts ; c'était vraiment un homme plein de contradictions, le plus étonnant peut-être qui eût jamais revêtu l'habit ecclésiastique.

– Il est peut-être revenu en Chine, docteur, s'écria-t-il. (Ses yeux brillaient.) Pourriez-vous rester inactif si vous pensiez qu'il vit encore ? Ne craindriez-vous pas pour votre vie ? Chaque fois qu'un malade vous appelle, la nuit ? Que vous êtes seul dans les rues désertes ? N'oubliez pas qu'il n'y a guère que deux ans qu'il était parmi nous, que dans chaque coin obscur nous croyions voir étinceler ses horribles yeux verts. Que sont devenus sa bande d'assassins, ses étrangleurs, ses dacoïts, ses effroyables poisons, où sont ses insectes, que sais-je encore, cette armée de créatures...

Il finit son verre.

– Vous... (Il hésita visiblement.) Vous avez fait une enquête, en Égypte, avec Nayland Smith, n'est-ce pas ?

J'acquiesçai silencieusement.

– Je puis me tromper, continua-t-il, mais je pense que vous y recherchiez alors cette jeune fille, Kâramaneh, je crois ?

– Oui, fis-je laconiquement, mais nous n'en trouvâmes pas la moindre trace.

– La question était d'importance ?

– Essentielle, mais nous dûmes abandonner les recherches, après avoir tout tenté.

– Je n'ai jamais vu Kâramaneh, mais je sais, par vous et par d'autres encore, qu'elle était très...

– Très belle, oui, dis-je.

Et je me levai, pressé de rompre cet entretien qui me coûtait beaucoup.

Eltham me lança un regard plein de commisération ; il était au courant de mes recherches en Égypte, de mes efforts désespérés pour retrouver cette fille d'Asie aux yeux sombres qui avait amené l'Amour dans ma vie errante ; il savait que je l'aimais autant que je pouvais avoir de haine pour cet horrible docteur chinois, ce démon qui avait été son maître.

Eltham se leva aussi et se mit à arpenter la pièce en silence, tout en tirant furieusement sur sa pipe, et dans son port de tête je retrouvai, un instant, quelque chose de Nayland Smith. Il est bien certain que ce clergyman au visage clair, d'apparence timide, n'avait au demeurant que fort peu de ressemblance avec le commissaire de Birmanie, grand, efflanqué comme un lévrier de race, bronzé, au regard dur. Pourtant, j'en revenais irrésistiblement à un lointain soir d'été où Smith, tout comme Eltham, avait arpenté ce même tapis, en même temps qu'il soulevait, pour moi seul, le voile épais qui dissimulait alors ce drame sauvage dans lequel je devais jouer, par la suite, un rôle de premier plan.

Peut-être les pensées du révérend suivaient-elles les miennes ? Pour moi, le masque tragique et inoubliable du criminel chinois était toujours présent devant mes yeux. Les paroles de Nayland Smith résonnaient encore à mes oreilles : « Imaginez un homme grand, souple, félin, aux larges épaules, avec le front de Shakespeare et la face de Satan, le crâne rasé, les yeux bridés, magnétiques, verts comme ceux d'un chat.

Supposez-lui la cruelle intelligence de toute la race jaune concentrée en un seul être, accordez-lui toutes les ressources de la science passée et présente, et vous aurez le portrait du Dr Fu Manchu, le Péril jaune incarné en un seul individu. »

Sans aucun doute, la visite d'Eltham m'avait impressionné fortement ; je n'oubliais pas que cet étonnant clergyman avait tenu son rôle dans le drame que nous avions vécu deux années auparavant.

– Je serais très désireux de revoir Nayland Smith, déclara-t-il soudainement. Il est vraiment fâcheux qu'un tel homme soit enterré en Birmanie. C'est un pays qui tue les plus forts, docteur. Vous dites qu'il n'est pas marié ?

– Oui, fis-je, et il ne le sera vraisemblablement jamais.

– Ah ! je comprends, il y a une raison...

– Je sais fort peu de chose, rétorquai-je, Nayland Smith n'est pas bavard.

– C'est juste. Et moi non plus, docteur, mais... (Il parut fort embarrassé.) Il serait peut-être bon... je... j'ai un correspondant en Chine...

– Oui, fis-je, soudain très attentif. Et ?

– Je... je ne voudrais pas vous donner de vains espoirs et peut-être également de vains motifs de crainte, mais... Au fait, non, docteur. J'ai eu tort de parler de cela. (Il rougit comme une jeune fille.) Oubliez mes paroles. Plus tard, peut-être, quand je serai plus amplement renseigné... nous verrons.

Le téléphone sonna.

– Et voilà qu'on nous interrompt, reprit Eltham, visiblement soulagé. Mais il est une heure, fit-il en consultant sa montre.

Je pris le récepteur.

– Le docteur Petrie ? fit une voix de femme.

– Oui, qui est à l'appareil ?

– Mrs Hewett vient d'avoir une crise. Pouvez-vous venir tout de suite ?

– Certainement, répondis-je. Je serai chez vous dans un quart d'heure.

En effet, si Mrs Hewett n'était pas une très bonne cliente, elle n'en était pas moins une fort estimable personne.

Je raccrochai.

– Un appel urgent ? demanda Eltham, tout en vidant sa pipe.

– Oui, assez. Le plus sage est d'aller vous coucher.

– Je préférerais de beaucoup vous accompagner, si vous n'y voyez pas d'inconvénient. Notre entretien m'a fort peu disposé au sommeil.

– Entendu.

Et, de fait, sa compagnie m'était agréable. Trois minutes plus tard, nous allions d'un pas vif, par les rues désertes.

Un léger brouillard se déchirait aux branches des arbres, s'étendant, sous la pâle clarté de la lune, tel un feston, de tronc en tronc. Nous passâmes en silence près de Mound Pound, et nous dirigeâmes vers le nord.

La présence d'Eltham, ses confidences inachevées avaient dû m'énerver. Je ne pouvais détacher mon esprit de Fu Manchu et des atrocités qu'il avait commises pendant son séjour en Angleterre. Mon imagination était exacerbée au point que je sentais au-dessus de ma tête la menace qui avait si souvent plané ; je voyais ce nuage jaune projeter encore une fois son ombre sur l'Angleterre tout entière. Je désirais de toutes mes forces la présence de Nayland Smith. Je ne puis rien dire des pensées d'Eltham, car il demeurait muet, comme moi.

Ce n'est que par un violent effort que je parvins à chasser cette disposition morbide : déjà, nous avions traversé le quartier et nous étions arrivés chez ma patiente.

– Je ferai une petite promenade, me dit Eltham, car votre visite sera courte, je pense. Je resterai toujours en vue de la porte, de toute façon.

– Entendu, répondis-je.

Je grimpai l'escalier.

Aucune lumière ne paraissait aux fenêtres, ce qui ne laissa pas de m'étonner, car je n'étais pas sans savoir que la malade occupait une chambre en façade, au premier étage. Je frappai, puis je sonnai pendant quelques minutes, sans succès. Ce n'est qu'au bout d'un temps assez long qu'une servante sommairement vêtue et tout endormie déverrouilla la porte pour me considérer, stupide.

– Mrs Hewett a besoin de moi ? demandai-je brusquement.

La surprise la plus complète se peignit sur les traits de la jeune domestique.

– Non, monsieur, répondit-elle. Elle n'a rien demandé, monsieur ; elle dort.

– On m'a téléphoné, fis-je avec une certaine irritation.

– Oh ! pas d'ici, en tout cas, monsieur, déclara-t-elle, cette fois bien réveillée. Nous n'avons pas le téléphone.

Profondément étonné, je restai quelques instants immobile ; puis, tournant les talons, je commençai à descendre l'escalier. À la porte de la rue, je regardai à droite et à gauche. Pas une lumière aux fenêtres. Pourquoi donc cet appel mystérieux ? Je n'avais pu faire aucune erreur de nom : je l'avais, par deux fois, très distinctement perçu au téléphone ; et pourtant, il était évident que l'appel ne provenait pas de la maison de Mrs Hewett. Deux ans plus tôt, j'en aurais conclu à un attentat manqué ; j'étais maintenant plus enclin à croire à une stupide plaisanterie.

Rapidement, Eltham me rejoignit.

– Vous êtes très demandé, ce soir, docteur, fit-il. À peine étions-nous partis de chez vous qu'une jeune personne venait vous y chercher, puis vous suivait.

– Vraiment ? fis-je, incrédule. J'ai pourtant beaucoup de collègues qu'il est facile de trouver, en cas d'urgence.

– Elle a vraisemblablement pensé que cela lui ferait gagner du temps : vous êtes debout et tout habillé. De plus, sa maison est tout près d'ici, à ce que j'ai cru comprendre.

Je le regardai, un peu troublé. N'était-ce pas une nouvelle plaisanterie ?

– On vient déjà de se moquer de moi, fis-je. Ce coup de téléphone...

– Je crois pouvoir vous assurer, déclara, très sérieux, Eltham qu'il ne s'agit pas de cela. La pauvre fille était affolée – son maître vient de se briser la jambe et se trouve privé de tout secours au 280, Rectory Grove.

– Où est la jeune fille ? demandai-je.

– Elle est repartie, en courant, dès qu'elle m'a eu fait la commission.

– C'est une domestique ?

– Je le crois : elle doit être française. Elle était tellement emmitouflée que je l'ai à peine vue. Je regrette qu'on vous ait joué le mauvais tour de vous faire venir jusqu'ici inutilement ; mais croyez-moi : cette fois-ci, c'est sérieux. Les larmes suffoquaient la pauvre petite. Elle m'a pris pour vous, bien entendu.

– Bien, fis-je, maussade. Je vais y aller. Une jambe cassée, dites-vous ? Mais ma trousse, mes éclisses, tout est chez moi.

– Mon cher Petrie, s'écria Eltham, toujours enthousiaste, je ne doute pas que vous puissiez faire immédiatement quelque chose pour soulager le pauvre homme. Je vais courir chez vous et vous apporter votre trousse au 280, Rectory Grove.

– Je vous reconnais bien là, Eltham, mais...

Il leva la main.

– Pas plus que vous, Petrie, je ne sais résister à l'appel de la douleur humaine.

Je ne protestai pas davantage. Il avait, somme toute, raison et sa résolution était prise. Je me contentai donc de lui indiquer où il trouverait la trousse et, une fois de plus, me mis en route à travers le quartier éclairé par la lune. Eltham partit dans la direction opposée.

J'avais peut-être fait 300 mètres et mon esprit n'était pas resté inactif qu'il me vint subitement une idée nouvelle. Je pensai à ce premier appel, une imposture, à l'invraisemblance qu'un farceur donnât libre cours à sa fantaisie à une heure du matin. Je me remémorai notre précédente conversation ; je pensai aussi à cette jeune fille qui venait d'aborder Eltham, qu'il avait décrite comme une Française et dont le charme avait réussi en quelques instants à le toucher. Un soupçon me vint, qui fit tout aussitôt de mes doutes une certitude.

Enfin, je me souvins brusquement (et j'aurais dû, étant du quartier, y penser plus tôt) que Rectory Grove n'avait pas de numéro 280.

Je m'arrêtai brusquement et regardai attentivement autour de moi. Pas une âme, pas même un agent. Sous la lumière crue qui tombait des lampes électriques éclairant les principales allées du jardin, rien ne bougeait. Dans l'ombre, aucun mouvement suspect. Mais une voix intérieure – que je reconnaissais et qui bien longtemps s'était tue – m'avertissait.

De quel danger étais-je menacé ?

Une brise légère passa dans les arbres de l'avenue, agitant doucement les branches. J'allais savoir, et je le redoutais. Je fis un violent effort sur moi-même, mais le sentiment d'insécurité qui m'oppressait ne fit que s'accroître. La peur me montait à la gorge... Je fis demi-tour et commençai à courir vers ma demeure, vers Eltham.

J'avais espéré le rattraper, mais je ne le rencontrai pas en chemin. Un tramway de nuit passait dans la grand-rue quand j'y parvins et, tout en courant derrière lui, levant la tête, je constatai que mes fenêtres étaient éclairées, ainsi que le hall.

Ma clef était encore dans la serrure quand mon valet ouvrit la porte.

– Un monsieur vient de monter, docteur.

Sans répondre, je grimpai les escaliers quatre à quatre jusqu'à mon cabinet.

Debout près de mon bureau, un homme de haute stature, au teint hâlé, me fixait de ses yeux gris. Mon cœur fit un bond et parut s'arrêter.

C'était Nayland Smith.

– Smith ! m'écriai-je. Smith, mon vieux, par Dieu, je suis heureux de vous revoir !

Il saisit ma main, presque violemment, sans me quitter du regard mais sans sourire. Ses cheveux avaient blanchi. Ses traits étaient plus durs que jamais.

– Où est Eltham ? fis-je.

Smith recula d'un pas, comme si je l'avais frappé au visage.

– Eltham ? murmura-t-il. (Puis, violemment :) Eltham ! Il est donc ici ?

– Je viens de le quitter, il y a dix minutes, dans la rue, pas loin d'ici.

Smith frappa violemment du poing dans sa main gauche et ses yeux eurent un éclair sauvage.

– Mon Dieu, Petrie, dit-il. (Sa voix était altérée.) Devrai-je donc toujours arriver trop tard ?

Toutes mes craintes me revinrent à l'instant. Je crus sentir mes jambes fléchir sous moi.

– Smith. Vous ne pensez pas...

– Mais si, Petrie. (Et, la voix lasse, comme lointaine, il ajouta :) Fu Manchu est ici ; Eltham, que Dieu lui vienne en aide... est sa première victime.

2

ELTHAM DISPARAÎT

Smith bondit dans l'escalier, comme un fou. Lourd d'une angoisse que je n'avais pas connue depuis deux ans, je le suivis. Du hall, nous fûmes dans la rue. La paix ambiante et la beauté de la nuit redoublaient mon agitation. Le ciel était constellé d'une profusion d'étoiles et me faisait songer aux plus beaux firmaments d'Égypte. La lune resplendissait, glorieuse, et faisait pâlir les réverbères. C'est à peine si l'on entendait au loin rouler une voiture.

Après un rapide regard autour de lui, Smith se mit à courir le long du trottoir. Je le suivis, laissant derrière moi la porte grande ouverte. L'allée qu'Eltham avait suivie débouchait non loin de là. Un regard suffisait pour la voir déserte, dans toute sa longueur. Passé l'étang, elle se perdait dans l'ombre et les arbres.

Smith s'y engagea. Nous courions côte à côte. En quelques mots entrecoupés, je le mis au courant des événements de la nuit.

– On a tout simplement voulu vous séparer, s'écria Smith. Ils avaient l'intention d'attaquer la maison, mais comme vous êtes sortis ensemble, ils ont cherché un autre moyen.

Nous étions arrivés à l'étang et Smith s'immobilisa.

– Où avez-vous vu Eltham pour la dernière fois ? demanda-t-il rapidement.

Je le pris par le bras et lui montrai la petite place, baignée de lune, à droite.

– Vous voyez ce buisson, de l'autre côté de la route ? dis-je. Il y a un chemin à gauche. Je l'ai pris. Il s'est engagé dans l'autre. Nous nous sommes quittés au croisement.

Smith se dirigea vers le bord de l'étang et regarda attentivement la surface de l'eau.

Qu'espérait-il trouver ? Quoi qu'il en soit, il parut désappointé et se retourna vers moi, les sourcils froncés, tirant le lobe de son oreille, perplexe. Et je retrouvai là un geste familier qui me rappelait les épreuves supportées en commun quelques années auparavant.

– Allons, fit-il. Peut-être trouverons-nous quelque chose dans les arbres !

Je compris, à sa voix, que ses nerfs étaient tendus à l'extrême. Ma propre inquiétude n'en fit que grandir.

– Trouver... quoi, Smith ?

Il avançait déjà.

– Dieu seul le sait, Petrie ; mais je crains...

Derrière nous, sur l'avenue, un tramway passait, chargé d'ouvriers attardés. Le contraste était frappant. Aurait-il pu venir à l'idée d'un seul de ces travailleurs, engourdis par une longue journée de labeur monotone et coutumier, qu'à quelques pas de lui, parmi les bancs, les grilles, sous les lumières brutales, dans toute cette banalité moderne, deux de ses semblables côtoyaient l'inconnu et l'horreur ?

Sous les arbres, un tapis d'ombre s'étendait, aux contours nets. Nous nous en tenions à quelques pas, tête nue. Glacés de peur, nous écoutâmes un long moment.

Le tramway avait stoppé au bout de la rue et, avec un ronflement qui tournait à l'aigu, repartait. Nous restions immobiles. Le silence de la nuit nous enveloppa. Aucun bruit. Lentement, nous reprîmes notre marche. Au coin d'un petit taillis, nous nous arrêtâmes de nouveau.

Smith se tourna vers moi et me tendit son revolver. Un trait de lumière troua l'obscurité ; mon compagnon venait de prendre sa lampe électrique. D'Eltham, aucune trace.

Il avait plu dans la soirée, au coucher du soleil. Les chemins découverts étaient déjà secs, mais sous les arbres, le sol était encore humide. Vingt pas encore, et nous relevâmes des traces : celles d'un homme qui avait couru, ainsi que l'attestait la profondeur des empreintes.

Elles cessaient subitement ; d'autres, plus faibles, les rejoignaient venues de la droite et de la gauche. On discernait un mélange confus, vers l'ouest, qui devenait indistinct et se perdait sur le sol.

Une longue minute, nous courûmes d'arbre en arbre, de buisson en buisson, tels des chiens sur la piste, et redoutant à tout instant une macabre trouvaille. Rien. Et sous la clarté lunaire, nous nous regardions, indécis. Le calme le plus profond nous environnait.

Nayland Smith revint sous le couvert et se mit à examiner avec attention les alentours. Subitement, il tendit le cou et observa un point où la rue bifurquait. Un bond, un cri.

– En avant, Petrie. Les voilà !

Il franchit une barrière et se mit à courir comme un fou sur le gazon. Me reprenant, je le suivis. Il avait une forte avance sur moi et se dirigeait droit vers un coin sombre où des ombres se mouvaient confusément.

Une autre barrière, un obstacle indistinct, une pelouse triangulaire furent franchis en quelques foulées. Nous étions à 20 mètres de la route quand le bruit d'un moteur qui démarrait se fit entendre. Et les graviers de la chaussée crissaient sous nos pas que nous apercevions encore le feu arrière d'une voiture qui décroissait dans la direction du nord.

Smith, hors d'haleine, s'appuya à un arbre.

– Eltham est dans cette automobile, râla-t-il. Et nous le voyons emmener !

D'un geste de désespoir, il frappa du poing sur l'arbre. La station de taxis la plus proche n'était pas fort éloignée, mais, vu les circonstances, en admettant même qu'elle ne fût pas déserte, elle ne pouvait évidemment nous être d'aucune utilité.

Le ronflement du moteur se perdait déjà dans le lointain. On distinguait avec peine le feu de la voiture.

Subitement, dans la direction opposée, apparurent les phares d'une deuxième automobile. Elle venait sur nous, très vite, et nous nous trouvâmes bientôt en pleine lumière.

À cet instant, Smith bondit sur la route et se tint au milieu, les bras en croix.

Un grincement de freins et le conducteur, évitant de justesse Smith, manqua me renverser. Une seconde plus tard, la lourde masse d'une limousine s'immobilisait, et un homme en tenue de soirée se penchait à la portière et cherchait à savoir, d'une voix anxieuse, ce qui était arrivé. Smith, sans chapeau, échevelé, s'approchait déjà.

– Je suis Nayland Smith, dit-il rapidement, commissaire de la Birmanie.

Et, fouillant dans sa poche, il en sortit une lettre qu'il tendit à l'occupant étonné.

– Lisez. C'est signé d'un autre commissaire, celui de la police.

Muet d'étonnement, l'autre obéit.

– Vous le voyez, continuait mon ami, j'ai carte blanche et tous pouvoirs. Je réquisitionne votre voiture, monsieur, c'est une question de vie ou de mort.

D'un geste prompt, l'inconnu lui tendit la lettre.

– Permettez-moi de vous l'offrir, fit-il en mettant pied à terre. Mon chauffeur est à vos ordres. Je continuerai en taxi. Mon nom...

Mais Smith n'en écouta pas plus. Il se tourna vers le chauffeur, interdit.

– Vite. Vous venez de croiser une voiture, il y a un instant. Pouvez-vous la rattraper ?

– J'essaierai, monsieur, si je ne perds pas sa trace...

Smith bondit sur le marchepied, m'entraînant à sa suite.

– En avant, jeta-t-il. Et en quatrième vitesse. Merci. Bonne nuit, monsieur.

Déjà, nous démarrions. Une embardée, et la chasse commença.

J'aperçus, comme en un rêve, celui que nous

venions de déposséder sur le bas-côté de la route. Nous étions déjà lancés bon train, à la poursuite des ravisseurs d'Eltham.

Smith était trop excité pour soutenir une conversation suivie. Des phrases courtes, hachées, s'échappaient de ses lèvres.

– J'ai suivi Fu Manchu depuis Hong Kong... Perdu à Suez. Arrivé avec un paquebot d'avance... Eltham a entretenu une correspondance avec un mandarin. L'ai su. Suis venu chez vous... arrivé seulement d'aujourd'hui. Ce soir... Lui – Fu Manchu – a été envoyé pour avoir Eltham. Par Dieu, il l'a ! Il va le torturer... La Chine... un volcan, Petrie. Ils veulent colmater la fuite. *Il* est ici pour cela.

La voiture stoppa avec une secousse si violente que je fus jeté à bas de mon siège. Le chauffeur sauta à terre et se mit à courir en avant. Prompt comme l'éclair, Smith était déjà dehors que l'homme, qui avait échangé deux mots avec un agent, revenait.

– Montez, monsieur, montez, cria l'homme, les yeux brillants de l'ardeur de la poursuite. Ils ont pris la direction de Battersea.

Et la course reprit.

Nous roulions à une allure folle par les rues désertes. Nous laissions derrière nous de hauts gazomètres, des quartiers pauvres. Nous suivions maintenant une rue étroite où des grilles ouvrant sur des terrains vagues et quelques maisons basses faisaient face à un mur blanc élevé.

– La Tamise est sur notre droite, dit Smith, penché à la portière. Son repaire est au bord de l'eau, comme toujours. Eh !

Il saisit le tube acoustique.

– Stop ! Stop !

La limousine longea le trottoir étroit et s'arrêta près d'une clôture. J'avais, moi aussi, aperçu le gibier, une voiture basse, allongée, tous feux éteints. Elle venait de tourner le coin suivant, là où un lampadaire diffusait une lumière verdâtre sur le sol, à 100 mètres de nous, peut-être.

Smith mit pied à terre. Je l'imitai.

– Ce doit être un cul-de-sac, fit-il.

Il se tourna vers le chauffeur qui ne le quittait pas des yeux :

– Retournez au dernier tournant, ordonna-t-il, et attendez, hors de vue. Ramenez la voiture si vous entendez le sifflet de police.

L'homme parut désappointé, mais obéit sans récriminer. Comme l'automobile commençait à reculer, Smith me saisit par le bras et me poussa en avant.

– Allons jusqu'au coin maintenant, et voyons où ils se sont arrêtés, sans toutefois nous montrer.

3

LE GILET D'ACIER

Nous n'avions pas fait dix pas vers le réverbère, quand nous parvint le ronflement du moteur. La voiture faisait demi-tour.

Déjà, nous nous désespérions d'être découverts en cet instant critique. Nayland Smith cherchait fiévreusement, à droite et à gauche, un coin capable de nous dissimuler tant bien que mal. Je l'aidais de mon mieux. Le sort nous fut favorable – doublement, ainsi que la suite le prouva. Sur notre droite, une barrière de bois coupait le mur. Un accident, récent, y avait fait une large déchirure. La chaîne de fermeture pendait, formant une boucle. Une seconde plus tard, Smith la chaussait comme un étrier et, d'un rétablissement, se mettait à cheval sur la barrière.

– À vous, Petrie.

Il me tendait une main.

Prenant à mon tour la chaîne comme point d'appui,

je m'aidai d'un des piliers et me retrouvai aux côtés de Smith.

– Vous pourrez vous retenir à la traverse, me dit-il.

Et, se laissant glisser, il disparut dans l'obscurité. J'étais encore au haut de la barrière, quand la voiture que nous avions suivie tourna le coin, lentement, car la place manquait. Mais je m'étais déjà suspendu à la traverse et donc parfaitement dissimulé avant que le chauffeur ait pu me voir.

– Restez où vous êtes jusqu'à ce qu'il soit passé, me souffla d'en bas mon compagnon. Il y a une rangée de barils au-dessous de vous.

Le bruit du moteur s'accentua, pour décroître bientôt. Je tâtonnai de la pointe du pied gauche, trouvai le sommet d'un baril et sautai, haletant, aux côtés de Smith.

– Ma foi, dis-je, cela a été juste. Mais comment savez-vous...

– ... que nous sommes sur la bonne piste ? interrompit mon ami. Posez-vous la question : quel est l'homme normal, n'ayant rien à cacher, qui passerait en automobile, à 2 heures du matin, dans ce quartier-ci ?

– Vous avez raison, concédai-je. Ressortons-nous ?

– Pas encore ; j'ai une idée. Voyons plus loin.

Il me saisit le bras pour m'entraîner dans la direction qu'il avait choisie.

Un vaste espace enténébré s'étendait devant nous. La lune éclairait vaguement à nos pieds des rangées de barils.

– Il y a une autre porte, continuait mon ami dont je commençais à percevoir la silhouette à mes côtés. Si mes calculs ne sont pas complètement faux, il doit y avoir une grille qui donne sur le quai.

Une sirène retentit lugubrement, tout près de nous.

– J'ai raison, fit Smith, une note de satisfaction dans la voix. Nous sommes sur la bonne voie. En avant.

De sa torche électrique, il éclairait par intervalles

le chemin qui sinuait entre les rangées de barriques et conduisait à une porte encore éloignée, au-dessus de laquelle paraissait la lune. J'entendis Smith faire un effort :

– Ces fûts sont pleins de graisse, et lourds. Pourtant, je voudrais regarder par-dessus le mur.

– La caisse à laquelle je m'appuie paraît vide, répondis-je. Oui. Aidez-moi.

Nous l'enlevâmes et la plaçâmes entre nous deux sur deux lourds tonneaux. Smith y grimpa aussitôt et, m'accrochant à lui, je parvins à me hisser à ses côtés.

Le sentier se terminait bien, ainsi que Smith l'imaginait, à une barrière de quai, à 6 mètres environ sur notre droite. Des tonneaux vides étaient empilés tout contre la porte d'un magasin. Plus loin, de l'autre côté du sentier, s'élevait une vieille construction en ruine qui avait dû être, en son temps, une maison d'habitation. Des placards collés aux fenêtres du rez-de-chaussée indiquaient que les trois étages étaient à louer comme bureaux ; les caractères gras se lisaient distinctement sous la lune.

On entendait la marée battre les piles du quai, on sentait la fraîcheur de la rivière, et les multiples bruits qui ne cessent jamais sur la grande voix d'eau se percevaient confusément.

– En bas ! me souffla Smith. Pas un bruit. Je m'y attendais. Ils nous ont entendus les suivre.

J'obéis, en me raccrochant à lui. Une soudaine faiblesse m'étourdissait. Mon cœur battait à se rompre.

– Vous l'avez vue ? fit-il.

Si je l'avais vue ? Hélas ! Et tous mes pauvres rêves me revenaient en foule. Leurs cendres, leur poussière s'élevaient comme sous le souffle de la tempête.

Regardant par la fenêtre, ses grands yeux brillant au clair de lune, les lèvres rouges légèrement entrouvertes, ses magnifiques cheveux noirs comme l'ébène, surveillant anxieusement le coin du sentier... Kâramaneh, Kâramaneh, que nous avions sauvée des mains de l'horrible docteur chinois, Kâramaneh, qui avait été notre alliée, à la recherche de laquelle j'avais consacré ma maigre fortune, Kâramaneh, qui avait fait de ma vie un désert sans fin, Kâramaneh...

– Pauvre vieux Petrie, murmura Smith. Je savais tout, mais je n'ai pas eu le courage... *il* l'a reprise, Dieu sait comment, et par quels liens il la tient. Mais ce n'est jamais qu'une femme et, de Charing Cross à Pagode Road, elles se ressemblent toutes, mon pauvre vieux.

Un instant, il laissa sa main sur mon épaule ; j'ai honte d'avouer qu'un tremblement convulsif m'avait saisi ; mais bientôt, serrant les dents comme pour mieux affirmer ma décision, je m'efforçai de faire mienne l'amère philosophie de Nayland Smith. Déjà, il se relevait d'un mouvement insensible pour surveiller le passage. Je l'imitai.

La fenêtre à laquelle la jeune fille s'était penchée était à peu près au niveau de nos yeux et, relevant la tête je la vis distinctement quitter la pièce. La porte qu'elle ouvrit laissa passer une faible lumière, sur laquelle sa silhouette se découpa un instant. Puis la porte fut refermée.

– Nous essaierons d'une autre fenêtre, dit Smith.

Avant que j'eusse compris son plan, il avait sauté et descendait sans bruit la pile de tonneaux, de l'autre côté. Je le suivis.

– Vous ne songez pas à l'attaquer, sans aide ? dis-je.

– Petrie, Eltham est dans cette maison. On vient de l'y traîner pour le mettre à la question, au sens médiéval et chinois du mot. Avons-nous le temps de demander de l'aide ?

Je frémis. J'avais bien pensé tout cela, assurément, mais l'entendre me l'exprimer nettement me révoltait et me stimulait en même temps.

– Vous avez le revolver, ajouta Smith. Suivez-moi de près et sans bruit.

Rapidement, marchant sur les barils, il vint se placer sous la fenêtre. Je l'aidai à disposer un tonneau au ras du mur. Un deuxième suivit. Un troisième, enfin, fut hissé sur les deux premiers, non sans bruit, du reste.

Smith y monta tout aussitôt.

Les muscles de sa mâchoire étaient contractés et ses yeux avaient des reflets d'acier ; mais il était calme comme s'il s'était agi d'entrer au théâtre et non dans l'antre du Génie du Mal. J'excuserai tous ceux qui ont rencontré le Dr Fu Manchu d'avoir connu la peur – j'en avais peur moi-même, comme l'on a peur d'un scorpion. Lorsque Nayland Smith se releva sur l'échafaudage de bois que nous avions dressé pour bondir dans la pièce sombre, j'étais sur ses talons ; cependant, je l'admirais : son sang-froid était absolu ; mon propre cas était un peu différent.

Il me parla à l'oreille.

– Votre main ne tremble pas, Petrie ? Nous aurons peut-être besoin du revolver.

Je pensai à Kâramaneh, à la belle Kâramaneh aux yeux sombres, que cet être stupéfiant et cruel, ce produit de la Chine mystérieuse, m'avait volée – je le comprenais maintenant.

– Vous pouvez vous fier à moi, lançai-je impétueusement. Je...

Les mots expirèrent sur mes lèvres.

Il est des choses qu'on voudrait oublier, et je ne me rappelle que trop souvent le cri qui me glaça d'horreur en cet instant.

Smith poussa un gémissement.

– C'est Eltham, fit-il sourdement. Ils le torturent.

– Non ! Non ! criait une femme, dont la voix m'émut aussi, mais de toute autre façon. Pas cela. Pas...

J'entendis distinctement le choc mat d'un coup, suivi d'une sorte de lutte. Une porte s'ouvrit, quelque part dans la maison, et claqua. On venait vers nous.

– En arrière.

La voix de Smith était étouffée, mais impérieuse et ferme.

– Laissez-le moi.

Les pas se rapprochèrent. J'entendis des sanglots contenus. La porte, celle de la pièce dans laquelle nous nous trouvions, s'ouvrit, laissant passer la faible lumière que nous avions déjà aperçue et Kâramaneh. La pièce était nue, sans meubles, nous ne pouvions nous cacher ; c'était, au demeurant, inutile.

Elle était encore sur le seuil que Smith l'enserrait déjà du bras gauche et la bâillonnait de la main droite. Elle poussa une sourde exclamation et il l'attira au milieu de la chambre.

– Fermez la porte, Petrie.

J'obéis. Un léger parfum parvint à mes narines, un souffle de l'Orient, un rappel des jours passés, qui s'étaient évanouis pour toujours. Kâramaneh. Ce parfum, c'était elle tout entière. Au risque de paraître insensé, absurde, je dois dire que j'en rêvais souvent.

– Dans la poche de mon gilet, dit Smith à voix basse, la lampe.

Je me penchai sur la jeune fille qu'il maintenait toujours. Elle ne bougeait pas. Quant à moi, j'eusse souhaité être plus calme. Je saisis la torche et en dirigeai le faisceau sur elle.

Elle était habillée très simplement d'une jupe bleue et d'une blouse blanche. C'était elle, sans aucun doute, qu'Eltham avait prise pour une femme de chambre française. Une broche en rubis fermait sa blouse au col, rutilait sur la peau blanche. Elle était très pâle, ses yeux semblaient agrandis par la peur.

– Vous trouverez une corde dans ma poche droite, me dit Smith. J'ai pris mes précautions. Liez-lui les poignets.

J'obéis en silence. La jeune fille n'opposait aucune résistance, mais je crois que de ma vie je n'ai été aussi gauche qu'en attachant ses blancs poignets. Ses doigts souples s'abandonnaient aux miens.

– Serrez bien les nœuds, me dit Smith avec une intention marquée.

Je rougis. J'avais compris.

– C'est fait, dis-je.

J'éclairai de nouveau le visage de la captive.

Smith retira la main qui la bâillonnait, mais ne desserra pas son étreinte. Elle me regardait. J'aurais juré qu'elle ne me reconnaissait pas. Mais une rougeur fugitive colora ses joues et la laissa plus pâle encore.

– Il nous faut un bâillon...

– Smith. Je ne peux pas faire cela.

Les yeux de la jeune fille se remplirent de larmes, et elle lança un regard suppliant à mon compagnon.

– Ne soyez pas cruel, supplia-t-elle avec ce doux accent qui m'affolait. Tout le monde, tout le monde est dur avec moi. Je vous promets, je vous jure, s'il le faut, de rester tranquille. Oh ! croyez-moi, si vous pouvez sauver l'homme qui souffre, je ne ferai rien pour vous en empêcher.

Elle baissa sa belle tête.

– Ayez pitié de moi.

– Kâramaneh, dis-je. Nous avons eu, il y a longtemps, confiance en vous. Maintenant, nous ne le pouvons plus.

Elle eut un violent tressaillement.

– Vous connaissez mon nom ? (Sa voix était à peine perceptible.) Pourtant, je ne vous ai, de ma vie, jamais vu.

– Voyez si vous pouvez fermer la porte à clef, interrompit Smith brutalement.

Stupéfié de l'apparente sincérité de notre belle captive, et mettant de côté l'étrangeté de la situation, j'ouvris la porte et, tâtant la serrure, trouvai une clef.

Nous laissâmes Kâramaneh adossée au mur. Ses grands yeux étaient tournés vers moi.

Smith ferma la porte avec soin. À pas de loup, nous suivîmes le couloir faiblement éclairé.

D'une porte sur la gauche sortait un rai de lumière. Plus loin, on discernait également une autre porte donnant sur le couloir. Dans la pièce éclairée, on parlait à haute voix. J'aurais pourtant juré que Kâramaneh ne venait pas de cette pièce, mais de la plus éloignée, celle qui était au bout du couloir.

Mais la voix ! Celui qui l'avait entendue une fois ne pouvait l'oublier : étrange, tour à tour gutturale et sifflante.

Fu Manchu parlait.

– Je vous ai demandé (et la voix se faisait de plus en plus nette, car Smith avait commencé à pousser doucement la porte) de me donner le nom de votre correspondant à Nan-Yang. Je vous ai même suggéré que ce pouvait bien être le mandarin Yen-Sun-Yat ; vous ne l'avez pas confirmé. Pourtant, je sais (Smith poussait toujours la porte, qui était maintenant entrouverte) qu'un dignitaire, un haut dignitaire nous trahit. Dois-je vous poser encore la question pour connaître son nom ?

L'intonation donnée au mot « question » me glaça jusqu'aux os. Nous étions au XXe siècle, et dans cette pièce, pourtant...

Smith repoussa violemment la porte.

Dans une sorte de brume provoquée, en partie du moins, par l'horreur que je ressentis, j'aperçus Eltham, nu jusqu'à la ceinture, suspendu, les bras en l'air, à l'une des poutres d'un vieux plafond. Un Chinois, vêtu d'un habit bleu en loques, se tenait debout près de lui, un couteau ouvert à la main. Eltham était blanc comme un linge. L'aspect de sa poitrine me laissa tout d'abord interdit, puis je compris. Un réseau métallique était tendu autour de son corps et serré avec une telle force que la chair horriblement gonflée sortait par les mailles du filet. Partout, du sang...

– Mon Dieu ! hurla Smith, ils lui ont mis le gilet d'acier. Tuez le maudit Chinois, Petrie. Tirez ! Tirez !

Avec une souplesse féline, l'homme au couteau bondissait déjà, mais je levai le browning délibérément, avec la froide résolution qui me soutenait maintenant, et lui tirai une balle dans la tête. Je vis le blanc de ses yeux bridés, je vis le trou dans son front. Sans un mot, sans un cri, il tomba sur les genoux, puis glissa à terre, une main prise sous le corps, tout en agitant convulsivement l'autre. Sa natte se dénoua et se déroula comme un serpent.

Je rendis le revolver à Smith ; j'avais tout mon sang-froid, maintenant. D'un bond, je ramassai le couteau tombé à terre et commençai à trancher les liens d'Eltham. Il tomba dans mes bras.

– Dieu soit loué, murmura-t-il d'une voix lointaine, éteinte. Il est plus miséricordieux que je ne le mérite peut-être. Desserrez... le gilet... Petrie... je crois... j'étais bien près... de faiblir. Dieu soit loué... qui m'a donné... la constance...

Je desserrai les vis qui actionnaient l'infernale machine, mais, lorsque j'en délivrai Eltham, les forces lui manquèrent, à lui, cet homme de fer. Je le laissai glisser au sol, évanoui.

– Où est Fu Manchu ?

Nayland Smith, debout près de la porte, posait la question. Il avait l'air stupéfié. Je me relevai. Je ne pouvais, pour l'instant, faire davantage pour la pauvre victime. Je regardai autour de moi.

La pièce était nue. À terre, des plâtras. Une lampe à huile en étain était accrochée au mur. Le Chinois mort gisait aux pieds de Smith. Il n'y avait pas d'autre porte que celle du couloir. La fenêtre était grillagée. Et pourtant nous avions entendu la voix inoubliable, la voix de Fu Manchu.

Or, Fu Manchu n'était pas dans la pièce.

De prime abord, nous ne pouvions le croire. Nous nous tenions immobiles, incrédules. Nos regards allaient du cadavre au pauvre Eltham toujours évanoui.

Brusquement, la lumière se fit, au même instant, dans notre esprit. Avec un cri de déception et de rage, Smith courut par le couloir à la deuxième porte. Elle était grande ouverte. J'étais à ses côtés quand il explora la pièce avec sa torche électrique. Le vide.

Il y avait un tube acoustique entre les deux chambres.

Smith grinçait littéralement des dents.

– Et pourtant, Petrie, fit-il enfin, nous avons appris quelque chose. Fu Manchu avait évidemment promis la vie sauve à Eltham s'il lui donnait le nom de son correspondant. Il tient sa parole, vous le savez : c'est un des traits de son caractère.

– Je ne comprends pas.

– Eltham n'a jamais vu Fu Manchu, mais il connaît certains coins de la Chine mieux que vous ne connaissez le Strand. Il est probable qu'il eût reconnu notre docteur, et celui-ci a voulu soigneusement éviter cette éventualité.

Nous courûmes à la chambre où nous avions laissé Kâramaneh. Elle était vide.

– Battus ! fit Smith amèrement. Le Diable jaune est à nouveau lâché sur Londres.

Il se pencha à la fenêtre et le cri aigu de son sifflet de police troua le calme de la nuit.

4

LE CRI DE LA CHOUETTE

Tels furent les événements qui marquèrent le retour de Fu Manchu à Londres, qui réveillèrent les peurs endormies, ravivèrent les vieilles blessures, y instillèrent leur poison. Désespérément, je m'efforçai, par un travail acharné, de bannir de ma mémoire Kâramaneh, mais en vain. Il n'était plus de paix pour moi, plus de joie dans le monde. Je n'étais plus qu'un pauvre homme bafoué.

Nous avions placé le malheureux Eltham dans une maison de convalescence, où ses épouvantables blessures pourraient être convenablement soignées ; et, bien souvent, la force d'âme dont il faisait preuve m'emplissait de confusion. Inutile de dire que Nayland Smith avait pris les dispositions nécessaires à la sauvegarde du blessé, mesures efficaces, la suite le prouva, puisque l'horrible démon qui l'avait torturé abandonna ses desseins en ce qui le concernait et passa à d'autres méfaits, comme je vais le relater ici.

Le crépuscule venait toujours, pour nous, avec son cortège d'appréhensions, car l'obscurité sera toujours la plus fidèle alliée du crime. Et c'est bien une nuit, longtemps après que les pendules eurent sonné l'heure mystique, celle où « les cimetières bâillent », que la main du Dr Fu Manchu s'étendit pour saisir une nouvelle victime. Je reconduisais un client occasionnel.

– Bonne nuit, docteur, me dit-il à la porte.

– Bonne nuit, monsieur Forsyth.

Et après l'avoir raccompagné, je refermai la porte et tirai les verrous, éteignis la lumière et montai l'escalier.

Mon client était second d'un paquebot de la Peninsular and Oriental Steam Navigation Company. Il s'était, au cours de son dernier voyage, vilainement coupé la main et, des signes d'infection s'étant manifestés, avait eu recours à mes soins immédiats. Il s'était excusé de me déranger à une heure aussi indue et m'avait donné pour excuse qu'il venait seulement de mettre son navire à quai.

L'horloge de l'entrée sonnait une heure comme je regagnais mon appartement. Tout en gravissant machinalement l'escalier, je cherchais à préciser les souvenirs que les traits de ce Forsyth avaient éveillés en moi. Parvenu au palier, j'ouvris la porte et fus surpris de trouver la pièce en façade plongée dans l'obscurité.

– Smith ! appelai-je.

– Venez et regardez, me répondit-il à voix basse.

Nayland Smith était assis près de la fenêtre grande ouverte et penchait la tête. Rien qu'à entrevoir sa mince silhouette, je sentis qu'il était aux aguets.

Je m'approchai.

– Qu'est-ce donc ? fis-je avec curiosité.

– Je ne sais pas. Surveillez le bouquet d'ormes.

Sa voix autoritaire et froide trahissait l'anxiété. J'obéis. Les étoiles brillaient au ciel. Pas de lune. La nuit avait ce calme qui suscite la crainte. La chaleur était tropicale et le square, piqué de lumières irrégulièrement disposées, avait une apparence irréelle. Le bouquet des neuf ormes faisait une tache noire, floue.

Certains états d'esprit ont une influence magnétique. Je ne pensai pas un instant à la beauté de la nuit, qui ne fit que me rappeler que, parmi les multitudes de Londres, il était un être mystérieux dont la vie était une énigme, l'existence même un miracle de la science.

– Où est votre patient ? demanda brusquement Smith.

Sa question soudaine donna un nouveau cours à mes pensées. Aucun bruit de pas ne troublait le silence de la nuit. Où mon client était-il donc passé ?

Je voulus avancer la tête. Smith me saisit le bras.

– Ne vous penchez pas, dit-il.

Je me retournai, surpris.

– Et pourquoi donc ?

– Je vous le dirai tout à l'heure. L'avez-vous vu ?

– Oui, mais que fait-il ? Il semble qu'il soit resté à la grille, debout, pour je ne sais quelle raison.

– Il l'a vu, grogna Smith. Regardez les ormes.

Sa main était restée sur mon bras, l'étreignant nerveusement. Dirai-je que j'étais étonné ? Rien de plus exact. Mais j'ajouterai que j'étais plus que cela : ému, frémissant. Car l'attention de Smith, son attitude ne pouvaient signifier qu'une chose : Fu Manchu.

Et c'en était assez pour tendre mes nerfs, aiguiser mes sens à l'extrême. J'épiai tous les bruits, aussi bien à l'intérieur qu'à l'extérieur de la maison. Doutes, suspicions et craintes se heurtaient confusément en moi. Pourquoi Forsyth se tenait-il immobile, près de la grille ? Je ne l'avais jamais rencontré auparavant. Et cependant, je me souvenais de cet homme. Était-ce une visite préméditée, les prémices d'un complot ? Sa blessure n'était pourtant pas suspecte. Mon cerveau travaillait fiévreusement. Une seule pensée l'occupait tout entier : Fu Manchu.

L'étreinte de Nayland Smith se fit plus étroite. Et, dans un souffle il me jeta :

– De nouveau, Petrie. Regardez, regardez.

Ses paroles étaient inutiles. J'avais vu, moi aussi. Une chose étrange, inexplicable. Derrière les ormes, dans le noir, une lumière bleue, indécise, apparut. Elle grandit, fantomatique, s'éleva. Tel un spectre igné, un feu magique, elle monta, plus haut, plus haut, plus haut encore, jusqu'à 3,50 mètres du sol environ. Puis elle s'évanouit comme elle était venue.

– Mon Dieu, Smith, qu'est-ce là ?

– Que sais-je, Petrie. Je l'ai déjà vue deux fois. Nous...

Il se tut soudain. On entendait marcher sur le macadam. Par-dessus l'épaule de Smith, je vis Forsyth traverser la rue, entrer dans le square, en sautant la clôture.

Smith bondit sur ses pieds.

– Il faut le retenir, fit-il avec angoisse. (De sa main, il me ferma irrésistiblement la bouche, au moment où j'allais appeler :) Pas un mot, Petrie.

Il bondit hors de la pièce et descendit l'escalier en tâtonnant dans le noir, tout en criant :

– Par le jardin, la porte de côté !

Je le rejoignis au moment où il ouvrait toute grande la porte de ma pharmacie. Il traversa celle-ci en courant et ouvrit la porte qui donnait à l'autre bout. J'étais sur ses talons, et la refermai derrière moi. L'âcre senteur des plants de tabac d'un parterre voisin se fit perceptible. Il n'y avait pas un souffle de vent et, dans le grand silence, j'entendis Smith manœuvrer les verrous de la grille.

Elle s'ouvrit et je bondis dehors, à sa suite, laissant la porte ouverte.

– N'ayons pas l'air de venir de chez vous, m'expliqua rapidement Smith. Je vais suivre la rue et la traverser une centaine de mètres plus loin, là où s'ouvre un sentier, comme si je revenais à la maison, en venant du nord. Attendez une demi-minute, puis partez dans la direction opposée et tournez au coin de la rue. Aussitôt que vous serez hors des lumières des réverbères, sautez la clôture et courez vers les ormes.

Il me mit un pistolet dans la main et disparut.

Tant qu'il avait été à mes côtés, la parole enfiévrée, son visage brun proche du mien, les yeux brillants, j'avais épousé son ardeur. Maintenant que je me trouvais seul dans cette allée calme, bien fréquentée, un pistolet chargé à la main, tout me sembla irréel.

C'est dans une curieuse disposition d'esprit que je gagnai le coin de la rue, ainsi qu'il m'avait été ordonné de faire. Je ne pensais pas alors au Dr Fu Manchu, cet être à l'intelligence perverse qui rêvait de soumettre l'Europe et l'Amérique au joug chinois ; je ne songeais pas davantage à Nayland Smith, qui se trouvait, seul, entre le Chinois et la réalisation de ses monstrueux projets, même pas à Kâramaneh, la jeune esclave dont la radieuse beauté était, dans les mains de Fu Manchu, un puissant instrument. Je cherchais simplement à me représenter l'impression que j'eusse faite sur un de mes malades qui m'eût rencontré en cet instant.

Tel était le cours de mes pensées, jusqu'au moment où je sautai la clôture du square et en foulai le gazon. Lorsque je me mis à courir vers les ormes, je commençai à me demander la signification, terrible à coup sûr, de cette nouvelle aventure. À une cinquantaine de mètres des arbres, il me vint à l'esprit que, si Nayland Smith avait jamais eu l'intention de couper la route à Forsyth, nous arriverions trop tard, assurément, car il me semblait qu'il était déjà dans le bosquet.

Je jugeais bien. Vingt foulées peut-être encore, et des arbres, devant moi, monta un cri. Il troua, clair, le silence de la nuit. Le hululement de la chouette. Je ne me souvenais pas l'avoir jamais entendu auparavant dans le square. Je ne lui aurais cependant attaché aucune importance si, au même instant, n'avait éclaté un hurlement sinistre, hurlement de peur, de dégoût, d'angoisse tout à la fois, et qui me remplit d'horreur.

Tout frissonnant, je m'arrêtai à l'orée du petit bois, appuyé au tronc du premier arbre.

– Smith ! m'écriai-je à perdre haleine. Smith ! Où êtes-vous ?

Pour toute réponse, je ne perçus qu'un nouveau cri, indescriptible, une suite de sanglots, de râles, que sais-je. Et de l'ombre sortit un être, ou mieux, un spectre, un homme dont la figure semblait striée. Ses yeux fous me fixaient. Il battait l'air de ses mains comme un aveugle ou un dément.

Je reculai de quelques pas, j'essayai en vain de parler. L'homme trébucha et tomba à mes pieds, balbutiant et sanglotant.

Je restai immobile, comme paralysé. Je le regardais. Il eut quelques gestes convulsifs, puis se raidit. Le silence retomba. Nayland Smith apparut subitement à mes côtés. Je ne bougeai pas. J'étais hébété.

– Je l'ai laissé aller à la mort, Petrie, entendis-je confusément. Que Dieu me pardonne.

– Smith, balbutiai-je, un instant, j'ai cru...

– Non. C'est notre pauvre marin qui a rencontré la mort qui m'était destinée.

Et je compris alors pourquoi les traits de Forsyth m'avaient semblé familiers. Je compris aussi pourquoi il était maintenant couché dans l'herbe, dormant de son dernier sommeil : n'étaient sa blondeur et sa petite moustache, il ressemblait à s'y méprendre à Smith.

5

LE PIÈGE

Avec précaution, nous couchâmes la pauvre victime sur le dos. Je me penchai et, les doigts tremblant encore, grattai une allumette. Une légère brise s'était levée et passait dans les arbres comme une caresse. De la paume, je protégeai la flamme. Elle éclaira d'abord Nayland Smith, son visage brun et ses yeux agrandis d'horreur. Je me penchai davantage et nous pûmes voir la face du mort.

– Mon Dieu ! fit Smith.

L'allumette s'éteignit. De mémoire de chirurgien, je ne me souvenais pas d'avoir vu pareille horreur. La figure livide de Forsyth était striée de ruisselets de sang, provoqués par une série de blessures irrégulièrement disposées. La tempe gauche en était couverte, ainsi que l'œil droit ; de même le menton, la gorge.

On eût dit un tatouage. La peau était affreusement gonflée. Les mains étaient crispées ; le mort était déjà raide.

Smith me fixait intensément pendant que je me livrais à cet examen, sans espoir aucun.

– Il est bien mort, fis-je d'une voix étouffée. C'est étrange, surnaturel.

Mon ami eut un geste de désespoir, frappant du poing la paume de sa main gauche, et fit quelques pas en prononçant des mots que je ne compris pas. Une voiture passait en ferraillant sur la route. J'étais toujours à genoux, regardant la figure grimaçante de celui qui, quelques minutes auparavant, avait été un fier et élégant marin anglais. Je me surpris à constater le contraste entre cette moustache nette, soigneusement taillée, et les traits contorsionnés, souillés de sang noir. Machinalement, je dénombrai les gouttelettes de sang caillé qui les maculaient.

Des pas lourds firent crisser le sable de l'allée. Je

me relevai pour me trouver face à face avec un policeman.

– Que se passe-t-il ?

Ses lourdes épaules s'abaissaient déjà. Son regard alla de Nayland Smith à moi, puis au cadavre. Brusquement, il mit la main à la poche et quelque chose brilla...

– Laissez ce sifflet, ordonna Smith. Où est votre lampe ? Taisez-vous.

L'agent fit un pas en arrière. Il pesait visiblement ses chances face à nous, quand mon ami sortit de sa poche une lettre qu'il lui mit sous le nez.

– Lisez, fit-il impérieusement, et obéissez.

Son ton impressionna l'agent. À la lueur de sa lampe, il parcourut des yeux le papier, et la stupéfaction la plus complète se peignit sur ses traits rudes.

– Si vous doutez encore, continua Smith, si vous ne reconnaissez pas la signature, vous n'avez qu'à appeler Scotland Yard au téléphone. Nous allons maintenant chez le Dr Petrie.

Il désigna du doigt le cadavre.

– Aidez-nous à le transporter. Nous ne devons pas être vus : cette affaire doit rester secrète. Avez-vous compris ? La presse ne doit pas être informée.

L'homme salua avec respect et nous nous attelâmes tous trois à la sinistre tâche. Lentement, nous transportâmes le mort à la lisière du square, puis traversâmes la rue sans éveiller l'attention de quiconque, même des vagabonds qui dormaient en plein air, dans le voisinage.

Nous déposâmes le fardeau sur ma table d'opération.

– Examinez-le, dit Smith avec autorité. Le sergent téléphonera pour avoir l'ambulance. Nous avons une petite enquête à faire, également. Donnez-moi la lampe électrique.

Il monta rapidement à sa chambre, puis redescendit en courant. La porte d'entrée claqua.

– Le téléphone est dans l'antichambre, dis-je au constable.

– Je vous remercie, monsieur.

Il sortit. Allumant le lustre, je commençai mon examen. Les blessures de Forsyth étaient, ainsi que je l'ai déjà dit, groupées et affectaient la forme de traînées. Toutes avaient le même aspect : une incision profonde entourée d'une érosion superficielle, piriforme, de la peau. L'œil droit avait été atteint.

Les symptômes que j'avais observés chez Forsyth, lorsqu'il m'était apparu, au sortir des arbres, étaient étranges ; sans discussion possible, les muscles articulaires et l'appareil respiratoire avaient été affectés. Or, cette face livide, striée de rouge et de noir, ne me fournissait pas d'élément sur la nature de sa mort. Aucun indice caractéristique ; l'observation la plus minutieuse du corps ne me révéla rien. L'aube blanchissait les fenêtres lorsque l'ambulance s'arrêta à ma porte et que la police enleva le corps.

Je prenais mon chapeau, quand Nayland Smith revint.

– Smith, m'écriai-je, avez-vous trouvé quelque chose ?

Il restait à la porte, dans la lumière grise du matin, tirant sur le lobe de son oreille gauche. Ses yeux semblaient immenses dans son visage émacié. Ils avaient cet éclat fébrile que je n'aimais pas, car je savais d'expérience qu'il était dû à un dangereux choc nerveux. À ces moments-là, il pouvait agir avec un imperturbable sang-froid, et ses facultés semblaient décuplées. Il ne répondit pas.

– Avez-vous du lait ? fit-il brusquement.

La question était tellement inattendue que je ne la compris pas :

– Du lait ? dis-je.

– Oui, du lait, Petrie. Si vous pouviez m'en procurer, je vous en serais reconnaissant.

Sans mot dire, je me dirigeai vers la cuisine.

– Les restes du turbot que nous avons mangé hier

soir, Petrie, seraient les bienvenus. J'aimerais avoir également un déplantoir.

Je m'arrêtai et lui fis face.

– Je veux croire que vous ne vous moquez pas, Smith, dis-je, mais...

Il se mit à rire.

– Excusez-moi, mon vieux. Je suis tellement préoccupé que l'étrangeté de mes demandes ne m'avait pas autrement frappé. Je vous expliquerai plus tard ces goûts singuliers. Pour l'instant, silence.

Il ne plaisantait pas. Je m'exécutai et remontai bientôt avec un déplantoir de jardinier, le plat de poisson froid et un verre de lait.

– Merci, Petrie. Si vous vouliez bien mettre le lait dans un pot...

Rien ne m'étonnait plus. Je retournai sur mes pas et versai le lait dans un pot de terre. Il s'en saisit, ainsi que du plat, après avoir glissé le déplantoir dans sa poche, et s'apprêta à sortir. Il avait déjà ouvert la porte lorsqu'une idée nouvelle parut le frapper.

– Donncz-moi aussi le pistolet, Petrie.

Je le plaçai dans sa poche sans un mot.

– Ne croyez pas que j'aie l'intention de me moquer de vous, ajouta-t-il, mais votre présence pourrait compromettre mes plans. Je vais revenir.

La froide lumière du matin inonda un instant le hall, puis il referma la porte sur lui. Je montai à ma chambre. Je pouvais, par la fenêtre, voir Nayland Smith traverser la pelouse dans la brume. Il allait dans la direction des ormes, mais je le perdis de vue avant qu'il les eût atteints.

Je m'assis. J'attendais les premiers rayons du soleil. Un agent arpentait le trottoir. Plus tard, un soupeur attardé, en smoking, col relevé, passa. Tout me semblait irréel. Non loin de là, dans la brume du matin, errait un homme investi de pouvoirs tels que la Loi ne comptait plus pour lui, un homme qui avait derrière lui, à ses ordres, toutes les forces du Royaume-Uni, prêtes à lui obéir aveuglément, un homme qui était venu de Rangoon à Londres, par ordre supérieur, pour accomplir une mission particulièrement délicate et dangereuse. Et cet homme s'occupait, en ce moment, d'un plat de poisson froid, d'un pot de lait et d'un déplantoir !

À ma droite, à une certaine distance, apparut un tramway qui stoppa, puis reprit sa course vers l'ouest. Dans la grisaille, ses lumières semblaient jaunes mais, à vrai dire, le tramway m'occupait beaucoup moins que la passagère solitaire qui venait d'en descendre.

Tandis que le tramway passait en cahotant sous ma fenêtre, je cherchais à discerner les traits de l'inconnue qui, traversant la rue, se dirigeait droit sur le square. Elle était chargée d'un gros panier.

Il faut être un matérialiste acharné pour nier qu'il existe des forces latentes que l'homme ne peut ou ne veut développer. J'éprouvais une intense et subite curiosité pour cette femme, sans aucune raison apparente. Mû par une force irrésistible, sans plan défini, je pris une casquette au portemanteau et sortis rapidement de la maison, choisissant une direction qui devait me permettre de couper le chemin de la femme.

J'avais mésestimé la distance, comme si le destin s'en était mêlé. Caché par de hauts genêts, j'arrivai sur elle au moment où, agenouillée dans l'herbe, elle ouvrait le panier. Je m'arrêtai et me mis à l'observer.

Elle était habillée très pauvrement, d'une jupe noire ordinaire, portait un chapeau également noir et une épaisse voilette ; mais il me semblait que ses mains, fort occupées à défaire son paquet, étaient fines et blanches. Elle avait posé à côté d'elle une paire de gants de coton, quelconques et sales.

Elle écarta des papiers et sortit du panier une sorte de filet de pêche. Quant à moi, je contournai le massif, fis quelques pas silencieux sur le gazon et me tins derrière elle.

Une bouffée de parfum m'envahit tout entier, tel l'encens mystérieux de l'Égypte millénaire. Tout l'Orient était là, et je ne connaissais qu'une femme qui usât de ce parfum. Je me penchai.

– Bonjour, fis-je. Puis-je vous aider ?

Elle fut debout, d'un bond de biche effrayée, et eut un mouvement de recul, inimitable dans sa grâce. Les premiers rayons du soleil se jouaient des diamants que portaient les doigts de cette femme en haillons. Mon cœur manqua un battement. Avec peine, j'affermis ma voix.

– Ne craignez rien, dis-je encore.

Elle m'observait ; sous le voile épais, je voyais ses yeux briller. Je me baissai et saisis le filet.

– Oh !

Une seule exclamation et ce fut assez. Je ne doutai plus.

– Un filet pour les oiseaux, dis-je. Quel curieux oiseau cherchez-vous, Kâramaneh ?

D'un geste violent, elle arracha son voile. Le vieux chapeau suivit. Son admirable chevelure encadra son visage. Ses yeux étincelèrent. Qu'ils étaient beaux, de cette sombre beauté de la nuit égyptienne ! J'avais si souvent rêvé qu'ils plongeaient dans les miens !

Lutter contre l'amour éprouvé pour une femme qu'on sait être, à n'en pas douter, indigne, est-il, des tortures que l'âme puisse endurer, de plus affreuse ? Tel était mon sort, pour expier quel péché ancien ? Et c'était là cette femme, cette belle esclave d'un monstre, cette créature de Fu Manchu.

– Vous allez probablement soutenir que vous ne me connaissez pas, fis-je brutalement.

Ses lèvres tremblèrent, mais ne s'ouvrirent pas.

– Il est commode d'oublier, parfois, continuai-je amèrement.

Je me tus. Je savais ne rien tant désirer qu'entendre ses dénégations, ses excuses, et en trouver de valables. Je regardai le piège que je tenais toujours à la main. Une corde y était attachée. Il était prêt à servir.

– Que vouliez-vous en faire ? repris-je.

Et, au fond de mon cœur, pauvre fou, j'admirais la

courbe divine des lèvres de Kâramaneh et me reprochais de les faire trembler.

Elle parla :

– Docteur Petrie...

– Eh bien ?

– Vous semblez irrité, non point tant pour ce que je fais que parce que je ne vous reconnais pas.

– Ne renversez pas les rôles. Vous vous êtes résolue, très opportunément, à ne pas me reconnaître, à oublier que nous avions été amis. Qu'il en soit ainsi, mais répondez à ma question.

Elle joignit les mains dans une sorte d'abandon.

– Pourquoi donc me traiter ainsi ? s'écria-t-elle. (Ses accents me ravissaient.) Jetez-moi en prison, tuez-moi si vous voulez, pour ce que j'ai fait. (Elle frappa du pied.) Pour ce que j'ai fait. Mais ne me torturez pas, ne me rendez pas folle avec vos reproches. Vous avoir oublié ? Je vous répète, encore une fois, que, jusqu'à cette nuit de la semaine dernière où vous vîntes sauver un homme de – elle hésita, comme autrefois, à prononcer son nom – de *ses* mains, je ne vous avais jamais vu. Jamais !

Les yeux noirs étaient posés sur les miens, me suppliant de la croire. Mais les faits étaient contre elle.

– Déclaration bien inutile, rétorquai-je aussi froidement que je le pus. Vous mentez ; vous avez abusé ceux qui ont été assez fous pour croire en vous...

– Je n'ai pas trahi ! cria-t-elle avec emportement.

Qu'elle était belle !

– Inutile encore. Vous pensez simplement qu'il vaut mieux servir Fu Manchu que rester fidèle à vos amis. Votre soi-disant esclavage, car je pense que vous vous donnez toujours comme esclave, n'est pas bien sévère. Vous êtes à la dévotion de Fu Manchu, vous trompez les hommes, vous les conduisez à la mort. En retour, le Chinois vous couvre de bijoux, vous comble de cadeaux...

– Vraiment ! Eh bien...

Elle bondit sur ses pieds, ses yeux étincelants, levés

vers les miens, les lèvres entrouvertes. Avec la chaste impudeur que le désert donne à ses filles, elle arracha d'un geste violent le haut de sa blouse. Une épaule ronde apparut.

– Voici les cadeaux dont il me comble !

Et je vis sur sa peau d'une blancheur neigeuse les marques du fouet ! Je grinçai des dents. De folles pensées m'assaillirent. Elle se retourna, remettant de l'ordre dans ses vêtements, puis me regarda. J'avais peur de parler :

– Pourquoi me donner votre confiance, si je ne suis pour vous qu'un étranger ?

– Je vous connais assez pour être sûre de vous ! répondit-elle simplement, détournant la tête.

– Alors, pourquoi servir ce monstre inhumain ?

Elle eut un geste évasif et me lança un regard à la dérobée.

– Et pourquoi ces questions, si je mens toujours ?

Une leçon de logique, d'une femme ! Je passai à autre chose.

– Dites-moi ce que vous êtes venue faire ici ?

Du doigt, elle montra le filet.

– Capturer des oiseaux ; vous l'avez dit vous-même.

– Quels oiseaux ?

Elle haussa les épaules, sans répondre.

Et brusquement, je me souvins : le cri de la chouette avait annoncé, en quelque sorte, la mort de Forsyth. Ce filet était large, solide. Quelque oiseau de proie, inconnu peut-être de nos naturalistes d'Occident, quelque horrible volatile venimeux n'avait-il pas été lâché la nuit dernière dans le square ? Je pensais aux marques sur le visage et le cou de Forsyth ; je me souvins aussi de la profonde science qu'avait le docteur chinois des choses redoutables et maléfiques.

Le papier qui avait enveloppé le filet était à mes pieds. Je me baissai et dégageai de ses plis un panier d'osier. Kâramaneh m'observait. Elle se mordit les lèvres, mais ne fit pas un mouvement pour m'arrêter.

Je l'ouvris. Il contenait une grosse bouteille, pleine d'un liquide à l'âcre saveur.

J'étais décontenancé.

– Vous allez venir avec moi, fis-je durement.

Kâramaneh se retourna vers moi, peureusement. Elle allait parler quand j'étendis le bras pour la saisir. Brusquement, l'expression de son visage changea. Elle me lança un regard de défi. Et, avant que j'aie pu deviner son projet, elle s'écarta de moi, d'un bond gracieux et souple, et se mit à courir !

Stupide, le panier et le filet à la main, je la regardai s'éloigner. L'idée de la poursuivre me vint, mais j'avais peu d'espoir de la rejoindre. Kâramaneh courait, non pas comme une fille de la ville, ou même de la campagne, mais avec la légèreté de la gazelle, en fille du désert qu'elle était.

À une centaine de mètres, elle s'arrêta et se retourna. La joie de l'effort physique semblait avoir réveillé son démon, celui que toute femme qui a des yeux comme ceux de Kâramaneh doit porter en elle.

Dans la gloire du soleil levant, je voyais distinctement son corps souple – les haillons ne pouvaient en cacher la beauté –, son visage. Je voyais les lèvres rouges, les dents éclatantes. Et j'entendis son rire, une musique, un rire de défi, de moquerie.

Elle reprit sa course et disparut.

J'acceptai ma défaite avec joie – et j'en rougis encore. Autour de moi, la vie reprenait son cours. Les oiseaux saluèrent joyeusement le jour nouveau. Mon étrange butin toujours à la main, je repris la direction de ma maison, l'esprit occupé des liens qui pouvaient bien exister entre un filet d'oiseleur et le cri de la chouette, tel que nous l'avions entendu au moment de la mort de Forsyth.

Le sentier que j'avais choisi passait tout au bord du Mound Pound, un étang avec une petite île au centre. Quelle ne fut pas ma surprise d'apercevoir le plat et le pot que j'avais confiés à Smith abandonnés au bord de l'eau !

Déposant mon fardeau, je m'avançai. J'étais inquiet. J'allais saisir le pot, maintenant vide, quand un appel retentit.

– Tout va bien, Petrie ! Je vous rejoins dans un instant !

Je tressaillis et regardai autour de moi. C'était bien la voix de Nayland Smith, mais je ne l'apercevais nulle part.

– Smith ! criai-je. Smith !

– Voilà !

Doutant de mes sens, je regardai dans la direction d'où semblait provenir la voix. C'était bien Nayland Smith. Il était dans l'île, au centre de l'étang et, à ce moment précis, entrant dans l'eau jusqu'aux genoux, il se dirigea vers moi.

Ma mine interdite provoqua un de ses rares éclats de rire.

– Vous devez me croire complètement fou, Petrie ! fit-il. Mais j'ai fait bonne chasse. Savez-vous ce qu'est cette petite île ?

– Ma foi, non.

– Tout simplement un monument funéraire, Petrie. Une de ces grandes fosses où l'on ensevelissait les victimes de la grande peste de Londres. Vous remarquerez que vous l'avez devant vos yeux, plusieurs fois par jour, depuis des années, et qu'il appartient cependant à un commissaire britannique, habitant la Birmanie, de vous en faire connaître l'histoire. Mais... qu'avez-vous donc là ?

Il ramassa le filet.

– Tiens ! Un piège d'oiseleur !

– Très juste.

– Et où l'avez-vous trouvé ? dit Smith en tournant vers moi son regard inquisiteur.

– Je ne l'ai pas précisément trouvé, répliquai-je.

Je relatai les circonstances de ma rencontre avec Kâramaneh.

Son œil froid ne me quittait pas, et avec quelque honte, je le mis au courant de la fuite de la jeune fille.

– Petrie, fit-il brutalement, vous êtes un imbécile !

Le rouge de la colère me monta au front. Même de Nayland Smith, que j'estimais plus que quiconque, je ne pouvais accepter ces façons. Nous nous défiâmes du regard.

– Kâramaneh, continua-t-il, est un joli jouet, j'en conviens, mais un cobra aussi. On ne doit s'amuser ni avec l'un ni avec l'autre.

– Smith ! fis-je violemment. C'en est assez ! Abandonnez ce ton que je ne puis admettre.

– Il faudra pourtant bien que vous m'écoutiez, répliqua-t-il en avançant la mâchoire. Vous jouez, et pas seulement avec cette jolie fille, qui est la favorite d'un Néron chinois, mais avec ma propre vie. Et cela dans un but uniquement personnel.

Ma colère tomba brusquement. Mon ami avait raison. Je n'avais qu'à me taire. Smith poursuivit :

– Vous savez qu'elle ment et qu'un seul regard de ses yeux noirs suffit à vous bouleverser ! Une femme m'a fait, une fois dans ma vie, déraisonner ; mais j'ai retenu la leçon. Vous, vous êtes incorrigible ! Si vous tenez absolument à sombrer contre le rocher où s'est échoué Adam, ne vous gênez pas, mais ne m'entraînez pas dans la catastrophe, Petrie ! Je n'ai pas le goût de subir un empereur jaune dominant le monde, et vous savez que c'est ce qui arriverait !

– Vos paroles sont inutilement dures, Smith, fis-je penaud, mais peut-être les mérité-je.

– Absolument, fit-il. Un attentat est commis contre moi, qui entraîne la mort d'un innocent. Vous arrivez et laissez s'échapper un complice, le principal peut-être, parce que c'est une femme, qu'elle a les lèvres rouges ou les cils noirs, ou je ne sais quoi encore qui vous fascine !

Il ouvrit le panier et renifla l'odeur.

– Ah ! ah ! Vous reconnaissez ?

– Évidemment.

– Vous avez alors une idée de ce que cherchait Kâramaneh ?

– Pas la moindre.
Il haussa les épaules.
– Venez, Petrie, dit-il en passant son bras sous le mien.
Et nous partîmes. J'avais beaucoup à lui demander. Une question, surtout, brûlait mes lèvres :
– Smith ! Qu'avez-vous donc fait dans l'île ? Avez-vous déterré quelque chose ?
– Non. me répondit-il avec un froid sourire. Au contraire.

6

SOUS LES ORMES

Le crépuscule nous trouva, Smith et moi, à la fenêtre de la chambre à coucher. Nous savions, après examen, que le pauvre Forsyth avait été empoisonné. Smith, déclarant que je ne méritais plus sa confiance, avait refusé de m'expliquer sa théorie sur l'origine des blessures que portait le cadavre.
– Sur le sol meuble, sous les arbres, j'ai retrouvé ses traces jusqu'au lieu de... l'accident. Pas d'autres empreintes que les siennes sur plusieurs mètres à la ronde. Il a été attaqué alors qu'il était près du tronc d'un arbre. Plus loin, j'ai relevé des empreintes assez curieuses.
Il traça sur un buvard une série de points réguliers.
– Des pattes ! m'écriai-je. Le cri étrange de l'oiseau ! Probablement une espèce inconnue !
– Nous le saurons bientôt, dit mon ami. Probablement cette nuit. Il n'y avait pas de lune, hier. *On* a fait une erreur sur la personne. *On* fera une nouvelle tentative aujourd'hui. Vous connaissez les habitudes de Fu Manchu ?
Et c'est ainsi que, protégés par l'obscurité, nous

devisions tout en observant avec attention le bouquet des neuf ormes. Cette nuit, la lune était là et donnait vie aux ombres chinoises. À minuit, la rue déserte, le bois devenait mystérieux ; et, sauf le passage assez rare d'un tramway rutilant de lumières, la scène se prêtait fort bien au drame.

La presse n'avait pas soufflé mot de la tragédie de la veille ; Nayland Smith avait des pouvoirs suffisants pour la museler. Aucun détective, aucun agent n'avait été posté aux environs. Mon ami était de l'avis que la publicité qui avait été donnée autrefois aux exploits du Dr Fu Manchu, ainsi que la collaboration parfois maladroite de la police officielle, n'avaient pas peu contribué aux victoires du Chinois.

– Je ne crains qu'une chose, jeta-t-il tout à coup, c'est qu'il ne soit pas prêt cette nuit.

– Et pourquoi ?

– Il n'est en Angleterre que depuis peu, et sa ménagerie, sa collection d'animaux meurtriers n'est peut-être pas complète.

Il y avait eu, dans la soirée, un orage violent, accompagné d'une pluie diluvienne. De gros nuages noirs obscurcissaient de temps à autre le ciel. Dans une éclaircie, la lune apparut, verdâtre, illuminant l'orée du bois. Je me mis à penser aux yeux verts de Fu Manchu.

Les nuages passèrent...

– Le voici, Petrie, souffla Nayland Smith.

Il se tut subitement et, du geste, m'imposa le silence. Une lueur imprécise apparut, au ras du sol. Elle s'éleva, lentement, à une grande hauteur, et s'évanouit.

– Sous les arbres, Smith !

Il était déjà à la porte.

– Prenez votre pistolet, Petrie ! J'ai le mien. Laissez-moi prendre 30 mètres d'avance, sans quoi on ne m'attaquera pas. Aussitôt que je serai sous les arbres, rejoignez-moi !

Et de courir à perdre haleine à travers le square

vers les noirs buissons. La mystérieuse lumière avait disparu. Au moment où Smith s'engageait sous les arbres, je compris qu'il savait, qu'il connaissait l'ennemi qu'il allait avoir à combattre.

Sa tactique était claire. Fu Manchu ou sa créature n'entreprendrait rien en présence d'un témoin. Nous savions d'autre part que l'instrument de mort dissimulé sous les ormes pouvait effectuer son sinistre travail et ne laisser aucune trace, pouvait tuer et disparaître. Forsyth n'avait-il pas été frappé alors que Smith et moi n'étions qu'à vingt pas de lui ?

Il n'y avait pas un souffle de vent. Smith, devant moi, car j'avais ralenti le pas, arrivait au premier arbre. La lune, dégagée des nuages qui rappelaient le récent orage, éclairait en plein la scène. Ses rayons, perçant le feuillage, faisaient une tache argentée sur le sol humide.

J'avançais, lentement. Smith l'avait dépassée. Il m'apparut un instant. Il observait les branches au-dessus de lui.

– De la prudence ! lui criai-je en courant sous les arbres pour le rejoindre.

Avec un cri aigu, il bondit en arrière, vers l'ombre.

– En arrière, Petrie, en arrière ! Plus loin !

Et se jetant sur moi, il me heurta de l'épaule et me rejeta violemment sur le côté.

À son cri, en écho, un grand bruit de branches cassées se fit entendre, au-dessus de nos têtes. Nous battions maintenant en retraite vers l'ombre et, tout à coup, il me sembla que l'un des ormes s'abaissait vers nous, jusqu'à nous toucher ! Smith me poussa, me rejeta en arrière, fébrilement.

Un hurlement effroyable, une lourde chute dans un craquement de branches brisées, une plainte qui devenait un râle ; la voix sèche du pistolet de Smith se fit entendre.

– Manqué, je l'ai manqué, Petrie ! À vous ! À gauche ! Ne le ratez pas, pour l'amour de Dieu !

Je me retournai d'un bond. Une ombre noire

m'effleura. Je tirai une fois, deux fois. Un autre cri affreux vint ajouter à l'horreur de cette nuit.

Nayland Smith braqua sa lampe de poche dans la direction de mon tir.

– L'avez-vous tué, Petrie ?

– Oui !

J'étais à ses côtés. À nos pieds, d'un amas de feuilles et de branches, une répugnante face jaune se détachait, tournée vers nous. Ses traits étaient contractés par l'agonie, mais les yeux féroces nous lancèrent un dernier regard de haine, que les ombres de la mort ternissaient déjà. L'homme se débattait sous une lourde branche. Il avait les reins brisés. Encore quelques soubresauts, l'écume aux lèvres. Et sa tête retomba en arrière, dans la boue, ses yeux vitreux hideusement fixés sur nous. Il était mort.

– Les dieux sont avec nous, dit Smith lentement. Les ormes ont la fâcheuse habitude de se débarrasser brusquement de leurs branches les plus lourdes même par temps calme, à plus forte raison après un orage. Pan, dieu des forêts, a exercé sa justice distributive.

– Je ne comprends pas. Où était cet homme ?...

– Dans l'arbre, couché sur la branche qui est tombée, Petrie. Voici pourquoi il n'a pas laissé de traces sur le sol. Je suis sûr que, la nuit dernière, il s'est enfui en passant d'arbre en arbre, tel un singe, et n'a rejoint le sol que loin d'ici, de l'autre côté du bosquet.

» Quant à la lueur mystérieuse, vous ne vous l'expliquez peut-être pas encore. J'aurais pu vous en donner la cause ce matin même mais je crois que j'étais alors de mauvaise humeur, Petrie. C'est d'ailleurs bien simple : un mauvais chiffon imbibé d'alcool ou d'essence, caché par un tronc d'arbre à la vue de quiconque regarderait de vos fenêtres, allumé, rabattu vers le sol, toujours derrière l'arbre. L'homme le balançait au bout d'une corde. La flamme montait. J'ai retrouvé un fragment de chiffon carbonisé, la nuit dernière, à quelques pas d'ici.

Je regardais le cadavre du serviteur de Fu Manchu, être hideux qui gisait parmi les feuilles d'orme.

– Voyez donc ! Il a un sac de cuir à côté de lui, dis-je.

– Mais oui, Petrie. Et c'est là qu'il avait enfermé la chose qui tuait ; c'est de ce sac qu'elle sortait.

– Cette chose ?...

– ... Que votre fascinante amie était venue reprendre ce matin au filet.

– Ne m'accablez pas, Smith, fis-je amèrement. Mais quelle sorte d'oiseau était-ce ?

– Vous avez vu les marques sur le corps de Forsyth, et je vous ai parlé de celles que j'avais relevées au sol, ici. C'étaient des griffes, Petrie.

– Je le pensais bien, mais de quel animal ?

– Les griffes d'une bête venimeuse. Je l'ai capturée la nuit dernière et l'ai tuée, involontairement. Je l'ai enterrée dans l'île. Je craignais qu'en la jetant dans l'étang, quelque enfant ne la repêchât et ne se blessât dangereusement. Je ne savais combien de temps les griffes resteraient venimeuses.

– Vous me traitez comme un enfant, Smith, dis-je lentement. Assurément, je suis stupide, mais peut-être me direz-vous ce que ce Chinois transportait dans ce sac de cuir qu'il a lâché sur Forsyth. C'est vraisemblablement un animal que vous avez réussi à capturer à l'aide du turbot froid et du pot de lait. Cet animal, Kâramaneh est venue, ce matin, pour le reprendre au moyen de...

Je me tus.

– Continuez, fit Smith en dirigeant la lumière de sa lampe sur ma gauche. Et qu'avait-elle dans son panier ?

– Une fiole de valériane, répondis-je, mécaniquement.

La lampe éclairait maintenant la petite bête que j'avais tuée au pistolet.

C'était un chat noir !

– Un chat passerait dans l'eau et dans le feu pour

de la valériane, dit Smith, mais j'en ai fait la capture ce matin, avec du poisson et du lait ! J'avais bien reconnu les empreintes d'un chat et je pensais qu'il avait dû rester caché dans le voisinage, probablement dans les buissons. Je le débusquai et fis mon possible pour l'approcher, mais en vain, l'animal était terrorisé. Je le tuai : c'était nécessaire. Cette brute jaune, qui gît à nos pieds, usait des étoupes enflammées comme d'un appeau. La branche sur laquelle il se tenait était juste au-dessus du sentier éclairé par la lune. Au moment où l'homme qu'il voulait tuer passait, le bandit imitait le cri de la chouette et jetait au visage de la victime le chat, jusqu'alors retenu dans le sac de cuir !

– Mais... fis-je, de plus en plus interdit.

Smith se baissa.

– Les griffes du chat sont rentrées, mais si vous pouviez les examiner, vous constateriez qu'elles sont enduites d'une sorte de vernis noir et brillant. Fu Manchu est le seul à en connaître la composition. Quant à nous, nous en savons le danger !

7

MR ABEL SLATTIN

– Mais je ne vous blâme pas ! s'écria Smith. Reprenons. 1 000 livres pour vous si vous nous indiquez le refuge actuel de Fu Manchu, quel que soit l'usage que nous ferons de ce renseignement. Est-ce bien cela ?

Abel Slattin haussa légèrement les épaules et retourna au fauteuil qu'il venait de quitter. Il s'assit, plaça sa canne et son chapeau sur mon bureau.

– J'aimerais mieux cela noir sur blanc, dit-il doucement.

Smith se leva de son fauteuil de rotin blanc et, penché sur un coin de la table, griffonna quelques lignes sur une feuille de papier à lettres avec mon stylo.

J'observai notre visiteur à la dérobée. Il s'était renversé dans le fauteuil, ses lourdes paupières baissées. Il était habillé avec recherche, un peu trop bien peut-être. C'était un homme de haute taille, aux cheveux noirs, distingué, à ce qu'il semblait. Il jouait continuellement avec son monocle, qui ne lui allait pas, du reste. Au cours de la conversation, j'avais noté avec une certaine surprise l'accent américain de Mr Abel Slattin.

À certains de ses gestes, un gros diamant, qu'il portait en bague au troisième doigt de la main droite, lançait des feux étincelants. Sa peau, foncée, avait une sorte de reflet bleuâtre, qu'on remarquait à ses mains, mais surtout sur son visage boursouflé, sous les yeux. Le cœur de cet homme devait fonctionner assez mal.

La plume de Nayland Smith grinçait sur le papier. De l'homme, au type sémite prononcé, mon regard glissa à sa canne posée sur mon bureau. Elle était curieuse. Un travail indien, probablement. Un bois brun foncé, tacheté, qui faisait songer à la peau d'un serpent. Le pommeau était sculpté et représentait la tête d'une vipère à cornes. Deux petites pierres, ou deux perles de verre, figuraient les yeux. L'illusion était frappante.

Smith tendit le papier à Slattin, qui le lut avec attention, le plia avec soin et le mit dans sa poche.

– Vous avez là une canne bien curieuse, dis-je.

Notre visiteur, dont les yeux noirs reflétaient, malgré ses efforts pour la dissimuler, une joie sans mélange, fit un signe de tête et reprit sa canne.

– Elle vient d'Australie, docteur. C'est un travail extrêmement original, qui m'a été offert par un client. Vous pensiez sûrement que c'était indien, n'est-ce pas ? C'est ma mascotte.

– Vraiment ?

– Mais oui. Son premier propriétaire lui reconnaissait un pouvoir magique. De fait, je crois que c'est une de ces cannes dont on parle dans la Bible...

– Le bâton d'Aaron ? suggéra Smith après avoir jeté un coup d'œil à la canne.

– Quelque chose comme cela, dit Slattin en se levant pour prendre congé.

– C'est bien entendu, vous nous téléphonerez demain ?

– Demain matin, sans faute, vous aurez de mes nouvelles.

Smith reprit son fauteuil et Slattin, s'inclinant devant nous, gagna la porte au moment où je sonnais la domestique pour le reconduire.

– Si j'en juge par l'importance de sa proposition, commençai-je aussitôt la porte fermée, vous n'avez pas reçu notre visiteur avec une cordialité bien marquée.

– Il m'est très désagréable d'entretenir des relations avec cet individu, répondit mon ami, mais nous ne devons pas être trop délicats dans le choix des auxiliaires que nous pouvons trouver au cours de notre lutte contre le Dr Fu Manchu. Slattin a une détestable réputation, même pour un détective privé. Ce n'est guère plus qu'un maître chanteur...

– D'où le tenez-vous donc ?

– J'ai fait, hier encore, une petite visite à notre ami Weymouth, au Yard, qui m'a communiqué sa fiche.

– Dans quel but ?

– L'homme est personnellement mêlé à notre affaire. Il est bien certain qu'il a des relations avec les Chinois. Je m'étonne seulement...

– Vous ne voulez pas dire...

– Mais si ! Mais si ! Soyez sûr que les scrupules ne l'étouffent pas.

Il était évident que Slattin n'était pas sans savoir que ce commissaire de Birmanie au teint bronzé, aux yeux vifs, était, en fin de compte, de par sa mission même, le meneur de la lutte contre le puissant Fu Manchu aux capacités immenses pour le mal, qu'il avait derrière lui toute la puissance de l'État, qu'il disposait de voies et de moyens illimités. Slattin avait compris, avec son infaillible instinct sémite, que le pactole était là : deux acheteurs, donc une affaire !

– Croyez-vous vraiment qu'il ait consenti à devenir la créature d'un Fu Manchu ? fis-je avec horreur.

– Je ne le crois pas. J'en suis sûr ! Et, s'il est bien payé, il y a tout lieu de croire qu'il le servira aussi bien qu'un autre maître. Sa fiche est très mauvaise. Il ne s'appelle naturellement pas Slattin. Il servait la police new-yorkaise sous le nom de Pepley. Le lieutenant Pepley. Il en a été chassé pour complicité dans un meurtre assez crapuleux à Chinatown[1].

– Chinatown !

– Oui, Petrie. J'ai été aussi étonné que vous. N'oublions donc pas que c'est un bandit intelligent.

– Vous irez au rendez-vous qu'il vous donnera ?

– Sans aucun doute. Mais je n'attendrai pas demain.

– Comment ?

– J'ai l'intention de faire une petite visite préliminaire à Mr Abel Slattin, cette nuit même.

– À son bureau ?

– Non. À son domicile particulier. Si, comme je le crains fort, il nous prépare un piège, il ira probablement faire son rapport à Fu Manchu cette nuit.

– Et nous le suivrons !

Smith se leva et ôta sa vieille veste d'intérieur.

– Il a déjà été suivi, Petrie, dit-il en souriant froidement. Il est filé par deux hommes du Yard.

Je reconnaissais bien là la prévoyance de mon ami.

– À propos, fis-je, vous avez vu Eltham ce matin. Il entre en convalescence. Où pourrions-nous bien le...

– Ne vous inquiétez pas pour lui, Petrie. Sa vie n'est plus en danger.

1. Chinatown, quartier chinois de New York et de San Francisco. (*N.d.T.*)

Je regardai Smith, incrédule.
– Plus en danger ?
– Il a reçu, hier, une lettre, écrite en chinois, sur du papier chinois, dans une enveloppe commerciale ordinaire, dont l'adresse avait été tapée à la machine, et qui portait le timbre de Londres.
– Et ?
– La traduction était à peu de chose près : « Bien que, en homme courageux, vous n'ayez pas trahi votre correspondant de Chine, il a été découvert. Il était mandarin. Je ne le nommerai pas, car il ne me convient pas d'écrire le nom d'un traître. Il a été exécuté il y a quatre jours. Je vous salue et fais des vœux pour votre prompt rétablissement. » C'était signé Fu Manchu.
– Fu Manchu ! C'est un piège !
– Pas du tout, Petrie. Fu Manchu n'aurait pas écrit en chinois s'il n'avait pas dit l'exacte vérité. D'ailleurs, et cela dissipe tout doute, j'ai reçu ce matin même un câble qui m'informe que le mandarin Yen-Sun-Yat a été assassiné dans son jardin, samedi dernier.

8

FU MANCHU FRAPPE

Nous suivions l'avenue. Le quartier, un peu excentré, était très calme. Bientôt, nous nous arrêtâmes devant une petite maison isolée. Les buissons de lauriers n'avaient pas été taillés depuis fort longtemps. Les acacias étaient revenus à l'état sauvage. Et dans cette végétation désordonnée s'inscrivait un panneau délavé : *À vendre ou à louer.*

Après un rapide coup d'œil à droite et à gauche, Smith poussa la barrière de bois. Je le suivis. Les graviers de l'allée crissèrent sous nos pas. L'obscurité était profonde, car le réverbère le plus proche se trouvait à une quarantaine de mètres.

De la jungle en miniature qui bordait le sentier, un léger sifflement sortit.

– Est-ce vous, Carter ? appela Smith.

Une ombre émergea et je distinguai vaguement un homme vêtu de serge bleue, la tenue de service de la police.

– Eh bien ? fit mon compagnon.

– Mr Slattin vient de rentrer il y a dix minutes à peine, dit le constable. Il est arrivé en voiture et l'a renvoyée aussitôt.

– Il n'est pas ressorti ?

– Quelques minutes après son arrivée, poursuivit l'homme, une autre voiture s'est arrêtée à la porte. Une dame en est descendue.

– Une dame ?

– Celle qui est déjà venue, monsieur.

– Smith, fis-je en lui serrant fortement le bras, ne serait-ce pas...

Il se tourna à moitié vers moi et me fit un signe de tête. Mon cœur se mit à battre follement. Je comprenais maintenant le plan de campagne de Slattin. Dans nos opérations antérieures contre le groupe d'assassins de Fu Manchu, nous avions toujours eu une alliée dans le camp ennemi, Kâramaneh, la belle esclave dont la présence avait maintes fois éclairé d'un rayon de soleil le sombre drame que nous avions vécu. Kâramaneh, c'était l'Arabie tout entière, une réminiscence du vieux Bagdad, sous le règne du Grand Calife. Kâramaneh, que j'avais cru sincère, et qu'en ma présomption d'Occidental, il me semblait connaître.

Encore une fois, elle avait repris son rôle ; prétendant trahir les secrets du Dr Fu Manchu et, en fait – j'en étais sûr –, rabattant la proie dans les filets du sinistre Chinois.

Hier encore, j'avais été sa dupe. Bien mieux, je m'étais réjoui de ma dépendance. Aujourd'hui, je n'étais pas l'élu ; ses confidences n'étaient pas pour moi. Sa douceur, sa tendresse, son abandon charmant étaient destinés à un vulgaire coquin, cet Abel Slattin qui, en toute justice, aurait dû se trouver derrière les hautes murailles de Sing-Sing. C'était son tour d'être captivé par ces beaux yeux mystérieux, d'entendre les mensonges qui tombaient de ces lèvres parfaites, de triompher d'une conquête qui serait bientôt sa mort ; pauvre fou qui s'imaginait que cette perle d'Orient trahirait son maître pour l'amour de lui, et serait la proie de ses bras victorieux !

Ce triste retour sur moi-même m'avait empêché de suivre l'entretien de Nayland Smith et de son subordonné. Dans un effort suprême, je chassai ces pensées obsédantes, écartai toute cette boue. Je redevins un allié énergique dans cette guerre contre le Maître, contre l'Ordonnateur de tout ce qui tue.

Une fois nos plans arrêtés, Smith saisit mon bras et m'entraîna hors du jardin. Quelques instants plus tard, nous étions à la grille de la maison voisine, de l'autre côté de la rue. Deux fenêtres de l'étage supérieur étaient éclairées. J'en conclus que les domestiques avaient gagné leurs chambres. Tout le reste était plongé dans l'obscurité, sauf une grande baie vitrée au rez-de-chaussée, sur la gauche. Ses stores vénitiens étaient baissés.

– Le bureau de Slattin ! me souffla Smith. Il ne se sait pas surveillé et la fenêtre n'est pas fermée !

Avec précaution, mon ami traversa la pelouse et, négligeant le fait que sa silhouette eût été visible de tout observateur qui eût été placé dans la rue, s'aidant d'un rocher artificiel qui se trouvait là, il escalada le rebord de la fenêtre et s'y tint immobile.

J'hésitais à le suivre. Je craignais d'être entendu si je faisais basculer les blocs de lave qui formaient le rocher artificiel.

Mais toute irrésolution disparut lorsque j'entendis une voix harmonieuse, une voix aux accents obsédants, une voix qui faisait battre mon cœur, celle qui hantait mes nuits.

Kâramaneh parlait.

Sans souci pour l'état de mes vêtements, je rejoignis Smith. Par une fente du store, mon ami regardait. Je me penchai sur son épaule.

Un cabinet d'homme d'affaires. Des classeurs, des dossiers, un coffre-fort. Assis dans un fauteuil pivotant, devant un bureau américain, Slattin se renversait en arrière, souriant. Je le voyais de profil. Une molaire en or brillait dans sa bouche. Dans un fauteuil, le dos à la fenêtre, près, tout près de nous, Kâramaneh !

Celle que, dans mes rêves, j'avais toujours vue, je voyais toujours vêtue à l'orientale, couverte de bracelets, de bagues, de colliers, des anneaux d'or aux chevilles, portait maintenant un tailleur et un chapeau de l'élégance la plus sobre, qui ne pouvaient venir que de Paris. Kâramaneh, bien qu'Orientale, savait porter le vêtement européen ; je dévorais des yeux cet exquis profil ; j'évoquais Dalila. L'histoire du monde ne mentionnait pas, que je sache, de femme plus vile, à l'enveloppe plus virginale et plus belle.

– Oui, ma chère, disait Slattin, le monocle à l'œil, tout en détaillant complaisamment sa belle visiteuse, je serai prêt demain, dans la nuit.

Je sentis Smith tressaillir.

– Aurez-vous assez de monde ?

Le ton de Kâramaneh était étrangement détaché.

– Ma chère enfant, si nous avons vraiment besoin d'une division, nous aurons avec nous toute une division.

Ce disant, il s'était levé et essayait de prendre la main gantée de blanc qui s'attardait sur le bras du fauteuil ; elle évita le contact d'un geste qui pouvait passer pour involontaire. Elle se leva. Slattin la regardait hardiment.

– Et maintenant, donnez-moi vos ordres, dit-il.

– Je n'ai encore rien résolu, répondit froidement la jeune fille. Mais maintenant que je vous sais prêt, je puis prendre mes dispositions.

Elle passa près de lui à le toucher, évita son bras tendu sans paraître le remarquer, d'un mouvement qui me fit mal : j'avais été, moi aussi, le jouet, la victime de ces artifices.

– Mais..., commença Slattin.

– Je vous téléphonerai dans une demi-heure au plus tard, dit Kâramaneh.

Et, sans autre cérémonie, elle ouvrit la porte.

J'avais toujours l'œil collé à une fente du store, mais Smith me poussa le coude.

– Y pensez-vous ? Descendez ! Vite ! Si elle nous voit, tout est perdu !

Comprenant sa pensée, je quittai au plus vite mon observatoire. Dans ma hâte, je fus maladroit et descellai une grosse pierre qui tomba par terre avec bruit. Fort heureusement, Slattin était passé dans le vestibule à la suite de Kâramaneh et ne parut rien entendre.

Nous nous dissimulions à l'angle de la maison quand un flot de lumière inonda le perron. Kâramaneh en descendit rapidement les marches. J'entrevis un homme au visage brun, qui venait de lui ouvrir la porte. Toute mon attention se concentra sur la gracieuse silhouette qui se dirigeait maintenant vers l'avenue. Elle se profila, un instant, sur les barrières blanches, puis disparut.

Smith ne bougeait pas. D'une main vigoureuse, il me retenait cloué au sol, se dissimulant lui-même derrière une haie vive. Un taxi démarra. Vingt secondes s'écoulèrent. Plus loin, un second moteur se mit à ronfler.

– C'est Weymouth, me souffla Smith. Avec un peu de chance, nous saurons où Fu Manchu se cache avant que Slattin ne nous le dise !

– Mais...

– Oh ! il joue double jeu ! (Dans la pénombre, Smith me lança un regard significatif.) Nous ne devons pas compter sur lui !

Il voyait juste.

Mon compagnon ne tenta même pas d'entrer en communication avec le ou les détectives qui partageaient notre garde. Nous revînmes nous placer sous la fenêtre du bureau. L'attente fut longue, très longue.

Un taxi, grinçant et ferraillant, monta l'avenue sans s'arrêter. Les lumières de l'étage supérieur s'éteignirent. Un agent passa sur le trottoir, vérifiant la fermeture des portes, d'un bref éclair de sa lampe électrique. Une à une, les fenêtres des maisons voisines s'éteignirent ; seules leurs vitres brillaient au clair de lune.

Dans le profond silence, une voix se fit entendre, indistinctement. Elle venait du bureau. C'était probablement celle de l'homme qui avait ouvert la porte. Il demandait si on avait encore besoin de lui cette nuit.

Smith, tête penchée, écoutait passionnément. Slattin répondait.

– Oui, Burke, restez ici. Attendez mon retour. Je vais sortir dans quelques instants.

Et le silence retomba, absolu. Une demi-heure s'écoula. Je m'efforçai de déplacer sans bruit mes membres engourdis. Smith, à mes côtés, immobile, inlassable, semblait une statue. Il ne paraissait pas ressentir l'incommodité de sa position. Brusque, stridente, la sonnerie du téléphone retentit. J'eus un geste nerveux, saisis le bras de Smith. Il était dur comme du fer.

– Allô ! (C'était Slattin.) Qui est à l'appareil ?... Oui. Ici, Mr A. S... À l'instant ?... Où ?... Oui !... Vous y serez ?... Bien ! Dans une demi-heure... Au revoir.

J'entendis distinctement le craquement du fauteuil de Slattin ; à ce moment, Smith me prit par le bras ; nous éloignant rapidement de la porte, nous courûmes reprendre notre poste au coin de la maison.

– Il va à la mort, me chuchota Smith, mais Carter a une auto du Yard qui l'attend au bout de la rue. Nous allons le suivre, pour plus de sûreté : Weymouth a pu être dépisté. Et quand nous serons sûrs de sa destination, nous entrerons en jeu. Nous...

Je n'entendis pas la fin de la phrase, noyée dans une effroyable cacophonie. Un cri effrayant nous avait fait sursauter. Un hurlement aigu, coupé net et suivi de folles exclamations de souffrance.

– Mon Dieu ! Ah ! mon Dieu !

Puis des sanglots, des râles.

Instinctivement, je me relevai et me dirigeai vers la porte. J'entrevoyais vaguement le visage hagard, terrifié, de Smith près de moi. La porte s'ouvrit violemment, comme si on l'avait arrachée. Dans le cadre de lumière, Slattin apparut debout, gesticulant comme un insensé, luttant contre un ennemi invisible.

– Qu'y a-t-il ? Mon Dieu, qu'est-il arrivé ? entendis-je confusément.

Et le valet, Burke, se montra derrière son maître, livide. Nous gravissions déjà les degrés du perron.

Avant que nous ayons pu le rejoindre, Slattin, avec un dernier cri étranglé, s'écroula sur les carreaux, face au sol, barrant la porte.

Nous bondîmes dans le hall. Burke, au comble de l'épouvante, sautait de droite et de gauche, se mordant les doigts et poussant de faibles cris. Des pas lourds, précipités, firent craquer les graviers de l'allée. Carter accourait.

Burke, un homme large et solide, tomba sur les genoux auprès du corps de Slattin, et éclata d'un rire aigu, saccadé.

– Assez ! cria Smith.

Et l'empoignant aux épaules, il l'envoya rouler jusqu'au bas de l'escalier, où l'homme resta étendu, le visage enfoui dans les mains, nous regardant entre ses doigts écartés.

On entendait des cris étouffés, des exclamations à l'étage supérieur. Carter entra, enjambant avec précaution le mort. Nous nous penchâmes tous trois sur Slattin.

– Aidez-nous, fit Smith à Carter. Il faut dégager la porte. Fermez-la maintenant.

Nous étions seuls, avec l'objet de la vengeance de

Fu Manchu. Un coup d'œil m'avait suffi pour être sûr que Slattin avait rendu le dernier soupir.

Smith rencontra mon regard. Il grinça des dents et les muscles de sa mâchoire saillirent sous sa peau brune. Je lisais sur son visage la rage et le désespoir des plus mauvais jours, de ceux que nous avions connus deux ans auparavant.

– Il est mort, n'est-ce pas, Petrie ?

– Foudroyé. Puis-je le retourner ?

Smith acquiesça de la tête.

Avec peine, nous le mîmes sur le dos. On chuchotait dans l'escalier. Smith se retourna brusquement. Surpris dans le premier sommeil, hâtivement habillés, les domestiques s'étaient groupés au haut des marches et nous regardaient, terrifiés.

– Retournez dans vos chambres ! ordonna Smith. Que personne ne descende sans mes ordres !

La voix impérieuse eut son effet coutumier. Une retraite précipitée s'effectua vers l'étage supérieur. Burke, tremblant de terreur et de fièvre, s'était assis sur la dernière marche de l'escalier, se tordant les mains d'un air pathétique.

– Je l'avais prévenu, je l'avais prévenu ! répétait-il d'une voix monotone. Je l'avais prévenu ! Oh ! je l'avais prévenu !

– Debout ! cria Smith. Debout ! Venez ici !

L'homme, roulant des yeux effarés et semblant chercher quelque chose dans l'ombre, obéit.

– Avez-vous une gourde ? demanda Smith à Carter.

Sans répondre, le détective administra aussitôt à Burke un puissant cordial.

– Maintenant, dit Smith en montrant du doigt le cadavre, vous voulez l'examiner, Petrie ? Pendant ce temps, je vous poserai quelques questions, mon garçon.

Et il frappa sur l'épaule de Burke.

– Mais, s'écria le valet, j'étais à dix pas de lui quand cela est arrivé !

– On ne vous accuse pas, mon ami. Mais vous êtes le seul témoin et j'ai besoin de vous.

Luttant visiblement pour retrouver son sang-froid, Burke se raidit et fit un signe d'assentiment. Pendant la conversation qui s'ensuivit, j'examinai le cadavre ; je recherchai des marques, des traces de violence, vainement. Sur ce que je découvris, j'en dirai davantage tout à l'heure.

– En premier lieu, déclara Smith, vous dites l'avoir prévenu. Quand l'avez-vous prévenu ? À quel sujet ?

– Je... je l'ai prévenu, monsieur, que... Je... je savais que cela arriverait.

– Quoi ?

– Ces affaires avec les Chinois !

– Avec les Chinois ? Quelles affaires ?

– Il avait rencontré par hasard un Chinois dans un tripot de l'East End, un homme qu'il avait connu à San Francisco, Singapore Charlie...

– Hein ? Singapore Charlie ?

– Oui, monsieur, celui-là même qui avait une fumerie, il y a deux ans, du côté de Ratcliffe...

– Qui a brûlé...

– Mais Singapore Charlie s'en est tiré, monsieur.

– Il fait partie de la bande ?

– Il est membre de ce que nous appelions à New York le Clan des Sept.

Smith, que je surveillais du coin de l'œil, se mit à tirer sur le lobe de son oreille gauche.

– Le Clan des Sept ! fit-il, pensif. Très bien ! J'ai toujours pensé que le Dr Fu Manchu et le Clan des Sept ne faisaient qu'un. Ensuite, Burke ?

– Voyez-vous, monsieur, continua l'homme, plus calme, le lieutenant...

– Le lieutenant ? s'enquit Smith. Ah ! oui ! Il était lieutenant de police !

– Bref, il – Mr Slattin – avait une sorte d'alliance avec ce Singapore Charlie et, quand il l'eut retrouvé ici, il y a deux ans, il pensa un temps faire un beau coup, comme il disait...

– Me devancer, je pense ?

– Exactement, monsieur, mais c'est à ce moment que vous avez fait une grande descente de police et brouillé les cartes.

Smith hocha la tête et eut un sourire que l'homme de Scotland Yard lui retourna.

– Il y a près de deux mois, continua Burke, il rencontra Singapore Charlie dans un quartier de l'Est et le Chinois le présenta à une femme, une sorte d'Égyptienne.

– Oui, oui ! fit Smith impatiemment. Je la connais.

– Il la rencontra assez souvent. Elle est même venue ici deux ou trois fois. Elle expliqua qu'elle avait l'intention, avec Singapore Charlie, de « donner » le chef de la bande jaune....

– Pour un bon prix ?

– Je le pense, dit Burke, mais je ne sais pas. Ce que je sais, c'est que je le prévins, alors.

– Hem ! grogna Smith. Et maintenant, cette nuit, que s'est-il passé ?

– Il avait rendez-vous avec la femme, ici, commença Burke.

– Je sais, je sais, interrompit Smith. Je veux savoir ce qui s'est passé après le coup de téléphone.

– Eh bien, il m'a dit de l'attendre, et je somnolais dans la pièce voisine, la salle à manger, quand le téléphone m'a réveillé. J'entendis le lieutenant, monsieur Slattin, sortir. Je courus et j'arrivai juste à temps pour le voir prendre son chapeau...

– Il était nu-tête !

– Il n'a pas pu le décrocher du porte-manteau ! Au moment où il levait le bras, il a poussé un cri terrible et s'est retourné d'un bond comme s'il avait été attaqué par-derrière !

– Personne dans le hall, que lui ?

– Personne. J'étais sur le seuil de la salle à manger, près de l'escalier. Il ne s'est pas retourné de mon côté. Il a regardé exactement derrière lui, où il n'y avait rien, personne. Ces cris... ah ! ces cris !

La voix de Burke se brisa et il frissonna.

– Puis il a bondi vers la porte d'entrée. Il n'a pas dû me voir. Sur le seuil, il a crié encore. Mais avant que j'aie pu arriver à lui, il est tombé.

Nayland Smith jeta à Burke un regard perçant.

– Et c'est tout ce que vous savez ? demanda-t-il lentement.

– Je le jure, monsieur, c'est là tout ce que je sais, tout ce que j'ai vu. Il n'y avait pas âme qui vive auprès de lui, quand il est mort.

– Nous verrons, murmura Smith.

Il se tourna vers moi.

– La cause de la mort, Petrie ? demanda-t-il sèchement.

– Probablement la chose ou l'être qui a provoqué cette minuscule écorchure au poignet gauche, répondis-je.

Et, me baissant, je pris la main déjà froide dans la mienne.

Elle était légèrement gonflée. Le bras également. Smith courba son grand corps et siffla doucement.

– Vous reconnaissez, Petrie ?

– Assurément. Il était trop tard pour ligaturer et inutile d'injecter de l'ammoniaque. La mort a été quasi instantanée. Son cœur...

À cet instant, on frappa violemment à la porte.

– Carter ! cria Smith, n'ouvrez cette porte à personne, m'entendez-vous ! À personne ! Dites qui je suis...

– Mais si c'est l'inspecteur...

– Je vous ordonne de n'ouvrir cette porte à personne ! Ne discutez pas ! Burke, restez exactement où vous êtes ! Carter, vous pouvez parler à celui qui frappe par la fente de la boîte aux lettres. Petrie, pas un mouvement ! Il y va de votre vie ! La mort est peut être ici dans le hall, à nos côtés !...

9

LE GRIMPEUR

Nos recherches dans la maison de Slattin ne cessèrent qu'au jour et ne nous apportèrent que de la déception. Nous éprouvâmes échec sur échec ; et, dans la lueur grise du matin, notre première enquête terminée, l'inspecteur Weymouth revint pour nous annoncer que cette fille, Kâramaneh, était parvenue à le dépister.

Weymouth était toujours l'athlète puissant, l'ami, le camarade des combats passés : les tempes un peu plus grises, peut-être, mais toujours prudent, réfléchi, stoïque. Ses yeux bleus brillèrent lorsqu'il m'aperçut. Il vint à moi la main tendue.

– Cette fois encore, dit-il, votre amie aux yeux noirs a été plus forte que moi, docteur. Mais la piste, aussi loin que j'aie pu la suivre, conduit bien au même gîte. De fait... (Il se tourna vers Smith qui, les traits durcis, fatigués, avait mauvaise mine dans cette lumière grise.) De fait, je crois que le repaire de Fu Manchu est du côté de l'ancienne fumerie de Shen-Yan, Singapore Charlie.

Smith acquiesça.

– Nous irons voir de ce côté au plus tôt, répliqua-t-il.

Weymouth jeta un regard sur le corps étendu au sol.

– Comment est-ce arrivé ? demanda-t-il doucement.

– Assez maladroitement pour un Fu Manchu, répondis-je. Un serpent a été introduit dans la maison...

– ... Par Kâramaneh, coupa Smith.

– C'est très possible, poursuivis-je fermement. Nous n'avons pas trouvé la bête.

– D'après moi, dit Smith, elle a été dissimulée dans

ses vêtements. Quand il est tombé près de la porte ouverte, l'animal a fui dans le jardin. Nous verrons cela quand le jour sera levé.

– On pourra toujours l'enlever, lui, fit Weymouth, indiquant du pouce le cadavre. Pour ce qui est de la maison, on peut la laisser en état et la fermer après avoir fait évacuer les domestiques.

– J'ai déjà donné des ordres dans ce sens, répondit Smith.

Sa voix était celle d'un homme las de la lutte et conscient de la défaite.

– Rien n'a été touché. (Il eut un geste circulaire.) Nous examinerons les papiers et le reste quand nous aurons le temps.

Comme le quartier reprenait sa vie quotidienne, nous quittions cette maison sur laquelle le sinistre Chinois avait mis son sceau. Les voitures de laitiers ferraillaient alors dans cette avenue que le terrible ministre de mort avait visitée sur l'ordre de son seigneur. Nous laissâmes l'inspecteur Weymouth sur place et retournâmes à mon appartement, presque sans mot dire.

Nayland Smith, malgré mes prières, s'installa dans le fauteuil en rotin blanc de mon bureau et s'endormit. Vers midi, il prit un bain, puis réclama son petit déjeuner, avant de reprendre son fauteuil. Carter vint dans l'après-midi et fit son rapport, purement formel, au reste. Je revins de mes visites à 5 heures et demie, pour trouver Nayland Smith dans la même position. Le soir vint. La nuit tomba. Rien ne se produisit.

Dans le coin de la grande pièce, Smith allongeait ses longues jambes maigres auprès de l'âtre vide. Un gobelet, d'où sortaient deux pailles, était à sa gauche. Un épais nuage de fumée flottait entre nous. Un léger courant d'air venu d'une fenêtre l'entraînait vers la porte. Smith avait littéralement semé le parquet d'allumettes et de cendres, car c'était un fumeur extrêmement négligent ; si l'on excepte le tapotement du fourneau de sa pipe, le craquement des allumettes et le grésillement du tabac, il ne donnait aucun signe d'activité. Sans col, affublé d'une vieille veste, il passa la soirée comme il avait vécu la journée, immobile dans son fauteuil. Il dîna en dix minutes.

Mes tentatives pour engager la conversation avaient été infructueuses. Des grognements y avaient seuls répondu. Aussi, après avoir reçu mes rares clients, m'occupais-je à collationner mes notes sur le regain d'activité du Dr Fu Manchu, lorsque la sonnerie du téléphone retentit. On demandait Smith. Et je repris mon travail, pendant que mon ami descendait répondre.

Après un long entretien, il revint et commença à arpenter la pièce de long en large. Je l'observais tout en faisant mine de poursuivre ma tâche. Il tirait sans discontinuer sur son oreille gauche et son visage exprimait la plus profonde perplexité. Tout à coup il explosa :

– Je devrais tout lâcher, Petrie ! Ou bien je suis trop vieux pour me mesurer avec un tel adversaire, ou bien je baisse. Je ne puis plus penser clairement, logiquement. Pour un homme comme le docteur Fu Manchu, ce crime, cette exécution de Slattin, est une manœuvre maladroite, incomplète. Il n'y a que deux explications acceptables. Lui aussi peut-être est-il devenu moins intelligent ? À moins qu'il n'ait été interrompu ?

– Interrompu ?

– Considérez les faits, Petrie.

Et Smith, se penchant sur moi, frappa sur la table :

– Est-il dans la manière de Fu Manchu de tuer ouvertement, en utilisant un serpent, et d'impliquer dans l'affaire l'un de ses complices ?

– Mais nous n'avons pas trouvé de serpent !

– Kâramaneh en a introduit un dans la maison. En doutez-vous ?

– Il est bien certain que Kâramaneh a fait une visite à Slattin le soir de sa mort, mais soyez assuré qu'aucun jury ne pourrait la reconnaître coupable, même si elle avait été arrêtée sur place.

Smith se remit à marcher de long en large.

– Vous m'êtes très précieux, dit-il en s'arrêtant court. Comme défenseur, vous me permettez toujours de rectifier mes erreurs. Et pourtant, je maintiens que notre présence chez Slattin la nuit dernière a empêché Fu Manchu d'atteindre le but qu'il se proposait.

– D'où vous vient cette opinion ?

– De Weymouth. Il vient de me téléphoner. L'agent de faction dans la maison du crime a fait savoir qu'il y a une heure environ, on a cherché à y entrer.

– Vraiment ?

– Ah ! je vous intéresse ! Je trouve cela très clair, moi aussi.

– L'agent a-t-il vu l'intrus ?

– Non. Il l'a seulement entendu. On a cherché à entrer par la fenêtre de la salle de bains, qu'il est facile d'atteindre pour un bon grimpeur.

– On a réussi ?

– Non. L'agent a dérangé le malfaiteur, mais il n'est parvenu ni à l'arrêter ni même à le voir.

Nous nous tûmes quelques instants.

– Quelles sont vos intentions ? fis-je alors.

– Je vais, très discrètement, afin que les serviteurs de Fu Manchu n'en sachent rien, me cacher dans la maison de Slattin et y rester – une semaine, un jour, je ne sais – jusqu'à ce que la tentative soit renouvelée. Il est certain, Petrie, que nous avons négligé un indice qui implique le meurtrier, tout en prouvant le meurtre. Bref, le hasard, ou notre vigilance, fait que Fu Manchu a laissé un indice, une preuve !

10

LE GRIMPEUR REVIENT

Dans l'obscurité la plus complète, nous gagnions à tâtons le bureau de Slattin, que Smith avait choisi comme base d'opérations, après être rentrés discrètement par-derrière. Je me trouvai bientôt assis dans le fauteuil que Kâramaneh avait occupé ; mon compagnon s'était installé près de la porte, restée grande ouverte.

Nous commençâmes notre attente fantomatique. La maison sentait encore la mort. Je me souvenais d'une veille semblable, quand, avec Nayland Smith et un tiers j'avais attendu les messagers de mort de Fu Manchu.

De tous les bruits qui commençaient à se détacher du silence, il en était un, familier et reposant à tout autre moment, qui me portait particulièrement sur les nerfs. C'était le tic-tac de la pendule placée sur la cheminée. Je songeais que ce bruit avait été familier à Abel Slattin, qu'il avait fait partie intégrante de sa vie, et qu'il continuait – tic, tac, tic, tac – alors que celui dont il avait réglé la vie gisait – inanimé – pour toujours indifférent à lui.

Quand mes yeux se furent accoutumés à l'obscurité, je distinguai le fauteuil de Slattin ; il me semblait qu'il allait entrer et s'y asseoir. Sur le coin du bureau était posé un petit Bouddha de porcelaine, coiffé d'un bonnet doré qui brillait doucement dans l'ombre, sous le reflet de la lune, et me faisait songer, je ne sais trop pourquoi, à la dent aurifiée du mort.

De vagues craquements, qui semblaient parfois des pas assourdis, feutrés, faisaient vibrer mes nerfs. Mais Nayland Smith ne bougeait pas et je me rendais compte que mon imagination seule donnait à ces bruits coutumiers de la nuit une ampleur qu'ils n'avaient pas. Une branche frémissait près de moi, de l'autre côté de la fenêtre ; je transformais ses chuchotements en le nom redouté : Fu Manchu... Fu Manchu... Fu Manchu...

La nuit s'écoulait lentement.

La pendule sonna sourdement une heure. L'exaspération de mes nerfs était telle que je tressaillis violemment, ce tintement soudain ayant sur moi un effet terrifiant. Smith, telle une statue de pierre, ne bougea pas d'une ligne. Il savait commander à tel point à son organisme, pourtant si impressionnable, qu'il pouvait, pendant des heures, se rendre complètement insensible, résister à toute émotion, même la plus violente. Au milieu de la panique la plus folle, il pouvait rester froid et calme. Mais, le but atteint, je l'avais vu sombrer dans un complet épuisement nerveux, dans un état voisin de l'anéantissement.

Tic, tac, tic, tac. La pendule allait son train. Mon cœur battait à grands coups sourds. Et je comptais : un, deux, trois, quatre, cinq, sans fin.

Je m'arrêtai brusquement. Le tic-tac de la pendule, les vagues craquements des boiseries parurent cesser. Dans l'ombre, je vis Smith lever lentement la main, inutilement, du reste. Déjà, je ne respirais plus : j'écoutais, intensément.

Le bruit venait des étages supérieurs, du toit, aurait-on dit. Un grincement faible et régulier, bizarrement familier. Il fut suivi d'un choc assourdi.Puis d'un son métallique, comme celui d'un gond rouillé. Puis d'un nouveau silence, profond, poignant.

Je réfléchissais très vite. Le plafond de la cage de l'escalier était vitré. Au-dessus s'étendait le grenier. Le toit de tuiles rouges avait également des ouvertures vitrées.

Je spéculais ainsi ; mais avant que j'aie pu tirer de mes réflexions la conclusion logique, un nouveau bruit, plus rapproché, coupa brusquement le fil de mes pensées. Je ne pouvais plus douter. On levait avec précaution la trappe du grenier qui grinça sur ses gonds.

Nayland Smith me fit signe de me placer de l'autre côté de la porte qui, grande ouverte, pouvait facilement me cacher à la vue de qui descendrait l'escalier.

À pas de loup, je gagnai mon poste.

Un bruit sourd nous avertit que la trappe venait de buter sur ses taquets. Je perçus encore un léger froissement, d'étoffe, pensais-je. Une lame de parquet cria, puis ce fut le bruit reconnaissable d'un pied nu sur le linoléum du couloir...

Je comprenais. L'un des horribles serviteurs du Dr Fu Manchu avait atteint le toit de la maison, était entré par un vasistas et était passé par la trappe pour gagner le palier. Il descendait maintenant l'escalier. Dans un état de tension nerveuse indescriptible, j'attendais.

Plus rien. Seule, la respiration oppressée de Smith, à moins de deux mètres de moi, troublait le silence. Dans le vestibule obscur, je distinguais vaguement la rampe de l'escalier, se détachant sur le mur.

C'est au milieu du silence le plus complet, le plus profond, un silence total, que le vague reflet de la rampe me parut se dédoubler. L'ombre se déplaçait sur la dixième ou la onzième marche.

Smith, de l'autre côté de la porte, ne pouvait la voir, et je ne pouvais l'en avertir sans être vu du redoutable visiteur.

Pas un bruit. L'ombre glissait, fantomatique.

L'ombre sur la rampe... La main de celui qui, comme un fantôme, se déplaçait, disparut... L'ombre reparut... Elle était à mon niveau... Rien de plus qu'une ombre sur le mur... Nayland Smith la voyait, maintenant...

La pendule sur la cheminée sonna la demie.

Au choc du marteau sur le timbre – mon état nerveux était tel (j'en rougis encore) –, je gémis d'angoisse !

Cette subite faiblesse changeait tout. Elle pouvait nous perdre. Si ses conséquences ne furent pas désastreuses, c'est qu'au même instant tout se déclencha.

Tel un tigre, Smith bondit en avant et se rua dans le hall.

– La lumière, Petrie ! cria-t-il. La lumière ! Le bouton ! Près de la porte d'entrée !

Les poings serrés dans l'effort pour retrouver la maîtrise de moi-même, je plongeai dans le noir, frôlant Smith, passant devant le pied de l'escalier, et j'atteignis l'interrupteur dont je connaissais heureusement l'emplacement.

Derrière moi, un cri aigu éclata – inhumain – le hurlement d'une bête fauve...

Le pied gauche sur la première marche, Nayland Smith, dangereusement penché en arrière, les bras tendus, les doigts crispés, tenait à la gorge un homme presque nu, dont la peau brune graissée brillait, un homme au crâne rasé, simiesque, aux yeux injectés de sang comme ceux d'un chien enragé ! Ses lèvres, hideusement retroussées, découvraient, dans un rictus, une mâchoire de loup. Ses dents brillaient, elles grinçaient, elles se couvraient d'écume. Des deux mains, il brandissait une lourde canne, qu'il abattit sur la tête de Smith, par deux fois !

Je me précipitai au secours de mon ami. Les coups terribles qu'il avait reçus ne l'avaient pas ébranlé. Vivante statue antique, il ne relâchait pas son étreinte mortelle sur la gorge de son adversaire.

Je trébuchai dans l'escalier. Je saisis le lourd bâton. Je l'arrachai des mains de l'homme, que je reconnus pour être de cette sinistre confrérie qui avait fait de Fu Manchu son seigneur et maître, les dacoïts.

J'arrêterai là mon récit. Je ne saurais dépeindre la scène qui s'ensuivit : Nayland Smith, les yeux vitreux, à demi inconscient, vivante incarnation cependant de l'*Athlète* de Leighton, était toujours debout. Ses doigts inexorables écrasaient la gorge du dacoït.

Le sang inondait sa figure, l'aveuglait. Dans ses derniers instants de lucidité, il désigna le bâton que j'avais arraché au dacoït et que je tenais encore à la main.

– Le bâton d'Aaron ! Le bâton de Moïse ! haleta-t-il. La canne de Slattin ! N'y touchez pas !

Malgré mes craintes pour mon ami, la stupéfaction m'envahissait.

– Mais... fis-je.

Et je me tournai vers le porte-cannes, qui n'avait pas été touché depuis la mort de Slattin.

Sa canne était toujours là. En compagnie d'un parapluie et d'un jonc de Malacca. Mes yeux se posèrent sur le bâton que je tenais à la main.

Smith roula sur le sol, sans forces.

– Examinez la canne, celle de Slattin, murmura-t-il, le souffle court. Mais... n'y touchez pas. Elle est peut-être encore...

Je le pris dans mes bras et l'adossai au mur. Le constable frappait violemment à la porte d'entrée. J'atteignis le porte-cannes et saisis la canne de Slattin, qui ressemblait étrangement à celle du dacoït.

Avec un cri de dégoût, je la lâchai aussitôt.

– Dieu miséricordieux ! grondai-je.

Elle était l'exacte réplique de celle que j'avais en main, celle que le dacoït était venu remettre à la place de celle que j'avais laissé tomber. Elle n'en différait que sur un seul point : le pommeau vivait.

Maladie, peur ou jeûne prolongé, l'horrible bête, cachée dans la canne creusée à cet effet, dormait. S'il en avait été autrement, aucune force terrestre n'aurait pu me sauver de la mort : l'animal était une vipère à cornes d'Australie.

11

LE PAON BLANC

Nayland Smith poursuivit aussitôt le plan de campagne qu'il avait développé devant l'inspecteur Weymouth. Moins de quarante-huit heures après avoir quitté la maison de Slattin, j'étais dans Whitechapel Road, étrangement occupé.

Il tombait une pluie fine qui brouillait les vitres. Mais, apparemment, le temps n'avait qu'une faible incidence sur l'activité commerciale du quartier. Mon taxi se frayait difficilement un chemin au milieu de la foule cosmopolite qui encombrait la rue. À ma gauche s'alignaient les tréteaux des étalages volants qui concurrençaient les boutiques.

Des vendeurs juifs, la plupart en manches de chemise, proclamaient l'excellence de leurs produits. Ces infatigables israélites, à peine vêtus, indifférents à la pluie, s'agitaient au milieu de leur pacotille. Ils n'eussent pas été autres dans un quartier de l'Orient.

Linge grossier, vêtements de cérémonie, chaussures vernies, bottes de mer, cosmétique, tout s'offrait, tout se vendait. Ils agrémentaient leurs boniments de tours d'adresse, d'anecdotes. Ils vendaient des montres en maniant des cartes, des gilets de fantaisie en débitant des histoires drôles.

Polonais, Russes, Serbes, Roumains, Juifs de Hongrie, Italiens de Whitechapel composaient le public. Le Proche-Orient et l'Extrême-Orient se coudoyaient. Le pidgin et le yiddish se disputaient la propriété de quelque étoffe criarde, offerte par un camelot de nationalité indécise, à ceci près qu'il avait à coup sûr sucé le lait de l'éternelle Judée.

Des femmes, crottées jusqu'aux épaules, affublées de casquettes d'homme, serrant sur des loques souillées de graisse des châles troués, chargées le plus souvent d'enfants au maillot, nu-tête, occupaient les trottoirs, envahissaient la chaussée, se pressaient autour des étalages comme les mouches sur une charogne.

La pluie tombait, fine, sans arrêt, tambourinait sur le toit du taxi, ruisselait sur les vitres des boutiques, glissait sur les cheveux gras des passants, trempait les bras nus des camelots, coulait en minces filets des bâches des étals. Nez dans la pluie, pieds dans la boue, venus des quatre points cardinaux, tous mêlaient leurs cris, leurs appels, leurs boniments, leurs quolibets dans ce triste brouillard.

Parfois, les feux d'une boutique éclairaient une face jaune. Des yeux noirs dans une figure bouffie, pâle, malsaine, la remplaçaient. Monde inférieur, où voisinaient l'ordure et le vice dans les rues sales, rendez-vous des déclassés du monde : tel était l'enfer qui avait englouti Nayland Smith la nuit précédente.

Infatigablement, je cherchais à ma droite, à ma gauche, des traits connus de moi. Qu'espérais-je trouver ? Je ne le savais pas moi-même. Et cependant, je n'eusse pas été surpris de découvrir au milieu de toute cette laideur les traits gracieux de Kâramaneh l'esclave, la face jaune et fuyante d'un dacoït birman, le masque bronzé de Nayland Smith ; plus de cent fois, je crus apercevoir la lourde stature de Weymouth. Un instant même (et mon cœur s'arrêta de battre), je sentis peser sur moi le regard vert, oblique, du Dr Fu Manchu.

Illusions, rien de plus, fruits d'une imagination malade. Je n'avais pas dormi, et à peine mangé, depuis plus de trente heures : sur une vague indication fournie par Burke, le valet de Slattin, ancien membre de la police de New York comme son maître, mon ami Nayland Smith s'était mis en route, le soir précédent, pour quelque officine où Shen-Yan devait se cacher. Nous savions que Shen-Yan, l'ancien tenancier d'une fumerie d'opium, était une créature de Fu Manchu, et seul un appel urgent avait pu m'empêcher de me joindre à Smith dans son expédition hasardeuse.

Bref, il était parti seul ; le sort en avait ainsi décidé et depuis lors, malgré les minutieuses recherches de Weymouth aidé d'un fort contingent d'hommes de Scotland Yard, nous ne savions rien de lui. L'inquiétude nous dévorait. Nous n'avions pas pu attendre plus longtemps. Sans but bien défini, je prenais part aux recherches, le cœur plein d'une mortelle appréhension que j'espère bien ne plus jamais éprouver.

Je ne savais pas exactement où se trouvait la fumerie, but de l'enquête de Smith ; Scotland Yard n'avait pas pu me renseigner exactement et, comme je l'ai dit, j'étais absent au moment du départ de mon ami. Weymouth avait été chargé de l'affaire, sous les ordres de Smith. Et l'inspecteur avait quitté le Yard de grand matin pour disparaître aussi complètement que Smith. Nous n'en avions aucune nouvelle. Mon taxi me cahotait maintenant sur les mauvais pavés d'une rue étroite et sombre, tandis que les bruits et les lumières de la grande artère s'évanouissaient derrière moi. Enfoncé dans les coussins, je sentais le désespoir m'envahir comme rarement.

Nous faisions route vers ce quartier étrange près de West India Dock Road délimité par Limehouse Causeway et Pennyfields.C'est le Chinatown de Londres, réplique réduite de ceux de Liverpool et de New York. Une idée me vint tout à coup, qui me parut excellente.

– Conduisez-moi tout d'abord au poste de police fluviale sur Ratcliffe Highway, dis-je au chauffeur par le tube acoustique.

L'homme se retourna et me fit un signe d'assentiment, d'après ce que je pus voir par la vitre de séparation embuée. Après avoir suivi une infinité de petites rues étroites et courtes, nous parvînmes à une grande avenue, brillamment éclairée, le long de laquelle circulaient des tramways. J'avais perdu toute notion d'orientation et, lorsque la voiture s'arrêta brusquement, je fus tout surpris de me trouver devant le poste de police.

Machinalement, je descendis et entrai. L'inspecteur Ryman, notre associé lors de l'un des épisodes les plus poignants de notre lutte passée contre le docteur jaune, me reçut dans son bureau.

Le hochement de tête négatif dont il m'accueillit dès le seuil m'épargna la peine de poser la question.

– Le bateau de 10 heures est mouillé aux « Escaliers de pierre », docteur, dit-il. Il aide les hommes de Scotland Yard à draguer le fleuve.

Je frémis au mot « draguer ». Ryman n'en avait pas usé dans son sens littéral, mais il convenait trop exactement aux terribles méthodes du Dr Fu Manchu. L'espace d'un éclair, je revis le bord de l'eau, Limehouse Reach, l'eau noire léchant les bois d'un appontement verdi de mousse. Je m'imaginai, balancés au gré des flots, une face tuméfiée, une main raidie, je vis le corps de Nayland Smith nageant dans ces eaux huileuses. Ryman poursuivit :

– Nous avons aussi envoyé un canot qui patrouillera jusqu'à Tilbury. L'autre est ici, à quai. Voulez-vous le prendre et aller voir par vous-même ?

– Non, je vous remercie, répondis-je avec un geste de la main. Vous faites au mieux. Pouvez-vous me dire où Mr Smith est allé la nuit dernière ?

– Certainement, dit Ryman. Je croyais que vous étiez au courant. Vous vous rappelez la fumerie de Shen-Yan, du côté du bassin de Limehouse ? Eh bien, un peu plus loin, à l'est de Causeway, entre Gill Street et Three Colt Street, il y a un bloc de maisons en bois, vous voyez cela ?

– Oui, fis-je. Il s'y est installé de nouveau ?

– Selon toute vraisemblance, quoique, à vrai dire, nous n'en ayons encore aucune preuve : Weymouth y a fait une descente dans les premières heures de la matinée.

– Et ?

– Il en est ressorti bredouille, continua Ryman. Le fameux Shen-Yan n'était pas là et, bien qu'il soit sûr que l'établissement sert de tripot, nous n'avons pu relever aucun indice. Nous n'y avons également trouvé aucune trace de Mr Nayland Smith ni de l'Américain Burke, son guide.

– Y sont-ils seulement allés ?

– Aucun doute. Deux de nos hommes, qui les accompagnaient à distance, les ont nettement vus entrer. Ils avaient convenus entre eux d'un signal, qui n'a pas été donné. Après une demi-heure d'attente, les hommes ont fait irruption dans la maison suspecte.

– Des arrestations ?

– Bien sûr ! Mais pas de preuves ! s'écria Ryman. On a fouillé partout. Le Chinois assez distingué qui se donne pour propriétaire de ce qu'il appelle une respectable maison meublée, a été très obligeant et nous a assistés lui-même dans nos recherches. Que pouvions-nous faire de plus ?

– Je suppose que vous n'avez pas relâché la surveillance ?

– Naturellement non ! On veille des deux côtés, du côté de la rue et du côté de l'eau. Oh ! ils n'y sont pas, c'est sûr ! Dieu seul sait où ils sont ; pas dans la maison, en tout cas !

Je me tus. Je ne savais à quoi me résoudre. Prenant congé de Ryman, je sortis lentement retrouver pluie et brouillard. Faisant signe au chauffeur de continuer vers notre destination première, je remontai dans le taxi.

Les lumières du poste de la police fluviale disparurent bientôt dans la brume, et je me retrouvai emporté dans ce dédale de petites rues étroites et sales, secrètes, obscures, autant que pouvait l'être le labyrinthe de Pasiphaé.

J'avais laissé loin derrière moi les quartiers commerçants ; à ma droite s'étendait une longue suite de bâtiments irréguliers. Au-delà coulait la Tamise, aussi mystérieuse que l'Euphrate et le Tigre. À ma gauche, de rares lumières se montraient, perçant le brouillard, pour la plupart celles de tavernes. Les lampadaires de la rue piquetaient de points jaunes l'obscurité.

Devant moi, un vide noir, qui allait m'engloutir, comme il avait englouti mon ami.

Était-ce ma fatigue, mon humeur ? Devais-je attribuer la crainte que j'éprouvai alors aux souvenirs effroyables que ce triste quartier ne manquait pas de réveiller en moi ? Je me sentais en danger. Une ombre qui allait s'épaississant d'instant en instant planait sur ma tête. Dans les événements les plus simples de la vie quotidienne, je percevais, je reconnaissais la main jaune, la main de Fu Manchu.

C'est avec effort que j'ouvris la portière et que je descendis du taxi qui venait de stopper dans l'obscurité la plus profonde. Je foulais la boue d'une étroite ruelle. D'un côté, un mur de briques par-dessus lequel on distinguait vaguement une cheminée d'usine. À droite, un entrepôt. Plus loin, devant moi, dans la pluie fine, plongée dans les ténèbres, une lumière isolée, clignotante. Je relevai le col de mon imperméable avec un frisson que le froid n'avait pas été seul à provoquer.

– Attendez-moi ici, dis-je au chauffeur.

Et, tâtant ma poche, j'ajoutai :

– Si vous entendez un coup de sifflet, rejoignez-moi.

Il m'écoutait avec attention. Je l'avais choisi parce qu'il nous avait conduits, Smith et moi, dans des circonstances difficiles et avait fait preuve d'une réelle intelligence. Enfonçant mon browning dans la poche de mon imperméable, je plongeai dans le brouillard.

Je m'arrêtai bientôt pour écouter, à hauteur du réverbère. Les phares du taxi avaient disparu derrière moi.

Tout était silence. On n'entendait que le grésillement de la pluie et le glouglou de l'eau dans les gouttières. De temps à autre, une sirène poussait son cri lugubre. Seul un sourd grondement, lointain, révélait l'activité des quais.

Je marchai jusqu'au coin. J'étais dans la rue qui m'avait été indiquée, celle où étaient situés les bâtiments en bois. Malgré mes efforts, je ne relevai aucune trace de la surveillance que Scotland Yard était censé y effectuer.

Je n'avais aucun plan précis. Voyant que la rue était vide et qu'aucune lumière ne se montrait aux fenêtres, je la parcourus dans toute sa longueur pour m'apercevoir qu'elle se terminait par un cul-de-sac.

Une barrière branlante la fermait. Plus bas, des marches de pierre, dont le bas était invisible dans l'ombre, conduisaient au fleuve.

Toujours sans but précis, je secouai la barrière et m'aperçus qu'elle n'était pas fermée. Telle une âme errante, je descendis les degrés. Un lampadaire se profilait dans le brouillard. La vitre en était cassée et la pluie avait dû l'éteindre. De plus près, j'entendis en effet le gaz qui sifflait.

Je me trouvai bientôt sur un quai étroit, le long de la Tamise. Un brouillard épais flottait au-dessus du fleuve et me transperçait.

Brusquement, tout près de moi, éclata un cri sinistre et étrange tout à la fois !

Je fis un bond en arrière. Jusqu'à ce jour, je ne sais toujours pas comment je ne tombai pas à l'eau. Ce cri, si étrange, tellement inattendu, m'avait ôté mon sang-froid. Et, prenant conscience du lieu où j'étais, de la folie de ma présence, seul dans un pareil coupe-gorge, je revins sur mes pas, m'éloignant de l'être qui avait crié quand, subitement, une grande ombre blanche se dessina devant moi, tel un fantôme !

Il est peu d'hommes, à ce que je crois, qui aient connu une vie aussi étrange, aussi pleine d'imprévus que la mienne, mais cette apparition fantomatique, jaillie, blanche, de l'ombre noire qui semblait vouloir m'envelopper, demeure dans ma mémoire comme un de mes plus mauvais souvenirs !

J'étais littéralement glacé de terreur ! Une terreur surnaturelle. Immobile, les poings crispés, je regardais, regardais cette ombre blanche qui semblait flotter dans les airs.

Les contours du fantôme se précisèrent, s'accusèrent. Avec un cri étouffé, je fis un pas en avant. Un nouveau sentiment m'envahit. Je passais sans transition de l'horrible à l'étrange.

Ce n'était pas un fantôme, c'était un être vivant qui se trouvait à un mètre de moi, mais sa présence en ce lieu était si extravagante qu'il ne pouvait exister que dans le songe d'un fumeur d'opium.

Étais-je bien éveillé ? Sain d'esprit ? J'en étais aussi sûr que de me trouver dans le cloaque de Limehouse, et non pas dans le jardin d'un conte de fées.

Sautant de droite et de gauche, les bras écartés, j'acculai l'être extraordinaire dans le coin d'un mur, et je pus contempler de près l'objet de ma terreur.

Le grand éventail fantomatique, alors, se referma, et bientôt, je remontai l'escalier. Mon captif se débattait violemment sous le bras dont je l'enserrais. Je remontai une des ruelles les plus sombres de Londres, portant sous mon bras un paon blanc de toute beauté !

12

DES YEUX NOIRS REGARDENT DANS LES MIENS

Mon aventure n'était pas faite pour dissiper l'atmosphère d'irréalité qui m'enveloppait. Je tenais à bras-le-corps l'oiseau qui se débattait fermement. Sa longue queue blanche balayait le sol. Je rejoignis le taxi.

– Ouvrez-moi la portière, dis-je au chauffeur, dont l'étonnement était si profond et si comique que je ne pus m'empêcher d'en rire, bien que je n'avais guère le cœur à la gaieté.

Il bondit dehors et m'obéit.

Après m'être assuré que les deux vitres étaient

levées, j'introduisis le paon à l'intérieur du taxi, dont je refermai la portière avec soin.

– Par exemple, monsieur... commença le chauffeur.

– Il est probable qu'il s'est échappé d'une ménagerie, dis-je, mais je n'en suis pas sûr. Surveillez-le. Empêchez-le de s'échapper et attendez une heure. Si, au bout de ce temps, vous n'avez pas de mes nouvelles, portez-le au poste de la police fluviale.

– Entendu, monsieur, fit l'homme en remontant sur son siège. Mais c'est bien la première fois que je vois un paon dans Limehouse !

C'était aussi la première fois que j'en voyais un, et c'était une chasse bien curieuse ; je recommençais à espérer vaguement. Je repartis vers l'escalier au bas duquel je venais de faire mon étonnante capture et observai les alentours, ainsi que le bâtiment sombre qui l'avoisinait. Trois fenêtres étaient visibles. Elles étaient brisées et tombaient de vétusté. L'une d'elles, immédiatement au-dessus d'une voûte, avait été recouverte de papier brun et, celui-ci ayant cédé sur les bords à l'humidité, une faible lumière en filtrait, éclairant confusément le rebord de pierre.

Où étaient les détectives ? Je pense qu'ils s'étaient dispensés de toute surveillance, car si la place n'avait pas été déserte, j'aurais sûrement été vu et abordé.

Tout à mon idée, je redescendis les degrés. Je sentais que j'approchais de la retraite du Chinois. Tout m'en avertissait.

Je ne me trompais pas. J'avais à peine descendu quelques marches – je me trouvais alors dans la partie la plus obscure de l'escalier – que j'en eus confirmation.

Un nœud coulant tomba avec précision sur mes épaules, serra douloureusement mon cou et, me débattant contre la strangulation, avec la conscience que j'allais être pendu, je perdis connaissance.

Combien de temps demeurai-je ainsi, je ne saurais le dire. J'appris plus tard qu'il ne s'écoula pas une demi-heure entre ma capture et mon réveil... Ce n'est, en tout cas, que lentement que je me remis.

Ma première sensation fut celle d'un nouvel étranglement et d'un retour de l'asphyxie. Je sentais mes yeux injectés, gonflés de sang. Je suffoquais. Portant les mains à ma gorge, je trouvai mon cou écorché et enflammé. Puis le sol sur lequel j'étais couché parut se balancer comme le pont d'un navire et je glissai de nouveau dans le noir et l'oubli.

Mon deuxième réveil m'apporta un parfum léger, exquis. Il me fit retrouver mes sens mieux que toute autre chose. Je m'assis brusquement en poussant un cri rauque. Je reconnus ce parfum ; entre mille, je l'aurais distingué au milieu des odeurs d'un bazar d'Orient. Il me parlait, il ne me parlait que de Kâramaneh. Elle était près de moi, ou elle l'avait été !

Je fouillai instinctivement l'ombre qui m'entourait. Puis mon cou enflé, ma tête douloureuse, l'impossibilité dans laquelle je me trouvais de tourner la tête me rappelèrent bientôt à la réalité. Je me souvins que Kâramaneh n'était plus mon amie, que malgré sa beauté, son charme captivant, elle n'était qu'une créature du Dr Fu Manchu, la plus fausse, la plus dangereuse, la plus féroce. Je gémis de souffrance et de désespoir.

Quelque chose remua, près de moi, dans le noir, et m'emplit d'une horrible inquiétude. Je pensai aux horreurs que l'obscurité pouvait cacher... Je savais, à n'en pas douter, que le Dr Fu Manchu était en Angleterre depuis trois mois entiers. Il avait pu pendant ce temps se munir de tous les instruments de destruction, animés ou non, dont il savait si bien user.

Couché dans cette pièce obscure, j'écoutai, de toutes mes forces, attendant que le bruit se répète. Mon imagination aidant, je me représentais le sol peuplé de reptiles, de tarentules et autres insectes mortels qui grimpaient aux murs et, à tout instant, pouvaient tomber du plafond sur moi.

Rien ne bougeait. Je m'aventurai à remuer et,

retournant tout mon corps d'un bloc, car mon cou me faisait beaucoup souffrir, je regardai derrière moi. Une faible lueur se laissait deviner.

Une succession de coups légers. Je me retournai encore. À ma droite était une fenêtre dont les carreaux cassés avaient été remplacés par du papier de couleur foncée. La pluie tombait goutte à goutte sur l'un d'eux avec un bruit rythmé.

Subitement, je compris que j'étais couché dans la pièce qui donnait sur la voûte de l'escalier et, prêtant l'oreille, je crus même discerner le léger sifflement du gaz qui s'échappait du lampadaire éteint par la pluie.

Gauchement, je me remis sur pied. Je titubai comme un homme ivre. Je cherchai, en tâtonnant, un soutien, le mur et, mes pieds rencontrant un obstacle, je trébuchai, tombai...

Je m'attendais à une chute lourde, bruyante. Il n'en fut rien. Je tombai sur un homme ligoté, gisant au sol !

Un instant, je demeurai ainsi, couché sur ce corps dont je sentais la poitrine s'élever et s'abaisser. Il respirait ! Comprenant que je devais, si je voulais sauver ma vie, garder tous mes moyens, je luttai contre la faiblesse et la nausée qui me gagnaient à nouveau. Je me reculai, me mis à genoux et fouillai fiévreusement dans ma poche, à la recherche de la lampe électrique que j'y avais glissée. On m'avait dépouillé de mon manteau et du pistolet que j'y avais mis, mais la lampe était toujours là.

Je la saisis, pressai le bouton et dirigeai la lumière sur le visage de l'homme étendu devant moi.

C'était Nayland Smith !

Écrasé de liens, attaché à un anneau fixé au mur, il portait un bâillon de liège si sauvagement serré que je m'étonnai qu'il eût pu échapper à l'asphyxie. Mais, bien que mortellement pâle, ses yeux brillaient intensément. J'en remerciai le Ciel en silence, mais avec ferveur.

Puis, avec une hâte fébrile, je m'appliquai à retirer

le bâillon. Il était habilement fixé au moyen de lanières de cuir liées derrière la tête. J'y parvins enfin et il cracha littéralement son bâillon, avec une exclamation de soulagement.

– Merci, mon vieux, fit-il aussitôt. Vous êtes vivant. Je les ai vus vous traîner ici et je pensais...

– ... Ce que je croyais de vous ces dernières vingt-quatre heures, dis-je avec reproche. Pourquoi êtes-vous parti sans...

– Je ne tenais pas à vous avoir avec moi, Petrie. J'avais une sorte de pressentiment. Vous le voyez, j'avais raison. Le sort veut sans doute que vous soyez l'instrument de ma libération. Vite ! Avez-vous un couteau ? Parfait ! (Il n'avait rien perdu de sa vieille énergie.) Coupez les cordes de mes chevilles et dc mes poignets, mais ne les déplacez pas.

Je me mis au travail avec empressement.

– Et maintenant, continua Smith, remettez-moi cet affreux bâillon, sans trop serrer. Aussitôt qu'ils vous sauront conscient, ils vous traiteront comme moi, comprenez-vous ? Elle est déjà venue trois fois...

– Kâramanch ?

– Chut !

Une porte, au loin, s'ouvrit.

– Vite ! Les lanières du bâillon ! murmura Smith. Et faites semblant de vous réveiller.

J'obéis gauchement, de mes doigts encore gourds, remis la lampe dans ma poche et me renversai sur le sol. Sous mes paupières à demi fermées, je vis la porte tourner sur ses gonds, et j'aperçus un instant un long couloir vide et nu. Sur le seuil, Kâramaneh. Elle tenait à la main unc lampe à huile de facture grossière, qui filait et crachait, cmplissant la pièce, déjà mal aérée, d'une âcre odeur de graisse brûlée.

Elle était extraordinairement vêtue, comme je me souvenais l'avoir vue une fois deux ans plus tôt : elle portait les voiles légers du harem. Telles de grosses larmes, deux admirables perles brillaient dans ses cheveux noirs. De lourds bracelets d'or enserraient ses bras nus. Ses doigts étincelaient de pierres précieuses. Une large ceinture serrait sa taille, accusant ses formes sveltes. À l'une de ses chevilles tournait un anneau d'or.

Je fermai les yeux, pas autant toutefois que je ne pusse continuer à voir les exquises mules rouges dont elle était chaussée.

Et son parfum léger, grisant comme un souffle de musc rappelant l'Orient, me pénétra, m'engourdit comme un doux poison.

Mais j'avais un rôle à jouer. D'un geste brusque, j'étendis la main. Je frappai du poing le plancher, gémis et fis mine de me mettre sur les genoux.

J'entrevis, un court instant, les yeux splendides, grand ouverts, qui me regardaient, énigmatiques, et me firent bondir le cœur. Elle recula et, fixant la lampe à un clou du mur, elle frappa des mains.

Au moment où je roulais à terre dans un état d'épuisement feint, un Chinois à la face impassible et un Birman au visage hideusement troué de petite vérole, au rictus figé, à l'air sournois, entrèrent en courant.

Kâramaneh tremblait violemment. Elle reprit la lampe et la tint haute pendant que les deux bandits jaunes me ligotaient. Je gémis encore et me débattis faiblement, les yeux rivés, pleins de reproches, sur la jeune fille. Le résultat de ma mimique me surprit moi-même.

Elle baissa les yeux, mordit sa lèvre, pâlit. Puis, d'un geste fier, elle chercha, rencontra, soutint mon regard, se détourna lentement et resta ainsi, une main au mur, légèrement courbée.

Étrange épreuve ! Je serai franc. Je ne chercherai pas à cacher ma propre folie. J'avouerai que, lorsque je me trouvai dans le noir, mon cœur battit avec violence. Ce n'était pas le succès de ma tactique qui m'emplissait de joie. J'étais heureux seulement d'avoir pu, d'un regard, me faire comprendre de la belle Kâramaneh aux yeux noirs, au cœur volage.

La porte ne s'était pas refermée depuis dix secondes

que Smith rejetait son bâillon, en jurant à voix contenue et extrayait ses jambes engourdies des liens qui l'enserraient. Une minute après avoir été ligoté, j'étais libre de nouveau ; mais ce regard... à droite, à gauche, en moi-même, au plus profond de mon cœur, je voyais partout deux yeux noirs qui plongeaient, vivantes énigmes, dans les miens.

– Que faire ? murmurai-je.

– Laissez-moi réfléchir, répondit Smith. Un faux mouvement, et nous sommes perdus.

– Êtes-vous ici depuis longtemps ?

– Depuis la nuit dernière.

– Et Fu Manchu ?

– Il est ici. Il n'est pas seul. L'autre est ici, aussi.

– L'autre ?

– Un supérieur de Fu Manchu, probablement. Je soupçonne son identité, mais je ne sais rien de précis. Il y a quelque chose d'anormal dans l'air, Petrie, sans quoi je serais mort depuis hier. Quelque chose de plus important que ma mort qui retient l'attention de Fu Manchu, et ce ne peut être que la présence du mystérieux visiteur. Votre belle amie, Kâramaneh, a mis ses plus beaux atours en son honneur, je pense.

Il se tut brusquement et ajouta :

– Je donnerais cinq cents livres pour seulement entrevoir le visiteur !

– Et Burke ?

– Dieu seul sait ce qu'il est devenu, Petrie ! On nous a surpris dans l'établissement de l'aimable Shen-Yan, après que nous avions, dans une compagnie assez mélangée de joueurs de poker, perdu notre argent en gentlemen.

– Mais Weymouth...

– On nous a étourdis au sac de sable, tous les deux, et enlevés plusieurs heures avant que Weymouth ne fasse la descente projetée. Oh ! Je ne sais pas comment on a pu nous passer au nez de la police qui surveillait les alentours, mais on y est parvenu, c'est un fait. Êtes-vous armé ?

– Non. Mon pistolet était dans mon manteau, et on me l'a enlevé.

Dans la faible lumière qui nous venait de la vitre brisée, je distinguais Smith qui tirait sur le lobe de son oreille gauche, indécis.

– Je suis également désarmé, fit-il. Nous pourrions peut-être nous échapper par la fenêtre...

– C'est haut...

– C'est bien ce que je pensais. Si seulement j'avais un automatique ou un revolver...

– Que ferions-nous ?

– J'irais froidement au conseil qui, j'en suis sûr, se tient quelque part dans la maison, et cette nuit même verrait la fin de ma lutte avec le groupe de Fu Manchu, la fin du Péril jaune ! Car Fu Manchu n'est pas seul ici, aujourd'hui, avec ses assassins. J'y trouverais encore le chef véritable du mouvement, un mandarin, je le sais !

13

L'ORDRE SACRÉ

Smith traversa la pièce et pesa sur la poignée de la porte. Elle n'était pas fermée à clef. Un instant après, nous étions dans le couloir. Au même moment, d'une pièce à l'ouest, nous parvint le son d'une voix irritée, aiguë, grinçante, où des accents gutturaux alternaient avec des sifflements reptiliens.

– Fu Manchu ! murmura Smith en m'étreignant violemment le bras.

C'était bien là la voix unique au monde du Chinois qui semblait au paroxysme de la fureur, le symptôme d'une de ses crises maniaques. Il ne parlait plus, il criait, enragé, puis se tut brusquement. Une autre voix se fit entendre, aussi perçante, qui gémit sourdement.

On entendit le bruit d'une chute. Smith me broyait le bras. Je reculai subitement au moment où une masse noire m'effleurait, rapide. Elle s'immobilisa à mes pieds et je reconnus les yeux étincelants du marmouset du Dr Fu Manchu. L'animal s'agitait, jacassait méchamment. D'un bond, il disparut dans l'obscurité.

Smith me ramena dans la pièce que nous venions de quitter. Au moment où il repoussait la porte, nous entendîmes un claquement de mains. Dans un état d'effroyable anxiété, nous attendîmes. Un nouveau bruit, sinistre. On traînait un corps dans le couloir. J'entendis ouvrir une trappe. Des voix gutturales scandèrent un travail de force. Des frôlements, un effort violent, et la trappe se referma avec un bruit sourd.

Smith se pencha à mon oreille.

– Fu Manchu vient de punir une de ses créatures. Les filets ne seront pas vides, ce soir !

Je frémis violemment. Smith ne devait pas se tromper. Un sanglant sacrifice venait d'être célébré à quelques pas de nous.

Dans le silence rétabli, j'entendais la pluie qui battait contre la vitre. Une sirène hurla, lugubre, sur la rivière, et je pensai que, peut-être au même instant, l'hélice du vapeur broyait le corps du serviteur de Fu Manchu !

– On vous attend dehors ? demanda Smith.

– Combien de temps suis-je resté évanoui ?

– Une demi-heure environ.

– Alors, mon chauffeur doit être encore dans les environs.

– Avez-vous un sifflet ?

Je tâtai ma poche.

– Oui, fis-je.

– Bien. Nous pouvons nous risquer.

De nouveau, nous nous glissâmes dans le couloir. Nous avancions sur la pointe des pieds. Dix pas encore. Deux chemins s'offraient à nous, deux passages étroits. Au fond de l'un d'eux, à travers une sorte d'imposte, brillait une lumière.

– Cherchez la trappe, murmura Smith. Allumez votre lampe.

Je dirigeai le faisceau de ma lampe sur le sol : à mes pieds s'encastrait un plateau de bois carré. Je me baissais pour l'examiner quand, me retournant (avec peine, car mon cou était toujours douloureux), je vis Nayland Smith se diriger avec précaution vers la lumière !

Je maudis sa curiosité intempestive, mais la tentation fut trop forte pour moi, comme elle l'avait été pour lui.

Je le suivis avec la crainte de faire grincer une planche sous nos pas. Côte à côte, nous découvrions maintenant par l'imposte l'intérieur d'une petite pièce rectangulaire. Pas de meubles, ou presque. Des murs blanchis à la chaux, un parquet grossier. Au milieu, une table et une chaise.

Assis, nous tournant le dos, un gros Chinois, vêtu d'une robe de soie jaune, parlait. Nous ne pouvions voir son visage. Il lançait des coups de poing sur la table, tout en parlant avec une extrême volubilité, d'une voix menue, aiguë. C'est tout ce que je vis au premier abord, puis j'aperçus, à l'autre bout de la pièce, un homme grand, aux hautes épaules, qui allait et venait, imposant, terrible, beau, sinistre.

Ses longues mains osseuses derrière le dos, les doigts se tordant comme des serpents sur le manche d'un éventail, le menton pointu abaissé sur le col de sa robe jaune, de sorte que la lumière de la lampe tombait sur son vaste front bombé comme un dôme, il allait et venait, sans trêve, l'air sombre.

Par instants, il jetait à son interlocuteur, toujours aussi volubile, un regard torve, haineux, de ses yeux mi-clos. Ceux-ci semblaient alors irradier une lumière qui leur semblait propre. Ils brillaient comme des émeraudes, puis leur phosphorescence s'atténuait : on eût dit un chat qui rétractait ses pupilles.

J'étais glacé et pourtant mon cœur battait à coups redoublés. À mes côtés, Smith respirait vite. J'eus alors l'explication de ce que j'avais ressenti la première fois que j'avais descendu l'escalier de pierre. J'identifiai ce qui flottait au-dessus de la maison. Le docteur chinois irradiait une force, des rayons malfaisants, tout comme le radium émet sa lumière. Fu Manchu créait un champ magnétique.

Je m'éloignai doucement de la fenêtre. Mais Smith me serrait la main comme un étau. Il écoutait passionnément le discours rapide et haché du Chinois, toujours assis sur sa chaise, et je voyais ses yeux briller d'une joie furieuse : il comprenait. Comme la haute silhouette du docteur repassait devant nous, Smith, baissant la tête sous l'imposte, m'entraîna doucement le long du couloir.

– Nous devons nos vies, Petrie, à l'éternel, à l'incurable enfantillage du Chinois ! La race qui rend un culte exclusif à ses ancêtres est capable de tout, et le Dr Fu Manchu, l'être terrible qui répand la terreur en Europe, est en grand danger d'être disgracié pour avoir perdu une décoration.

– Comment cela ?

– Cela veut dire que nous n'avons pas un instant à perdre, Petrie ! Voici, si je ne me trompe, la corde qui nous a servi à entrer ici. Qu'elle soit aussi l'instrument de notre fuite. Ouvrez la trappe !

Tendant la lampe à Smith, je me penchai et levai doucement le panneau de bois. À ce moment précis, une voix douce, musicale, la voix de mes rêves prononça :

– Pas par là ! Je vous en supplie !

Dans ma surprise, ma confusion, j'eus à peine la présence d'esprit nécessaire pour remettre sans bruit la trappe dans son alvéole. Je me redressai, me retournai. Devant moi, sa petite main couverte de bijoux posée sur le bras de Smith, se tenait Kâramaneh !

De ma vie, je n'ai vu Smith aussi étonné. Il semblait hésiter entre la colère, la méfiance, le dégoût. Ses traits bronzés en furent un instant bouleversés. Pétrifié de surprise, il regardait le beau visage de la jeune fille qui laissait sa main sur son bras mais posait sur moi ses yeux énigmatiques. Elle haletait.

Dix secondes, nous restâmes ainsi, et ces dix secondes englobèrent toute la gamme des émotions humaines. Ce fut Kâramaneh, la première, qui rompit le silence.

– Ils vont revenir par ici, murmura-t-elle en se penchant ardemment vers moi. (Combien, même dans les pires moments, j'aimais écouter cet accent musical !) Je vous en supplie, si vous voulez sauver vos vies et épargner la mienne, ayez confiance en moi !

Elle frappa soudainement dans ses mains et me regarda intensément, passionnément.

– Ayez confiance, une fois seulement, et je vous montrerai la route !

Nayland Smith ne la quittait pas du regard, immobile.

– Oh ! fit-elle avec un indicible accent, en frappant le sol de sa pantoufle rouge. Prenez garde ! Il sera trop tard !

Je regardai anxieusement mon ami : la voix empreinte de colère de Fu Manchu couvrait maintenant les exclamations aiguës de l'autre Chinois.

Au moment où Smith répondait à mon regard, la trappe commença à se soulever doucement !

Kâramaneh poussa un cri étouffé. Trop tard ! Une hideuse face jaune, aux yeux bridés, cruels, apparaissait déjà !

J'étais paralysé, sans forces. Je ne savais plus penser ni agir. Instinctivement, Nayland Smith décocha un foudroyant coup de pied à la tête qui émergeait de la trappe.

Le bruit sec d'une mâchoire brisée. Sans un mot, sans un cri, le Chinois s'écroula. La trappe retomba bruyamment, pas assez vite cependant pour nous empêcher d'entendre la chute d'un corps sur les degrés de pierre.

Peu importait. Nous étions perdus. Kâramaneh, légère comme l'oiseau, s'enfuit, disparaissant au moment où le Dr Fu Manchu, la lèvre relevée sur les dents comme un chacal en furie, surgissait à l'autre bout du couloir.

– Par ici, cria Smith d'une voix tonnante. Par ici !

Et il courut vers la pièce donnant sur l'escalier.

De ce côté aussi, la retraite nous était coupée. Dans l'ombre du passage se tenait un groupe d'hommes jaunes. Malgré l'obscurité, les lames incurvées de leurs longs poignards brillaient. L'escalier de pierre était plein de dacoïts !

Ensemble, nous fîmes volte-face. La trappe était de nouveau levée, et le Birman qui m'avait lié émergeait aux côtés du Dr Fu Manchu, qui nous observait, sinistre et ténébreux.

– La dernière carte, murmura Smith. Un beau combat, Petrie, mais Fu Manchu gagne !

– Pas encore ! criai-je.

Je tirai le sifflet de police et le portai à mes lèvres ; mais si rapide qu'eût été mon geste, les dacoïts étaient sur moi. Un bras brun musclé me heurta l'épaule et m'arracha le sifflet. Un corps à corps s'ensuivit, véritable maelström, au centre duquel nous étions, Smith et moi, invinciblement entraînés. Autour de nous, des yeux assoiffés de sang, implacables, des griffes jaunes, des lames étincelantes.

J'entendis, confusément, la voix rauque de Fu Manchu au-dessus de la mêlée et lorsque, mains au dos, je fus jeté pantelant aux côtés de Smith, dans le couloir, je compris que le Chinois avait enjoint à ses serviteurs sanguinaires de nous prendre vivants : sauf quelques froissements et égratignures sans importance, j'étais indemne.

De nouveau, le lieu était désert. Nous étions seuls, prisonniers, hagards, avec le Dr Fu Manchu. Scène inoubliable : je me souviendrai toujours de ce couloir faiblement éclairé dont les deux extrémités se perdaient dans l'obscurité, de la haute silhouette enrobée de jaune du satanique Chinois penché sur nous.

Il avait retrouvé son calme habituel. En le regardant, je ne pouvais m'empêcher d'être impressionné par l'extraordinaire puissance intellectuelle de cet homme. Il avait le front du génie, les traits du chef né, et j'eus assez de sang-froid à cet instant pour lui trouver une frappante ressemblance, si l'on exceptait son expression d'indescriptible méchanceté, avec Seti Ier, le grand pharaon.

Grimaçant, bondissant, le marmouset venait à nous. Avec un cri aigu, il sauta sur l'épaule de Fu Manchu, le saisit de ses petits doigts ses cheveux ternes et rares et, penché en avant, regarda ce masque sinistre, grotesquement. Le docteur caressa le petit être, lui chantonnant quelque chose, comme une mère le ferait avec son enfant. Seuls le chantonnement et la respiration oppressée de Smith rompaient le silence.

Soudain, Fu Manchu parla, de sa voix gutturale :

– Vous venez à point, monsieur le commissaire Nayland Smith, et vous aussi, docteur Petrie, au moment où le plus grand homme de Chine m'honore d'une visite. Pendant mon absence, un inestimable honneur m'a été conféré et, au même instant, la honte et la fatalité m'accablent ! Pour récompenser mes services, la Chine, la Nouvelle Chine, celle de demain, par le truchement de son Sublime Prince, a daigné m'accorder l'ordre sacré du Paon Blanc !

Et transporté, il ouvrit les bras d'un geste large, jetant le marmouset jacassant à terre.

– Dieu de Cathay ! s'écria-t-il d'une voix sifflante, ai-je pu démériter à ce point, que ce malheur effroyable m'atteigne ! Apprenez, mes amis, que le paon sacré et sans tache, amené sur ces rives brumeuses pour mon impérissable gloire, est perdu ! La mort punit un pareil sacrilège ; je mourrai donc, puisque je le mérite.

Smith me poussa imperceptiblement du coude. Je

compris qu'il me rappelait ses propres paroles sur les petitesses et les enfantillages qui emprisonnent la Chine intellectuelle.

J'étais abasourdi. Que le désespoir de Fu Manchu, sa colère, que sa résignation fussent réelles, je n'en pouvais douter.

– Un sacrifice, un sacrifice seul peut apaiser la colère divine. Un sacrifice, la renonciation à tous mes titres, à tous les honneurs dont j'ai été couvert, l'abandon de tous mes biens, et je mériterai peut-être alors d'être épargné, d'être laissé à mon œuvre, qui n'est encore qu'ébauchée.

Je sentais que nous étions perdus ! Ces confidences, nous devions les emporter dans la tombe ! Il ouvrit tout grands ses yeux verts qui brillaient d'un insoutenable éclat et en dirigea le regard funeste sur Nayland Smith.

– Le Maître de l'Univers, fit-il d'une voix étrangement douce, s'est laissé toucher. Cette nuit, vous mourrez ! Cette nuit, l'ennemi irréconciliable de notre race ne sera plus ! Voici mon offrande, le prix du pardon.

Mon esprit s'affairait. Je m'efforçais de saisir la vérité, d'admettre l'étonnante possibilité.

Le Dr Fu Manchu fit mine de frapper dans ses mains.

– Arrêtez ! criai-je.

Il s'immobilisa et le feu de son regard disparut au point de lui donner l'apparence d'un aveugle.

– Docteur Petrie, fit-il lentement, c'est toujours avec le plus grand respect que je vous écouterai.

– J'ai une proposition à vous faire, repris-je, en faisant de vains efforts pour affermir ma voix. Donnez-nous la liberté, et je vous rendrai votre honneur, je vous remettrai le paon sacré !

Fu Manchu, d'un geste vif, se pencha sur moi, si près que j'aurais pu compter les rides qui, comme un fin réseau, enserraient sa peau jaune.

– Parlez ! fit-il d'une voix sifflante. Vous soulagez mon cœur du poids qui l'écrasait !

– Je puis vous rendre le paon blanc. Je suis seul à savoir où il est.

Et, ce disant, je réprimai un frémissement à l'aspect de cette face, si proche de la mienne.

Il se redressa de toute sa hauteur et leva les bras au ciel. Ses yeux, maintenant grand ouverts, reflétaient une furieuse exaltation qui le secouait tout entier.

– Ô Dieu ! Ô Dieu de l'Âge d'or ! Je renais de mes cendres, tel le phénix !

Il se tourna vers moi :

– Vite ! Vite ! Vos conditions ! Abrégez cette attente !

Smith me regardait. Une immense stupéfaction se peignait sur ses traits. Sans y prêter attention, je continuai :

– Vous allez me relâcher immédiatement. Dans dix minutes, il serait trop tard ; mon ami restera ici. L'un de vos serviteurs peut m'accompagner et donner le signal de mon retour avec le paon.

« Mr Nayland Smith et vous-même, ou tout autre, vous me rejoindrez au coin de la rue où l'on a perquisitionné ce matin. Nous vous donnerons dix minutes de grâce, puis nous serons libres d'agir.

– J'accepte ! cria Fu Manchu. D'un Anglais, je ne veux qu'une chose : sa parole d'honneur !

– Vous l'avez.

– La mienne aussi, fit Smith d'une voix dure.

Dix minutes plus tard, Nayland Smith et moi, debout près du taxi dont les phares jetaient une lumière jaunâtre dans le brouillard, échangions un oiseau affolé de peur contre nos vies. Encore une fois, nous avions composé avec l'ennemi de la race blanche.

Avec l'audace qui le caractérisait, confiant dans le sens de l'honneur britannique, le Dr Fu Manchu avait tenu à venir en personne avec Nayland Smith, en réponse au signal donné par le dacoït, mon garde du corps. Pas une parole ne fut prononcée, sauf une exclamation d'étonnement du chauffeur. Le Chinois, accompagné de son sinistre serviteur, s'inclina profondément devant nous, et nous laissa. Les dieux devaient bien rire !

14

LE MONSTRE QUI TOUSSE

Je fis un bond violent dans mon lit.

Mon sommeil avait été bien souvent troublé dans les jours qui avaient suivi notre miraculeuse évasion du repaire de Fu Manchu. Et maintenant, les nerfs tendus, je n'aurais pu dire si cette angoisse intolérable qui me donnait la chair de poule était la suite d'un cauchemar ou l'annonce d'un nouveau danger.

J'étais sûr qu'un cri, qu'un cri d'appel à l'aide avait été poussé. Maintenant que j'écoutais, respiration suspendue, dans cet état de tension qui caractérise le dormeur réveillé en sursaut, le silence semblait absolu. Peut-être avais-je rêvé...

– Au secours, Petrie ! Au secours !

Nayland Smith, dans la chambre au-dessus de la mienne ! Je n'avais plus de doutes. Je n'avais pas été le jouet d'une hallucination. Mon ami était en danger ! Sans même prendre le temps d'enfiler ma robe de chambre, je me précipitai sur le palier, pieds nus, gravis les marches en courant, tournai le bouton de la porte et me précipitai dans la pièce.

Ces cris avaient été ceux d'un homme attaqué, qui lutte pour sa vie... Ils s'étaient arrêtés...

Les rayons de la lune entraient dans la chambre, sans toutefois atteindre le lit de Smith. Mais, lors de ma brusque entrée, avant même d'avoir allumé les lampes, mon regard suivit machinalement le rayon lunaire qui allait frapper la descente de lit en peau de mouton.

Une toux étouffée se fit entendre.

Mal éveillé encore, les nerfs exacerbés, je n'en crus d'abord pas mes yeux. Dans le rayon lumineux passait une sorte de barre brune, un corps allongé comme celui d'un serpent, au travers de la pièce ; il se rétractait, sortait par la fenêtre ouverte... De l'extérieur, j'entendis tousser encore. Un claquement sec comme celui d'un fouet suivit.

Je tournai le commutateur, inondant la pièce de lumière, et comme j'avançais vers le lit, un mot me vint à l'esprit, qui peignait avec précision ce que j'avais cru entrevoir : un long boa de plumes grises.

– Smith ! m'écriai-je, ma voix s'élevant d'une octave. Smith ! Mon vieux !

Pas de réponse. Une peur soudaine m'envahit. À demi sorti de son lit, couché sur le dos, sa tête semblait tordue sur ses épaules. Je me penchai sur lui et le saisis aux bras. Seul le blanc de ses yeux était visible. Ses bras pendaient, inertes, et ses doigts effleuraient le sol.

– Mon Dieu ! murmurai-je. Qu'avez-vous ?

Je le replaçai sur l'oreiller et scrutai anxieusement son visage. Smith avait toujours été maigre. Mais les fatigues des jours précédents l'avaient tellement épuisé que ses pommettes saillantes, ses joues creuses, lui faisaient un véritable masque de mort. Son épiderme, brûlé par le soleil, s'était modifié : rien n'aurait pu effacer ce hâle. Mais, en cet instant, une pâleur effrayante avait remplacé la couleur brune des joues. Ses lèvres étaient pourpres... Son cou portait des marques de strangulation, très nettes, des empreintes de doigts qui devenaient noires.

Il respirait, spasmodiquement. Chaque inspiration était accompagnée d'un ronflement significatif. En présence d'un cas aussi clair, tout mon calme professionnel me revint.

J'intervins suivant la méthode la plus ordinaire, énergiquement. Et bientôt, mon ami portait les mains à sa gorge enflammée qu'une pression criminelle avait meurtrie.

La maison était agitée de rumeurs. Je n'avais pas été seul à entendre le cri.

– Tout va bien, mon vieux, fis-je en me penchant sur lui. Tenez bon !

Il ouvrit les yeux, des yeux troubles, injectés de sang, et me reconnut.

– Tout va bien, Smith. Ne vous asseyez pas. Restez allongé encore un moment.

Je courus à la table de toilette, saisis sa gourde et composai un stimulant léger que je lui portai.

J'étais penché, le faisant boire, quand ma logeuse apparut sur le seuil, pâle, apeurée.

– Ne vous inquiétez pas, lui dis-je par-dessus mon épaule. Mr Smith a les nerfs malades. Il sort d'un violent cauchemar. Vous pouvez vous recoucher, Mrs Newsome.

Nayland Smith semblait éprouver de la peine à déglutir. Ses ganglions gonflés, sa gorge, que pourtant j'avais massée vigoureusement, devaient le faire beaucoup souffrir. Mais le danger était passé. Ses yeux n'étaient plus vitreux et reprenaient leur volume normal.

– Ah ! Petrie ! soupira-t-il. Il s'en est fallu de peu. Je n'avais plus de force !

– Votre faiblesse va passer, répliquai-je. Vous n'allez pas vous évanouir. Un peu d'air frais...

Je me relevai, fis un pas du côté des fenêtres, puis regardai Smith qui me répondit par une moue.

– Impossible, Petrie, fit-il avec effort.

En effet. Malgré la chaleur excessive de la nuit, les fenêtres étaient à peine entrouvertes, en haut et en bas. Il était impossible de les ouvrir davantage. Des crampons de fer rivés au châssis s'y opposaient. Cette précaution avait été prise après les attentats commis par les dignes serviteurs de Fu Manchu.

Et pourtant – mon regard allait maintenant de cet homme à demi étranglé aux fenêtres vissées –, cette mesure s'était révélée insuffisante. Je pensai à cette chose mystérieuse qui ressemblait à un boa de plumes. Je regardai le cou enflé, déformé, de Nayland Smith.

Le lit était à plus d'un mètre de la fenêtre la plus proche !

Smith dut lire la question sur mon visage. Car il me dit, tout en frottant son cou douloureux :

– Dieu seul le sait, Petrie ! Un homme n'aurait jamais pu m'atteindre...

Il ne pouvait être question de sommeil pour nous. Drapé dans sa robe de chambre, Smith était maintenant assis dans le fauteuil en rotin blanc de mon bureau, un verre de brandy à portée de la main et (malgré ma défense formelle) sa vieille pipe aux dents, qui avait enfumé tant de lieux étranges et sombres de l'Orient lointain, et qui maintenant brûlait dans un appartement prosaïque de la banlieue de Londres.

Je m'accoudai à la cheminée et le regardai.

– Vraiment, Petrie, fit-il encore, il s'en est fallu de peu, de très peu !

– Plus que vous ne le pensez peut-être, mon vieux. Vous étiez d'un beau bleu lorsque je vous ai trouvé...

– Je suis parvenu, dit Smith d'une voix unie, à tordre les doigts qui m'étranglaient et à crier. Un court instant. Des doigts d'acier, Petrie... des doigts d'acier !

– Le lit..., commençai-je.

– Je sais bien. Je n'y aurais pas dormi s'il avait été à côté de la fenêtre. Mais, sachant que le docteur n'aime pas employer des méthodes bruyantes, je me suis cru en sûreté aussi longtemps que personne ne pouvait pénétrer dans la chambre.

– Je vous ai répété sur tous les tons, Smith, qu'il y avait danger ! Et les flèches empoisonnées ? Et les reptiles, les insectes si bien soignés et si bien dressés par Fu Manchu ?

– L'habitude du danger pousse à le mépriser, fit-il

en haussant les épaules. Mais, dans le cas qui nous occupe, rien de tout cela n'a été employé. Je ne sais ce qui a failli me tuer. Il semble que Fu Manchu ait délibérément accepté et relevé le défi des fenêtres vissées ! Que diable, Petrie ! On ne peut pourtant pas dormir, par une chaleur pareille, dans une chambre hermétiquement close ! Je me crois en Birmanie ! Et je constate qu'alors que je supporte assez bien la chaleur sous les tropiques, l'été à Londres me met à plat.

– L'explication en est simple : l'humidité. Mais il faudra vous y faire, Smith. À la nuit, toutes nos fenêtres seront désormais hermétiquement fermées.

Nayland Smith tapota sa pipe sur le manteau de la cheminée. Le fourneau en était brûlant, mais il le bourra néanmoins aussitôt avec son mélange grossier, semant généreusement son tabac sur le tapis. Il releva la tête. Ses traits s'étaient durcis.

– Petrie, fit-il en frottant une allumette sur le talon de sa pantoufle, les ressources de Fu Manchu sont loin d'être épuisées. Avant de quitter cette pièce, nous devons prendre une décision.

Et, sa pipe allumée, il poursuivit :

– Quel est l'être surnaturel, étrange, qui a mis cette nuit ses mains autour de ma gorge ? Je dois ma vie à vous, tout d'abord, Petrie, et ensuite au fait que j'ai été éveillé avant l'attaque par la toux de la créature, une abominable toux sèche.

Instinctivement, mon regard alla aux rayons surchargés de livres, au mur. Bien souvent, après une quelconque attaque du brillant docteur dont le génie semblait être voué à découvrir ou à perfectionner de nouveaux agents de mort, nous avions obtenu de ces livres de science des renseignements, des indices qui nous avaient permis de lutter. Il est des animaux, des produits, généralement inoffensifs, qui peuvent, employés de certaines façons, causer la mort. Et, forcer la nature, la violenter, détruire un équilibre, une eurythmie, était le propre, l'art du Dr Fu Manchu. Je l'avais vu développer un microscopique champignon au point de le rendre capable d'inspirer la peur et de donner la mort. Sa connaissance des insectes, des reptiles venimeux n'avait assurément pas d'égale au monde, de même que sa science toxicologique était sans rivale : les Borgia n'auraient été que des enfants à côté de lui. Et, cependant, le dernier attentat supposait autre chose : il était hors de la norme.

– Nous avons pourtant un indice, dit Nayland Smith, désignant du doigt le cendrier qui occupait le centre de la table. Comme je vous l'expliquai, j'ai été réveillé par une toux ; puis j'ai senti une étreinte mortelle sur mon cou et, instinctivement, mes mains ont battu l'air à la recherche de mon agresseur. Je ne trouvai rien. C'est pourquoi je m'attaquai aux doigts qui m'étouffaient. Ils étaient petits, comme les marques le prouvent, et couverts de poils. Je parvins à crier et j'employai toute ma force à desserrer l'étreinte qui me tuait. Au cours de la lutte, je détachai une des mains et je criai encore, plus faiblement. Puis les deux mains revinrent à mon cou. Je faiblissais, je griffais follement les bras minces, poilus. Tout se mit à tourner et je dus perdre connaissance. Je m'y suis cassé les ongles, mais voici le butin.

À la lueur de la lampe, j'examinai avec soin la pièce à conviction. Sur le cuivre du cendrier, on voyait quelques poils grisâtres tenant encore à un morceau de peau sanglante. Cette parcelle d'épiderme était curieusement bleutée, et les racines des poils étaient absolument noires. N'eût été leur singulière pigmentation, on aurait pu les croire arrachés à un bras humain ; mais j'avais beau, connaissant les ressources de Fu Manchu, chercher en esprit dans les contrées les moins connues du globe, évoquer les tribus mongoles, les Esquimaux mangeurs de graisse, les sauvages d'Australie, les Nègres d'Afrique centrale, passer en revue les peuplades du Congo, aucune race humaine, nulle part dans le monde exploré, ne présentait un type d'homme tel qu'on eût pu lui attribuer le sanglant trophée que je tenais sous les yeux.

Nayland Smith m'étudiait avec curiosité tandis que je me penchais sur le petit cendrier.

– Vous êtes surpris, fit-il. Moi aussi, étrangement. Le musée des monstres de Fu Manchu semble s'être enrichi. Et même si nous parvenions à identifier le propriétaire de ces débris, nous n'en serions guère plus avancés !

– Vous voulez dire ?...

– À plus d'un mètre de la fenêtre, Petrie ! Une fenêtre à peine entrebâillée ! Tenez ! Prenez une règle et mesurez !

Il étendit le bras de toute sa longueur.

Reposant le cendrier, je m'exécutai.

– 80 centimètres seulement, voyez-vous ! Et je n'ai pas les bras courts !

Il retira son bras et enflamma une allumette pour rallumer sa pipe.

– Il est une chose que nous nous sommes souvent proposé de faire et qu'il est temps d'accomplir, Petrie. Le lierre qui couvre le mur de derrière doit être coupé au pied. C'est fâcheux, mais nous ne pouvons pas sacrifier nos existences à l'esthétique. Que pensez-vous du bruit sec entendu, ce bruit semblable au claquement d'un fouet ?

– Je n'en pense rien, Smith, fis-je avec lassitude. Peut-être une grosse branche de lierre qui a cassé sous le poids du grimpeur ?

– Est-ce bien le bruit que vous avez perçu ?

– Je dois avouer que l'explication ne me satisfait qu'à demi. Mais je n'en ai pas de meilleure à vous offrir.

Smith, laissant sa pipe s'éteindre, regardait fixement devant lui, tout en tirant sur le lobe de son oreille gauche.

– Je suis plus perplexe que jamais, poursuivis-je. Au premier abord, lorsque j'eus compris que le Dr Fu Manchu était revenu en Angleterre, quand j'eus admis qu'une délicate et complexe machine à tuer fonctionnait quelque part dans Londres, tout cela me sembla irréel, fantastique. Puis je rencontrai Kâramaneh ! Elle, que nous croyions sa victime, prouva qu'elle était redevenue son esclave. Maintenant, avec Weymouth et Scotland Yard à sa poursuite, le vieux démon est revenu dans nos brouillards, nos vies sont en danger, toute ombre est un danger, dormir est un danger. C'est horrible.

Smith restait silencieux. Il semblait ne pas m'avoir entendu. Je connaissais son caractère et je savais qu'il ne devait pas, à certains moments, être troublé dans ses réflexions. Le front plissé, les yeux perdus dans le lointain, il serrait sa pipe entre ses dents avec une telle détermination que, par sympathie, les muscles de ma mâchoire me firent mal. Personne n'était plus apte que ce maigre commissaire à défendre la société contre la menace du Péril jaune ; je respectai sa méditation. Il était, lui, contrairement à moi, au courant des secrets et des intrigues de l'Orient, de l'Orient mystérieux d'où sortait Fu Manchu, de cette jungle pleine de poisons dont les miasmes pestilentiels venaient infecter l'Occident.

Je sortis lentement de la pièce, perdu dans d'amères réflexions.

15

ENCHANTEMENT

– Vous avez des nouvelles intéressantes ? lança par-dessus la table du petit déjeuner Nayland Smith à l'inspecteur Weymouth, qui buvait du café.

– Oui, deux au moins, répliqua l'homme de Scotland Yard tandis que Smith demeurait la cuiller en suspens au-dessus de son œuf, fixant Weymouth. Et tout d'abord, le quartier général du groupe jaune n'est plus dans l'East End.

– Comment le savez-vous ?

– Pour deux raisons. La première est que le quartier doit être trop chaud pour le Dr Fu Manchu. La seconde est que nous venons de terminer une visite générale du district, maison par maison, sans négliger le moindre trou de souris. L'immeuble où vous dites que Fu Manchu a reçu la visite d'un mandarin, et où vous avez été enfermé avec le Dr Petrie...

– Oui ? fit Smith, en attaquant son œuf.

– Eh bien, continua l'inspecteur, tout est désert. Il n'y a plus le moindre doute : les Chinois ont fui. J'en suis sûr. J'en arrive maintenant à la deuxième nouvelle qui vous intéressera beaucoup, certainement. Vous avez été conduit à la taverne du Chinois Shen-Yan par un ancien membre de la police new-yorkaise, un certain Burke...

– Mais, s'écria Smith en relevant brusquement la tête, je croyais qu'ils lui avaient réglé son compte !

– Je le croyais aussi, dit Weymouth, mais il n'en était rien. Il est parvenu à s'enfuir dans le désordre qui a suivi la descente de police et, depuis lors, il se cache chez un sien cousin, un pépiniériste d'Upminster Way...

– Il se cache ?

– Exactement. Il n'a pas osé bouger depuis lors, et c'est à peine s'il a montré le bout de son nez. Il dit qu'il est surveillé de jour et de nuit...

– Mais comment alors...

– Il a fini par comprendre qu'il fallait réagir et il a effectué une sortie ce matin. Il est tellement convaincu d'être suivi qu'il est sorti dans le plus grand secret, caché derrière des caisses dans un camion. Il est ainsi arrivé à Covent Garden dans la matinée, de très bonne heure, et est venu directement au Yard.

– Que craint-il exactement ?

L'inspecteur posa sa tasse et se pencha légèrement en avant.

– Il sait quelque chose, fit-il à voix basse. Et les autres savent qu'il sait !

– Il sait... quoi ?

Nayland Smith regardait avidement le policier.

– Tout a son prix, répliqua Weymouth avec un léger sourire, et Burke paraît penser qu'il fera un marché plus avantageux avec vous qu'avec nous.

– Je comprends. Et il veut me voir ?

– Oui. Ou plutôt, il veut que vous alliez le voir. Je crois qu'il espère que vous vous emparerez de celui ou de ceux qui le menacent.

– Vous a-t-il donné quelques indications ?

– Oui. Plusieurs. Il a parlé d'une sorte de bohémienne avec laquelle il a eu une conversation pardessus la barrière qui sépare la pépinière de son cousin du chemin adjacent.

– Une bohémienne ! fis-je avec un rapide regard à Smith.

– Vous êtes dans le vrai, docteur, dit Weymouth avec un sourire ; c'était bien Kâramaneh. Elle lui a demandé un renseignement quelconque et l'a fait écrire sur une feuille de bloc-notes, sous le prétexte de ne rien oublier.

– Entendez-vous cela, Petrie ?

– J'entends, répondis-je, mais je ne vois pas dans quel but...

– Moi, je vois, dit Smith. Ce n'est pas inutilement que je me suis torturé les méninges toute la nuit dernière ! J'irai au British Museum aujourd'hui même pour élucider quelques points de détail.

Il se tourna vers Weymouth :

– Burke est reparti chez lui ?

– Caché dans des caisses vides, toujours dans son camion. Vous n'avez jamais vu de votre vie un homme aussi inquiet !

– Il doit avoir de bonnes raisons, dis-je.

– De très bonnes raisons, reprit Smith. S'il gêne Fu Manchu, ce n'est que par miracle qu'il échappera à la mort, tout comme nous jusqu'ici.

– Burke assure, continua Weymouth, que l'on vient toutes les nuits rôder autour de chez lui. Il habite une vieille ferme. Deux ou trois fois, déjà, il aurait été réveillé par un toussotement (il a, par chance, le sommeil léger) à sa fenêtre. Il dort avec un automatique sous son oreiller et, plus d'une fois, sortant de son lit, il a entrevu, paraît-il, un animal sautant du toit qui jouxte sa fenêtre sur le sol.

– Un animal ? répéta Smith, les yeux brillants. Vous avez dit : animal ?

– J'emploie ce mot, dit Weymouth, parce que Burke dit que la « chose » marche à quatre pattes.

Il y eut un silence tendu.

– En descendant d'un toit en pente, un être humain emploierait ses quatre membres, dis-je.

– C'est juste, fit l'inspecteur. D'ailleurs, je ne fais que répéter ce que dit Burke.

– A-t-il entendu un autre bruit ? demanda Smith. Le craquement d'une branche, par exemple ?

– Il ne m'en a pas parlé, répondit Weymouth en le regardant.

– Et quel plan avez-vous établi ?

– L'une des voitures de son cousin, dit Weymouth avec un sourire, est restée derrière Covent Garden et ne repartira que ce soir, assez tard. Je vous propose d'imiter Burke, monsieur Smith, et de gagner Upminster derrière les caisses vides.

Nayland Smith se leva, sans avoir terminé son petit déjeuner, et se mit à se promener de long en large, tirant sur le lobe de son oreille. Puis, fouillant les poches de sa robe de chambre, il en exhiba son inévitable pipe, une blague rebondie et une boîte d'allumettes.

– Dois-je comprendre que Burke a trop peur pour se montrer au-dehors en plein jour ? demanda-t-il soudainement.

– Il n'a, en tout cas, pas quitté jusqu'ici la propriété de son cousin. Il semble croire que se mettre en relation ouverte avec la police serait signer son propre arrêt de mort.

– Eh ! Eh ! dit Smith.

– C'est pourquoi il est venu et reparti secrètement, continua l'inspecteur. Et si nous voulons agir avec quelques chances de succès, nous devons employer les mêmes procédés. Le camion, chargé de telle sorte qu'un espace suffisant nous soit réservé au milieu, sera conduit ce soir vers 5 heures devant les bureaux de Messieurs Pike and Pike, dans Covent Garden. Je propose que nous nous rencontrions à 4 heures et demie, et que nous commencions l'expédition.

Et il me lança un regard interrogateur.

– Inscrivez-moi au programme, dis-je. Je suppose qu'il y a de la place dans le camion ?

– Certainement. C'est spacieux, sinon confortable.

Nayland Smith se promenait toujours dans la pièce. Il s'absenta un court instant pour revenir avant que l'inspecteur et moi ayons pu échanger plus qu'un regard de surprise. Il tenait à la main le cendrier de cuivre qu'il présenta à Weymouth.

– Avez-vous déjà vu cela ? fit-il.

L'inspecteur examina avec curiosité ce que Smith lui tendait, retournant l'objet du bout du doigt avec la plus grande répugnance. Nous l'observions en silence. Son examen terminé, il reposa le cendrier sur la table et nous considéra, intrigué.

– On dirait un fragment de peau de rat d'eau, dit-il.

Nayland Smith le regarda fixement.

– Un rat d'eau. En effet, il y a une certaine ressemblance. Mais, fit-il en déroulant le foulard de soie qui lui entourait le cou, avez-vous déjà vu un rat d'eau laisser des empreintes de ce genre ?

Weymouth se leva d'un bond et poussa une exclamation.

– Diable ! Et comment cela est-il arrivé ?

En quelques mots brefs, Smith lui narra les événements de la nuit précédente.

– Parbleu, dit Weymouth, lorsque le récit fut achevé, mais la chose sur le toit, l'animal qui tousse et marche à quatre pattes, que Burke a vu...

– C'est bien mon idée ! s'écria Smith.

– Fu Manchu, lançai-je, a rapporté de Birmanie une nouvelle créature, une horreur, pour ne pas changer.

– Non, Petrie, fit Smith en se retournant brusquement vers moi. Pas de Birmanie, d'Abyssinie.

La journée devait être mouvementée. Aucun de nous ne l'oubliera. De bonne heure, Smith partit pour le British Museum afin d'y poursuivre ses mystérieuses recherches. Quant à moi, après avoir fait une brève tournée de ma clientèle (bien peu nombreuse, hélas !), je me trouvai avec trois heures à perdre avant le rendez-vous pris le matin. Je déjeunai seul. L'impatience me prit. Je ne tenais pas en place. Je m'équipai donc en vue de notre expédition, sans oublier mon automatique et, en métro, gagnai Charing Cross. J'errai par les rues, sans but. Inconsciemment, je suivais New Oxford Street quand, sans y penser, je me trouvai à l'étalage du bouquiniste devant lequel j'avais, deux ans plus tôt, rencontré Kâramaneh.

Une grande amertume m'envahit. Sans même jeter un regard aux livres offerts aux chalands, je traversai la rue, pris Museum Street et, beaucoup plus pour changer le cours de mes pensées qu'avec l'intention d'acheter, me mis à examiner les poteries orientales, statuettes égyptiennes, armures de l'Inde et autres curiosités placées dans les vitrines d'un antiquaire.

Malgré tous mes efforts, mes pensées allaient, mon esprit vagabondait. Je voyais sans voir. De la foule qui se pressait autour de moi, du trafic intense dans New Oxford Street, je n'observais rien. Mes yeux ne voyaient même pas les vases, les statuettes, mais se complaisaient, dans une sorte de buée, à une pure fiction : deux beaux yeux noirs, ceux de Kâramaneh.

Dans le délicat coloris d'un précieux vase de Chine qui brillait dans le fond d'une vitrine, je croyais reconnaître l'incarnat des joues de Kâramaneh. Ses traits se précisèrent, adorables, entre une idole dorée, hideuse, et un paravent de santal indien.

Je m'efforçai d'écarter cette obsession, fixai les yeux sur un haut vase étrusque placé dans un coin, près de la porte. Que vis-je ? Perdais-je la raison ? Derrière cette vieille poterie se détachait distinctement le visage de la jeune esclave ! Je dus avoir à cet instant l'air d'un fou, même peut-être attirer l'attention des passants, je l'ignore ; je ne voyais que ce visage auréolé de ses fins cheveux, ces lèvres rouges légèrement entrouvertes, ces yeux noirs étincelants qu'elle fixait sur moi.

C'était incroyable, inouï. Rêve ou réalité, l'image subsistait. Je fis un violent effort sur moi-même, gagnai la porte de la boutique, tournai la poignée et entrai, avec autant de calme que je pouvais en garder.

Une draperie, tombant sur une petite porte, de l'autre côté d'un comptoir, remua doucement, comme agitée par un souffle. J'observais la tenture quand une sorte de métis, mâtiné de gréco-juif et de japonais, apparut et me fit une courbette impassible. Je reculai, surpris.

– Puis-je vous montrer quelque chose, monsieur ? fit l'homme, avec une deuxième courbette.

Je le regardai un instant en silence.

– Je croyais avoir vu ici, il y a quelques instants, une dame de ma connaissance, dis-je. Me suis-je trompé ?

– Sans aucun doute, monsieur, répliqua le vendeur, levant légèrement les sourcils, une erreur probablement due à un reflet dans la vitrine. Voulez-vous en profiter pour voir quelques raretés ?

– Non, merci, dis-je, sans le quitter du regard. Une autre fois.

Je sortis brusquement de la boutique. J'étais fou, ou Kâramaneh se cachait bien dans cette maison.

Conscient de mon impuissance, je me contentai de noter dans ma mémoire le nom mentionné sur les vitrines : *J. Salaman,* et je poursuivis mon chemin, l'esprit retourné, le cœur battant la chamade.

16

LES MAINS QUI CHERCHENT

Sous mes yeux, du coin de la pièce où j'étais assis dans l'ombre, par la fenêtre entrouverte (et barricadée comme les nôtres), des rangées de serres brillaient sous la lune. Plus loin, des alignements de fleurs se perdaient au ras du sol, dans un halo bleuté. La lune était très haute, et aucun rayon ne pénétrait dans la chambre. Je m'étais pourtant accoutumé à l'obscurité et je distinguais Burke allongé sur son lit, à mi-chemin entre la fenêtre et moi. Il me semblait être revenu aux temps troublés où Nayland Smith et moi nous nous défendions contre les serviteurs de Fu Manchu. Il eût été difficile d'imaginer paysage plus paisible que ce coin de Sussex. Mais je sentais que cette paix n'était qu'apparente, que le danger rôdait autour de nous, que le silence qui nous enveloppait était chargé d'électricité, la nuit de présages muets.

Courbatu par mon voyage en camion, j'avais peine à conserver la même position. Quel renseignement Burke voulait-il nous vendre ? Il avait refusé, pour une raison personnelle, disait-il, de discuter la question ce même soir, mais acceptant la collaboration que Smith lui offrait, il feignait maintenant le sommeil, bien qu'à intervalles il me soufflât, à voix basse, ses craintes et ses doutes.

Toutes les chances étaient de notre côté : si nous ne doutions pas que Fu Manchu cherchait à atteindre l'ancien officier de la police de New York, nous savions aussi que notre présence dans la ferme était inconnue des agents du Chinois. À en croire Burke, c'est continuellement qu'on avait attenté à sa vie, et Fu Manchu n'avait échoué dans son entreprise que parce que lui, Burke, était éveillé. Il était donc vraisemblable qu'une attaque aurait lieu dans la nuit.

Tous ceux qui ont été contraints, par les circonstances, à veiller connaissent les variations marquées de l'atmosphère, qui correspondent aux phases du mouvement de la Terre, et se produisent à minuit, 2 heures et 4 heures du matin. Pendant ces longues heures, la vie ralentit son rythme, et tout médecin sait que ses malades s'éteignent le plus souvent au cœur de la nuit, entre minuit et 4 heures.

Cette nuit, je ressentais avec une particulière acuité cette baisse de vitalité. Les heures s'écoulaient lentement. La nuit avait atteint cette obscurité profonde qui annonce l'approche du jour. Une peur irraisonnée, indescriptible, comme j'en avais connu lors de mes luttes précédentes avec le Chinois, celle qui précède l'action, m'envahissait au moment où j'étais le moins prêt à la repousser. Le silence était absolu.

– Attention ! chuchota Burke de son lit.

À l'instant même, le froid qui me glaça tout entier, reflet du froid de toute la nature au-dehors, se fit plus aigu.

Je me levai lentement et, caché par l'ombre, j'épiai, je surveillai le rectangle plus clair de la fenêtre...

Sans que le moindre bruit la trahît, une silhouette noire montait, de l'autre côté de la vitre... l'ombre d'une tête petite, mal formée, une tête de chien, eût-on dit, enfoncée dans des épaules massives. J'entrevis des yeux cruels qui regardaient fixement à l'intérieur. La tête montait toujours, puis elle s'abaissa au niveau de la barre d'appui et se perdit dans l'ombre d'un énorme corps quand la créature se pencha vers l'ouverture au bas de la fenêtre. Un léger reniflement parvint à mes oreilles.

À en juger par la peur violente que j'éprouvais moi-même, je doutais que Burke pût tenir son rôle. Par l'entrebâillement de la fenêtre, une main passa lentement, dans l'ombre... Elle venait de cette énorme silhouette de l'autre côté de la vitre, s'avançait, s'avançait encore, menue, les doigts écartés...

Rien n'est plus terrifiant que l'inconnu. Dans mon incapacité de concevoir avec netteté quelle était cette chose, cet être qui allongeait des bras d'une longueur démesurée pour enserrer d'une étreinte assurément mortelle le cou de l'homme couché sur son lit, j'éprouvai un avant-goût de cette folle épouvante qu'on ressent dans les plus horribles cauchemars.

– Vite, monsieur, vite ! hurla Burke, en s'agitant violemment sur son oreiller.

Les mains quêteuses l'avaient saisi à la gorge !

Réprimant mon appréhension et mon dégoût à toucher cette chose qui se tendait à travers la fenêtre, je bondis et saisis un bras rigide, velu.

Dieu ! Jamais je n'avais tâté des muscles d'une pareille dureté ! Ils semblaient d'acier et je sentis mon impuissance à lutter contre une semblable étreinte. Je n'étais qu'un enfant en face d'un géant ! Burke râlait. Il agonisait sous mes yeux !

– Smith ! criai-je. Smith ! Au secours ! Pour l'amour de Dieu !

Bien qu'affolé, je percevais des bruits au-dehors et au rez-de-chaussée. Deux fois, l'être de la fenêtre toussa. Plus bas, un bruit incessant – on eût dit des claquements de fouet – se faisait entendre, puis on cria quelque chose que je ne compris pas, et un pistolet aboya.

La créature aux bras velus grogna sauvagement, toussa encore. Mais l'étreinte des mains ne se relâcha pas. Dans la terreur de cette attaque soudaine, j'avais perdu de vue notre plan ; j'avais sous-estimé la force de notre adversaire, que Smith avait prévue. Déçu dans ma vaine tentative d'opposer ma force à celle de cette créature inconnue, je bondis en arrière et saisis l'arme qui m'avait été confiée au début de ma veille, et que j'avais jugée alors bien inutile. C'était une lourde hache, au fil très fin, que Nayland Smith avait apportée à notre rendez-vous de Covent Garden, au grand étonnement de Weymouth et au mien.

Comme je revenais à la fenêtre, brandissant cette arme primitive, un nouveau coup de feu claqua en bas. Des grognements rauques, presque des rugissements, éclatèrent de l'autre côté de la vitre. Cette toux encore, un ronflement guttural... De toutes mes forces, j'abattis la lourde masse sur l'un des bras velus, le plus rapproché de moi, à l'endroit où il touchait le rebord de la fenêtre, tranchant les muscles, les tendons, coupant l'os... Un hurlement, qui n'était ni de l'homme ni de la bête, éclata, sauvage. Le bras intact disparut comme l'éclair et j'entrevis un grand corps qui roulait sur les tuiles et s'abattait avec un bruit sourd au sol.

Un deuxième cri perçant, humain cette fois, troua la nuit.

Jetant ma hache sanglante, je courus au lit où l'homme gisait maintenant immobile et silencieux. Une bougie, des allumettes étaient à ma portée. Avec difficulté, les doigts tremblants, je fis de la lumière et posai le chandelier sur la commode, pour revenir au chevet de Burke.

Un cri d'épouvante m'échappa.

De toutes les images que ma mémoire a retenues, et il en est d'assez sombres, je n'en trouve pas de plus affreuse que celle qui s'offrit alors à mes yeux. Burke gisait, couché en travers de son lit, la tête rejetée en arrière, pendante. Une main se dressait en l'air, raide. L'autre étreignait le bras velu que j'avais tranché avec la hache et dont les doigts se contractaient encore à sa gorge.

Sa face était noirâtre, ses yeux sortaient des orbites, hideux. Maîtrisant ma répugnance, j'agrippai ce bras sanglant, je le secouai pour lui faire lâcher prise.En vain. L'étreinte ne se dénoua pas. À l'aide de mon couteau de poche, je dus sectionner un à un ces muscles, ces tendons crispés...

C'était inutile. Burke avait cessé de vivre.

Je brûlais de fièvre. Mes vêtements me collaient à la peau. De longs frissons me secouaient tout entier. La sueur m'inondait et me glaçait en même temps. Agité d'un tremblement convulsif, je gagnai le coin de la fenêtre, me tenant le plus loin possible de la flaque de sang noir qui s'étalait au sol, et regardai au-dehors. Des voix confuses se faisaient entendre vers les pépinières. Que signifiait ce cri, ce hurlement humain auquel, dans mon affolement, j'avais prêté tout d'abord une attention médiocre ?

Devant la maison, des ombres s'agitaient.

– Smith, criai-je de la fenêtre, Smith ! Où êtes-vous ?

Un pas précipité dans l'escalier. Derrière moi, la porte s'ouvrit violemment et Nayland Smith se jeta dans la chambre.

– Dieu ! fit-il en reculant sur le seuil.

– L'avez-vous capturé ? demandai-je d'une voix rauque. Qu'est-ce que c'est ?

– Descendez, vous le verrez vous-même, répliqua Smith, détournant la tête.

Je le suivis en chancelant. Nous gagnâmes la cour pavée de la vieille maison. Des ombres passaient au fond d'une longue allée. L'une d'elles, portant une lanterne, se baissa sur une masse noire qui gisait à terre.

– C'est le cousin de Burke, murmura à mon oreille Smith. Ne lui dites rien encore.

J'approuvai de la tête et rejoignis le groupe.

Quelques instants plus tard, je me penchais à mon tour sur le cadavre d'un de ces Birmans qu'on retrouvait toujours là où Fu Manchu mettait la main. Il gisait, face au sol, et sa nuque n'était qu'une bouillie rouge. À ses côtés, un lourd fouet au manche court poisseux de sang, auquel adhéraient encore des cheveux. Je reculais épouvanté quand Smith saisit mon bras.

– C'était son gardien ! me souffla Smith à l'oreille. J'ai touché la bête deux fois à la tête, d'en bas, et vous lui avez coupé un bras. Dans sa furie et sa cruauté native, elle s'est retournée contre son gardien et en a fait ce que vous voyez, sa deuxième victime...

– Mais la bête...

– Partie ! Elle a encore la force de quatre hommes vigoureux, Petrie ! Mais regardez !

Se penchant, il retira de la main gauche crispée du mort un morceau de papier et le déplia.

– Tenez-moi la lanterne un instant.

À la lueur trouble, il étudia le papier.

– Je le pensais bien : c'est une feuille du bloc-notes de Burke, pour l'odeur.

Il se tourna vers moi avec une étrange expression dans ses yeux gris :

– Je suis curieux de savoir ce que le Dr Fu Manchu a pu me voler pour me faire exécuter par la bête ?

– Vous feriez mieux de retourner à la maison, dis-je à l'homme qui tenait toujours la lanterne levée, en le regardant dans le blanc des yeux.

Il pâlit.

– Vous ne voulez pas dire... Monsieur, vous ne voulez pas dire...

– Soyez fort ! dit Smith en lui mettant la main sur l'épaule. Rappelez-vous qu'il aimait jouer avec le feu !

Sans répondre, l'homme nous lança un regard farouche et, d'un pas incertain, se dirigea vers la ferme.

– Smith..., fis-je.

Il se tourna vers moi, d'un geste impatient.

– Weymouth est parti en voiture pour Upminster, dit-il. Ils ont dû venir en auto, mais les coups de feu les ont alertés. Quant à la bête, elle a perdu beaucoup de sang, et sa capture n'est qu'une question d'heures, Petrie.

17

UNE JOURNÉE À RANGOON

Nayland Smith revint du téléphone. Vingt-quatre heures s'étaient écoulées depuis l'affreuse fin de Burke.

– Aucune nouvelle, fit-il brièvement. L'animal a dû aller mourir dans quelque coin inaccessible.

Je relevai la tête. Smith s'enfonça dans le fauteuil de rotin blanc et commença à souffler des nuages de fumée odoriférante. Je repris un cahier, couvert de l'écriture fine et serrée de mon ami, qui me servait à compléter mon rapport sur la dernière attaque de Fu Manchu et je la recopiai :

« Les Amharûns, tribu sémite alliée des Falashas, établis depuis plusieurs générations dans le sud de la province de Shoa (Abyssinie) sont considérés comme impurs et maudits, probablement depuis l'ère de Menelek, fils de Suleyman et de la reine de Saba, dont ils se proclament les descendants. Outre leur coutume de se nourrir de viande détachée d'animaux encore vivants, ils sont méprisés pour s'être alliés au *Cynocephalus hamadryas* (babouin sacré). Je fus conduit dans une hutte sur les bords de l'Aouash et l'on me montra un animal dont le trait dominant était une féroce animosité envers les hommes et une brutale tendresse à l'égard de ses frères. Son flair n'a d'égal que celui d'un chien de race. Ses bras extrêmement longs ont une force incroyable... Un cynocéphale de cette espèce est cependant très délicat et contracte la tuberculose, même dans les régions du nord de l'Abyssinie... »

– Vous ne m'avez toujours pas expliqué, Smith, dis-je après avoir terminé, comment vous êtes entré en contact avec Fu Manchu, comment vous avez appris qu'il n'était pas mort, comme nous le croyions, mais bien vivant et terriblement actif.

Nayland Smith se leva et me fixa de son regard d'acier avec une indéfinissable expression.

– Non, dit-il. Je ne l'ai pas fait. Désirez-vous vraiment savoir ?

– Mais... certainement, fis-je avec surprise. Avez-vous une raison pour...

– Il n'y a pas de raison. Ou plutôt, il n'y en a plus, je l'espère.

Il me regardait fixement.

– Comment cela ?

– Eh bien, commença-t-il, tout en bourrant furieusement sa pipe, j'ai découvert le pot aux roses, un beau jour, à Rangoon. Je sortais de chez moi quand, en tournant le coin de la rue, je me trouvai nez à nez avec... avec...

Son hésitation était visible ; il referma sa blague et la lança sur le fauteuil de rotin. Il gratta une allumette.

– Avec Kâramaneh, compléta-t-il avec brusquerie.

Et il commença à tirer sur sa pipe avec une rare vigueur, remplissant la pièce de nuages de fumée.

Je retins mon souffle. C'était donc là pourquoi mon ami m'avait si longtemps tenu dans l'ignorance. Il savait ma passion sans espoir pour la belle, la rayonnante mais la maléfique, l'hypocrite Kâramaneh, peut-être l'alliée la plus dangereuse du Dr Fu Manchu, Kâramaneh la séductrice.

– Et qu'avez-vous fait ? fis-je avec calme, en tambourinant sur la table.

– Tout naturellement, continua Smith, je lui saisis les deux mains, et poussai un cri de joie. Je retrouvais une amie chère ; je pensais au bonheur que vous éprouveriez à savoir la disparue retrouvée ; je vous voyais déjà embarqué sur le plus rapide paquebot arrivant à Rangoon...

– Et ?

– Kâramaneh recula et me regarda froidement. Elle ne me reconnaissait pas. La rencontre paraissait même lui être désagréable.

Il haussa les épaules et se mit à se promener de long en large.

– Je ne sais ce que vous auriez fait dans un semblable cas, Petrie. Quant à moi, je...

– Oui ?

– J'eus de l'à-propos, à ce que je crois. Je me saisis tout simplement d'elle en plein milieu de la rue et, de force, la fis entrer chez moi. Elle se débattait, se défendait comme un petit démon ! Oh ! sans un mot, sans un cri ! Silencieusement, comme une bête sauvage. J'en garderai les cicatrices, croyez-moi. Je l'amenai cependant dans mon bureau, qui était heureusement vide à cette heure, la jetai dans un fauteuil et me plantai devant elle.

– Continuez, fis-je, un peu brusquement, je le crains. Ensuite ?

– Elle me regardait, et ses magnifiques yeux noirs exprimaient une haine implacable ! Me rappelant ce que nous avions fait pour elle, notre ancienne amitié, et vous, surtout, son regard me fit frémir. Elle était très élégamment habillée, à l'européenne. Tout cela était si soudain, si inattendu, que je croyais rêver. Mais non, c'était vrai. Sa haine n'était pas feinte. Je ne comprenais pas. J'avais besoin de réfléchir et, après avoir vainement essayé de la faire parler et n'en avoir obtenu, pour toute réponse, que ce regard haineux, je la quittai, en fermant la porte à clef derrière moi.

– Un peu audacieux, ce me semble ?

– Un commissaire a certains privilèges, Petrie. Il était vraisemblable que je n'encourrais ainsi aucun blâme, quoi que j'ai décidé de faire. Le bureau n'avait qu'une fenêtre, à près de 10 mètres du sol. Cette baie donnait sur une petite rue s'ouvrant sur la rue principale – la maison faisait le coin –, de sorte que je ne craignais pas qu'elle s'échappât. J'avais alors un rendez-vous important, auquel je me rendais quand je l'avais rencontrée. Je ne dis qu'un mot à mon domestique indigène et sortis rapidement.

La pipe de Smith s'était éteinte. Il la ralluma soigneusement, pendant que, les yeux baissés, je continuais à tapoter des doigts sur la table.

– Mon boy lui apporta le thé un peu plus tard dans la soirée, poursuivit-il, et la trouva plus calme que lorsque je l'avais quittée. Je revins à la nuit tombante, pour apprendre du serviteur qu'il l'avait vue, une demi-heure avant mon arrivée, assise dans un fauteuil, lisant un journal – je dois mentionner que tous les papiers présentant un intérêt quelconque dans le bureau étaient soigneusement sous clef. J'avais un plan. Je montai doucement l'escalier, ouvris la porte, entrai dans le bureau obscur. Je fis la lumière et... personne !

– Personne ?

– La fenêtre était ouverte et l'oiseau s'était envolé ! Oh ! la sortie n'avait pas dû être facile, comme vous allez le comprendre. La rue sur laquelle la fenêtre s'ouvrait était bordée par un mur de 30 ou 40 mètres de long, en face. Il avait plu abondamment et la chaussée était recouverte d'une boue grasse. De plus, le boy était continuellement resté assis à la porte placée exactement au-dessous de la fenêtre du bureau, depuis sa dernière visite à la prisonnière...

– Elle l'a séduit avec ses infernales cajoleries ou acheté, fis-je amèrement.

– Je jurerais que non, affirma Smith avec chaleur. Je connais mon homme, il est sûr. Il n'y avait aucune trace dans la boue : on n'avait pas mis d'échelle. L'aurait-on pu, au reste, alors que mon serviteur était sur le pas de la porte ? En résumé, elle n'était pas descendue dans la rue et n'avait pas non plus franchi la porte...

– Existait-il une galerie extérieure ?

– Non. Et il était impossible de passer de la fenêtre au toit. J'ai fait personnellement l'expérience.

– Mais, mon cher, m'écriai-je, si vous éliminez tout mode normal d'évasion... Elle n'est pas sortie en volant !

– Je ne sais, Petrie. Jusqu'à ce jour, je ne sais pas comment elle a pu sortir. Je sais seulement qu'elle n'était plus dans mon bureau quand j'y revins.

– Alors ?

– Je vis dans cette incroyable évasion la façon du Dr Fu Manchu. Je compris cela tout de suite. La guerre recommençait. Et je me mis immédiatement en chasse. J'avais préparé mes voies. Je retrouvai bien vite la piste et appris à n'en pas douter que le docteur vivait, et plus ! qu'il était en route pour l'Europe !

Smith se tut un instant puis ajouta :

– Je pense que le mystère de cette disparition s'éclaircira quelque jour. En tout cas, l'énigme n'est pas encore résolue.

Il regarda la pendule.

– J'ai rendez-vous avec Weymouth ; je vous laisse le soin de retourner le problème sur toutes ses faces et je sors.

Et, lisant dans mon regard :

– Oh ! je ne rentrerai pas tard, ajouta-t-il, et je ne courrai aucun danger à cette occasion.

Il monta s'habiller, me laissant à ma table, plongé dans mes pensées. J'avais toujours le cahier de notes à la main et, ouvrant un nouveau paragraphe sur mon bloc, je couchai aussitôt par écrit un résumé de cette curieuse rencontre de Rangoon, qui marquait, déterminait, dans le temps et l'espace, l'ouverture des hostilités dans notre deuxième guerre contre Fu Manchu. Smith, en sortant, me jeta un coup d'œil depuis la porte mais, quand il vit que j'étais occupé, il ne me dérangea pas.

Je crois avoir déjà fait comprendre que ma clientèle était rare. L'heure de ma consultation arriva, et elle s'écoula sans que j'eusse reçu plus de deux malades.

Cette tâche achevée, je résolus de consacrer la fin de la soirée à une petite enquête de mon cru. J'avais caché la chose à Nayland Smith, par peur du ridicule ; mais j'étais loin d'avoir oublié que j'avais aperçu, ou cru apercevoir, celle qui se disait esclave (en plein Londres !) à la devanture d'un antiquaire, à 100 mètres à peine du British Museum !

J'échafaudai une théorie, que je brûlais de vérifier. Je me souvenais d'avoir, deux ans plus tôt, rencontré Kâramaneh dans ce même quartier. J'avais, d'autre part, entendu l'inspecteur Weymouth affirmer que le quartier général de Fu Manchu n'était plus dans l'East End, comme autrefois, et je pensais qu'il y avait toute probabilité pour qu'un nouveau centre ait été établi dans un quartier élégant, moins suspect à la police. Peut-être attachais-je trop d'importance à ce qui pouvait bien n'avoir été qu'une illusion, un mirage. Peut-être ma théorie ne reposait-elle que sur ma certitude d'avoir vu Kâramaneh chez l'antiquaire. Si l'apparition de Kâramaneh dans la boutique d'antiquités était imaginaire, toute ma théorie s'écroulait. Ce même soir, j'allais donc procéder aux dernières expériences qui devaient décider de mon futur plan d'action.

18

LE BOUDDHA D'ARGENT

Il me semblait peu vraisemblable que le Dr Fu Manchu se soit installé en personne dans Museum Street. Et pourtant, j'avais vu, distinctement, dans la boutique de cet antiquaire qui portait le nom de J. Salaman, les yeux noirs de Kâramaneh, tel le velours d'une nuit d'Orient.

Je faisais les cent pas devant la vitrine vivement éclairée. Mon cœur battait vite et, intérieurement, je maudissais ma folie, cet amour qui ne voulait pas mourir et qui empoisonnait ma vie.

Museum Street, rue des affaires, était relativement calme. Une seule boutique était ouverte, au bout de la rue. D'un hôtel qui faisait face à mon objectif, un flot de lumière s'épandait. Sur les trottoirs, quelques passants se hâtaient.

Je poussai la porte et entrai dans la boutique.

L'homme à la peau foncée qui m'avait déjà reçu, et dont la nationalité défiait toute conjecture, releva la tenture du fond et me salua.

– Bonsoir, monsieur, fit-il de sa voix sans timbre, en s'inclinant. Y a-t-il quelque chose de particulier que vous souhaitiez voir ?

– Non, rien, répondis-je. Je désirerais simplement jeter un coup d'œil sur vos collections.

Le vendeur s'inclina derechef, d'un geste me désigna les vitrines, et s'assit derrière le comptoir.

M'efforçant à la nonchalance, j'allumai une cigarette et commençai à regarder, au hasard, les divers objets qui occupaient les rayons et les tables autour de moi. Je dois avouer que mon attention était ailleurs. Je maniai des vases, des statuettes, des scarabées égyptiens, des colliers de perles de verre, des missels enluminés, de vieilles estampes, des jades, des bronzes, des dentelles rares, des livres anciens, des tablettes assyriennes, des poignards, des anneaux romains, une multitude de curiosités, par contenance et avec un intérêt feint.

Une demi-heure peut-être s'écoula. Si mes mains s'occupaient à déplacer les objets de la collection de Mr J. Salaman, mon esprit était ailleurs. Furtivement, j'étudiais le vendeur lui-même, réplique vivante d'une idole chinoise ; j'écoutais, je surveillais, et particulièrement la porte masquée d'un rideau qui s'ouvrait au fond de la boutique.

– Nous allons fermer, monsieur, fit tout à coup le vendeur, de cette voix dont l'absence de timbre m'avait déjà frappé.

Je replaçai sur la tablette de verre le petit bateau somali aux couleurs vives, creusé en plein bois, que je tenais à la main, et relevai la tête. Je n'étais vraiment qu'un amateur ; je n'avais rien appris ; je n'apprendrais rien. Je pensais à Nayland Smith, à la façon dont il aurait conduit cette enquête à ma place, je cherchais fiévreusement dans mon esprit un moyen de pénétrer le secret que je pressentais.En fait, je n'avais fait que chercher ce moyen, depuis une demi-heure.Mais j'avais été incapable de le trouver.

Sans raison, je m'obstinai et, dans les instants qui suivirent, mis mon esprit à la torture : je cherchais, sans but précis, à gagner du temps. Le vendeur, patiemment, attendait mon départ. Près de lui de l'autre côté du comptoir, s'ouvrait une sorte d'écrin. Les compartiments inférieurs en étaient vides. Dans la case supérieure, sur du velours foncé, brillait un Bouddha d'argent.

– Je serais heureux d'examiner de plus près cette pièce, là-bas, dis-je. Quel en est le prix ?

– Elle n'est pas à vendre, monsieur, répondit le vendeur en perdant un peu de son impassibilité.

– Pas à vendre ? fis-je, les yeux fixés sur la tenture. Et comment cela ?

– Elle est vendue.

– Eh bien, même dans ce cas, vous me permettrez bien de l'examiner ?

– Elle n'est pas à vendre, monsieur.

Une telle réponse, de la part d'un marchand, méritait évidemment une réplique cassante, mais en cet instant, elle suscita chez moi les pires soupçons. Au-dehors, la rue était déserte. Brusquement, sans même réfléchir aux conséquences possibles de mon acte, comptant sans doute sur les pouvoirs exceptionnels dont était investi Smith pour me tirer d'embarras en cas d'erreur, je fis deux pas vers la porte, comme pour sortir, me retournai et, bousculant le vendeur, me saisis du Bouddha d'argent !

Je ne m'inquiétai pas d'être arrêté pour tentative de vol ; l'idée que Kâramaneh était cachée dans cette maison seule me poussait.

Le résultat de ma brusque manœuvre me stupéfia le premier. Au moment où je le saisis, je compris que le Bouddha était fixé au bois ; c'était, de fait, une poignée... Je tirai, violemment... La porte céda, et je me trouvai devant un escalier recouvert d'un épais tapis !

Au haut des marches, face à moi, drapé dans sa robe jaune, se tenait le Dr Fu Manchu !

19

LE LABORATOIRE

Il était évidemment impossible à un mortel de songer à une quelconque intimité avec le Dr Fu Manchu ; je ne puis croire, quant à moi, qu'un humain ait jamais pu s'accoutumer à lui, et cesser de le craindre. Je m'étais trouvé déjà cinq ou six fois en sa présence, je retrouvais sa robe jaune, son menton pointu, son front immense, ses cheveux décolorés, mais j'éprouvais toujours avec la même acuité la très pénible impression sous ce regard oblique et vert.

Il semblait déplacé, enfantin de vouloir attaquer un tel homme. Mais, reprenant mes esprits, je me forçai cependant à avancer sur lui.

Je reçus à la nuque un coup violent et perdis connaissance.

Ma tête était très douloureuse lorsque je repris conscience. Je compris, pour l'avoir déjà expérimenté, que j'avais été étourdi à l'aide d'un sac de sable, probablement par le vendeur impassible de la boutique. Mon retour à la vie était accompagné de cette sensation d'insécurité, de doute physique, symptôme ordinaire d'une reprise de connaissance. Avant même d'avoir ouvert les yeux, étourdi encore, je compris que j'avais les mains liées derrière le dos. Je me trouvais dans une pièce occupée par le Dr Fu Manchu. Point n'était besoin, pour en être sûr, de le voir :

je le sentais, tout comme je sentis la présence de certains de ses inquiétants serviteurs.

Un léger parfum flottait dans l'air, autour de moi. Non point une essence, mais cette odeur particulière qui émane des tapis, des draperies orientales : le parfum unique, indéfinissable de l'Orient.

Londres a une odeur qui lui est propre, de même que Paris. On reconnaît Marseille ou Suez les yeux fermés. J'étais ici non en Orient, mais plutôt en Extrême-Orient. Je ne sais si je me fais bien comprendre, mais cette atmosphère parfumée avait pour moi une signification. J'ouvris les yeux.

J'étais couché sur une sorte de long canapé, très bas, dans une grande pièce meublée à l'orientale, comme je m'y attendais. Les deux fenêtres étaient masquées par des paravents, de telle sorte que, de l'intérieur, elles avaient perdu toute apparence européenne, et l'agencement de la pièce avait été modifié. Elle était richement meublée, ce qui faisait penser qu'elle avait été mise en état un certain temps avant le retour de Fu Manchu. Il eût été difficile de trouver, dans Londres, un appartement semblable à celui-ci.

Une grosse lanterne décorée pendait au plafond, presque au-dessus de ma tête. Le mur était garni de hauts rayons, les uns remplis de livres, les autres chargés d'instruments scientifiques : bouteilles, cornues, tubes, éprouvettes, serpentins. À une large table, finement ciselée, le Dr Fu Manchu était assis, un vieux livre jaune ouvert devant lui ; un liquide rouge foncé, semblable à du sang, bouillait furieusement dans une éprouvette qu'il tenait au-dessus d'un bec Bunsen.

L'ongle de son index droit, qu'il portait très long, restait posé sur la page du livre auquel il semblait se référer constamment, divisant son attention entre le livre, l'éprouvette dans la flamme et une autre expérience qui s'effectuait à l'autre bout de la table encombrée.

Une grosse cornue dont le corps avait bien 60 centimètres de diamètre, couplée à un condenseur de Liebig, soutenue par un bâti métallique, renfermait un champignon d'une quinzaine de centimètres, flottant dans un liquide huileux, diapré, d'une couleur orange étrange et malsaine. Trois tubes plats envoyaient leurs rayons violets sur la cornue, et le flacon dans lequel le condenseur se déversait se remplissait d'un fluide rouge qui ressemblait à celui qui bouillait dans l'éprouvette.

D'un coup d'œil, j'embrassai l'ensemble. Puis le Dr Fu Manchu leva les yeux, me fit face... et j'oubliai tout le reste.

– Je regrette, fit la voix sifflante que je connaissais bien, toutes ces mesures désagréables à votre endroit. Malheureusement, elles sont nécessaires. Toute hésitation eût été fatale. J'espère, docteur Petrie, que vous voilà remis ?

Aucune réponse n'était possible. Je me tus.

– Vous n'ignorez pas, continua le Chinois dont les intonations se faisaient parfois profondément gutturales, l'estime que je vous porte et vous saurez le plaisir que j'éprouve à recevoir votre visite. Je me prosterne avec reconnaissance aux pieds du Bouddha d'argent. Je compte faire de vous, lorsque vous aurez vaincu les préjugés que vous nourrissez à mon endroit, et qui sont le fait d'une fausse interprétation de mes buts, l'auxiliaire, le collaborateur qui m'aidera à établir cette domination intellectuelle qui sera la nouvelle force mondiale. Je veux oublier vos actes inamicaux à mon égard et, dès maintenant, j'entreprends une expérience (du geste, il indiqua la cornue) destinée à vous convaincre définitivement.

Il parlait sans passion. Puis il retourna à son livre, à son éprouvette et à sa cornue, le plus prosaïquement du monde. Aucun accès de colère, aucune menace démoniaque n'aurait fait sur moi autant d'impression que ces froides paroles soigneusement calculées, prononcées de cette voix sifflante, unique, qui résonnait dans la pièce. Dans le ton, dans le regard de ces yeux verts, dans toute l'attitude de cet homme de taille élevée, aux larges épaules, on sentait la force, la puissance.

Je me jugeais perdu et je suivais, angoissé, le développement de l'expérience. Mais quelques instants suffirent à me convaincre que malgré toutes mes études, je comprenais la chimie, j'entends celle du Dr Fu Manchu, à peu près aussi mal qu'un jeune étudiant en chirurgie la tréphone. Le procédé m'était totalement inconnu ; je ne comprenais ni les moyens ni le but.

Puis, dans le profond silence qui régnait dans cette chambre, silence coupé seulement par le bouillonnement du tube à essai, mon regard glissa de la table aux meubles, aux instruments qui l'entouraient, et je me sentis subitement glacé d'horreur.

Dans un immense bocal, haut de 2 mètres environ, une face hideuse, au front bas, aux oreilles pointues, au nez écrasé, flottait dans un liquide ambré. Le rictus de la mort montrait ses dents étincelantes. Le corps allongé, gris-jaune, reposait ou plutôt semblait reposer sur deux jambes difformes et courtes. Un bras très long, le droit, pendait rigide, le long du corps. Le gauche avait été sectionné au-dessus du coude.

Fu Manchu, apparemment satisfait de la marche de son expérience, se tourna vers moi.

– Vous vous intéressez à mon pauvre cynocéphale ? fit-il. (Ses pupilles se rétractèrent.) Il fut un dévoué serviteur, docteur Petrie, bien qu'à vrai dire sa basse extraction prît parfois le dessus. Il était alors indomptable, au point de se retourner vers ceux qui l'avaient élevé. Dans l'une de ses crises, il a attaqué et tué un fidèle Birman, l'un de mes meilleurs gardes du corps.

Et Fu Manchu retourna à son expérience.

Pas la moindre aigreur. Il s'entretenait avec moi comme un digne savant avec l'un de ses collègues, en visite à son laboratoire. L'horreur de ma situation en prenait un relief nouveau. Je gisais, terrassé, ligoté dans la même pièce que cet homme dont la vie était une menace pour notre race tout entière. Il procédait, en toute tranquillité, à une expérience destinée visiblement à opérer sur moi une modification, physiologique ou psychologique, inconnue, qui allait m'assimiler à l'une de ces brutes semblables à celle qui flottait dans le sérum, sous mes yeux !

Cet être qui n'était ni homme ni singe n'avait-il pas, sous mes yeux, attenté à la vie de Nayland Smith, et n'avais-je pas moi-même tranché d'un coup de hache ce bras démesuré lors d'un de ses derniers meurtres ?

Le Dr Fu Manchu n'ignorait rien de tout cela. Son calme prenait une signification terrible à mes yeux. J'essayai de remuer les bras, pour m'apercevoir que les menottes qui les serraient étaient passées, comme je m'y attendais, dans un anneau fixé au mur. Les résidences du Dr Fu Manchu étaient toujours bien équipées en dispositifs de cette sorte.

Un rire bref, aigu, m'échappa. Fu Manchu se leva, lentement, posa l'éprouvette avec précaution sur un support, à ses côtés, et plaça ce dernier sur une étagère.

– Je suis heureux de vous voir d'humeur aussi gaie, fit-il doucement. D'autres affaires m'appellent. Pendant mon absence, votre profonde connaissance de la chimie, que j'ai pu apprécier dans le passé, vous permettra de suivre avec intérêt l'action de ces rayons cathodiques sur ce magnifique spécimen d'*Amanita Muscaria* de Sibérie. Dans un proche avenir, quand vous serez mon hôte, en Chine, où je prépare déjà votre venue, je discuterai avec vous des propriétés moins connues de ce cryptogame. Dès maintenant, je puis vous dire que l'un de vos premiers travaux, en votre qualité future d'assistant à mon laboratoire de Kiang-Sou, sera de mener à bien une série de douze expériences, déjà prévues par moi, destinées à fixer les extraordinaires possibilités de ce champignon, vraiment unique.

Il traversa lentement la pièce, de sa démarche tout ensemble féline et gauche, écarta la tenture d'une porte, s'inclina légèrement pour me saluer et sortit.

20

L'ÉTRIER

Combien de temps restai-je ainsi, seul ? Je n'en ai pas la moindre idée. Je réfléchissais. Je cherchais à deviner le sort qui m'était réservé. Que Fu Manchu eût pour moi une estime particulière, je n'en doutais pas, j'en avais déjà eu la preuve. Il me croyait, à tort, un savant distingué, capable de l'aider dans ses expériences, et je n'ignorais pas qu'il avait l'intention de me transporter en Chine, au siège de son laboratoire principal. Sur ce qui concerne les moyens qu'il utiliserait, je ne perdais pas de vue que cet homme, dont la science avait considérablement reculé les bornes du savoir humain, était un maître de la catalepsie artificielle. Mon sort était d'être mis en bière et envoyé avec toutes les apparences d'un cadavre au fond de la Chine.

Quel fou j'avais été ! Penser que je n'avais rien appris de mes longues et terribles expériences des méthodes du Dr Fu Manchu !

Penser que j'avais pu venir *seul* à sa recherche, et que, ne laissant derrière moi aucune trace, aucun repère, je m'étais étourdiment jeté dans ses griffes !

J'ai déjà dit que j'avais les mains liées derrière le dos, les menottes passant dans un anneau fixé au mur. Je parvins avec beaucoup de difficulté à renverser la position de mes mains, c'est-à-dire qu'après d'épuisants efforts je passai mon corps entier dans la boucle faite par mes bras liés. J'avais maintenant les mains sur la poitrine.

J'examinai mes fers. Ils étaient fermés par un cadenas. Je restai à contempler les bracelets d'acier à la lumière de la lampe qui se balançait au-dessus de ma tête, et il me parut évident que j'avais bien peu gagné à cette gymnastique forcenée.

Un léger bruit me tira de cette déplaisante songerie. Ce n'était autre chose qu'un cliquetis de clefs !

Je crus un instant m'être trompé. Peut-être était-ce un serviteur de Fu Manchu fermant quelque porte pour la nuit. Le bruit se répéta. On secouait un trousseau de clefs, intentionnellement, dans la pièce voisine.

Mon cœur bondit dans ma poitrine, puis sembla s'arrêter de battre.

Avec un cri, un sifflement plutôt, une petite ombre grise sauta sur le sol et roula sans bruit comme une balle soyeuse sous la table qui supportait les étranges appareils scientifiques du Chinois. Le bruit de clefs se fit entendre encore une fois.

La peur me quitta pour faire place à l'anxiété : cet être qui, maintenant, m'adressait ses grimaces, n'était autre que le marmouset de Fu Manchu. Par instants, interrompant ses contorsions et son babillage, l'animal considérait gravement les clefs qu'il serrait dans sa main minuscule et les mordillait rêveusement. Il goûtait ainsi chaque clef l'une après l'autre avec des grognements de mauvaise humeur. L'une de ces clefs devait être celle des menottes !

Je ne crois pas que le supplice de Tantale ait pu être plus terrible que celui que j'endurai alors. Mon sort, ma vie, tenaient à un fil. Je me sentais en même temps pénétré d'une sorte de crainte religieuse : si les clefs devaient par ce moyen venir en ma possession, pourrais-je douter de la Providence ? Mais je ne les tenais pas encore. Et, qui plus est, celle des menottes était-elle dans le trousseau ?

Comment attirer le marmouset près de moi ?

Pendant que je cherchais, désespérément, un moyen d'y parvenir, le petit animal jeta les clefs qui s'entrechoquaient dans ma direction, à moins d'un mètre de moi, les reprit d'un bond, les lança en l'air, fit une pirouette, les reprit encore et, les approchant de son oreille, les secoua vigoureusement. Pour finir, d'un bond prodigieux, il sauta sur la chaîne qui supportait la lanterne, au-dessus de ma tête celle-ci se mit à tournoyer, et il resta accroché là, d'où il se mit à me regarder, tel un acrobate sur son trapèze. Sa petite face, aux reflets bleuâtres, encadrée de favoris grotesques, complétait l'illusion du clown équilibriste. Il ne lâchait plus les clefs.

Je haletais d'impatience. Je n'osais bouger, de crainte d'effrayer l'animal et de le voir s'enfuir avec les clefs. J'étais couché là, impuissant, surveillant les mouvements du petit être qui se balançait au-dessus de ma tête.

C'est alors que le second miracle se produisit.

Une voix que je n'oublierai jamais, que j'évoquais sans cesse, une voix qui, la nuit, hantait mes rêves, se fit soudainement entendre de la pièce voisine.

– Ta'ala hina ! appelait-elle. Ta'ala hina !

C'était Kâramaneh !

L'effet sur le marmouset fut instantané. Le trousseau de clefs tomba sur ma tête et rebondit au sol. Le petit singe était déjà à terre. En deux bonds il traversa la pièce et disparut derrière la tenture.

Je fis appel à tout mon sang-froid. Le moindre faux mouvement pouvait m'être fatal. Les clefs avaient fâcheusement glissé hors de ma portée. Je changeai rapidement de position et m'efforçai de les rapprocher avec mes pieds, sans bruit.

J'avais réussi à les rapprocher du matelas quand, silencieusement, Kâramaneh parut sur le seuil de la porte, tenant le marmouset dans ses bras. Elle portait une robe de fine mousseline. Sous la robe paraissait un petit soulier rouge à haut talon sur un bas de soie...

Elle s'immobilisa et, longuement, m'étudia avec un détachement qui me parut forcé ; puis son regard se posa sur les clefs. Lentement, les yeux de nouveau fixés sur moi, elle s'approcha, se baissa, les saisit.

D'un seul geste, elle venait d'anéantir tous mes espoirs !

Je ne doutais plus, hélas ! Si Kâramaneh avait éprouvé pour moi la moindre amitié, elle aurait négligé d'apercevoir les clefs, ces clefs qui étaient mon seul espoir d'échapper aux griffes du malfaisant Chinois.

Le silence, éloquent, n'avait pas été rompu. Kâramaneh me regardait toujours. Elle se forçait à me regarder. Elle pouvait lire dans mes yeux la douleur et la rage impuissante qui me possédaient alors. Quels yeux que les siens ! D'un noir satiné qu'on associe toujours au teint des brunes, mais son teint à elle était de pêche ou, mieux encore, de la fraîcheur de la rose.

On m'a souvent reproché de m'être laissé éblouir par ses traits charmants. Ceux qui l'ont connue m'en excuseront sans peine. En effet, elle était d'une étonnante beauté.

Elle baissa les yeux. Ses longs cils ombrèrent ses joues. Puis, se tournant, elle se dirigea vers le fauteuil où Fu Manchu s'était assis. Elle posa les clefs sur la table au milieu des appareils scientifiques et, s'accoudant au livre, le menton dans la main, elle se reprit à me considérer en silence.

Je n'osais me rappeler le passé. Cette femme, si belle et si trompeuse, y avait tenu une si grande part ! Et, pourtant, je ne pouvais croire, même maintenant, à tant de duplicité ! Je n'étais plus qu'un pauvre homme pitoyable. J'aurais pleuré de désespoir. Sous ses cils noirs, à demi baissés, elle m'observait. Brusquement, elle parla, et sa voix me fut toujours aussi douce. Tant de souvenirs s'y rattachaient !

– Pourquoi me regardez-vous ainsi ? fit-elle doucement. Qu'avez-vous à me reprocher ? M'avez-vous offert votre amitié, que je doive vous accorder la mienne en échange ? À notre première rencontre dans la maison sur le fleuve, quand vous êtes venu pour sauver un homme des mains de... (elle hésitait, comme toujours, à prononcer le nom de Fu Manchu) de *ses* mains, vous m'avez traitée en ennemie. Pourtant, j'aurais pu être votre amie...

Sa voix douce était une prière. Je n'y répondis que par un éclat de rire ironique et, d'un coup de reins, me retournai contre le mur. Kâramaneh tendait ses mains vers moi, et je n'oublierai jamais l'expression de ses yeux. Ma réponse la fit pâlir. Ses bras retombèrent. Elle détourna la tête.

Même en cet instant d'extrême incertitude, je ne pouvais pas la haïr. J'admirais ce profil adorable. La fausseté même de Kâramaneh était un baume à mon cœur ulcéré : elle en usait ; je l'intéressais donc !

Elle se redressa, reprit les clefs, et s'approcha de moi.

– Ni vos yeux ni vos lèvres ne m'ont demandé mon amitié, dit-elle lentement. Mais je ne puis supporter la pensée que vous me jugiez mal. Je vous prouverai que je ne suis ni hypocrite ni menteuse. Vous ne me croyez pas, et moi, j'aurai confiance en vous.

Je la regardai fixement, et j'eus la joie de voir ses yeux se baisser devant les miens. Elle s'agenouilla près de moi, et je perçus le parfum exquis que je ne pouvais dissocier d'elle et qui, comme autrefois, m'enivrait. Un déclic... et j'étais libre !

D'un geste souple, elle se releva. Je me dressai et étendis mes membres ankylosés. Un instant délicieux, son visage adorable fut près du mien, et je crus alors ne pas pouvoir résister à la tentation. Je serrai les dents, me raidis. J'aurais voulu parler. Je ne le pus.

Précédés du marmouset de Fu Manchu qui gambadait, nous passâmes dans la pièce voisine. Elle n'était pas éclairée, mais j'entrevis cependant l'esclave, fine silhouette, qui allait à la fenêtre et, faisant glisser un paravent, la relevait.

– Regardez, murmura-t-elle.

Je me plaçai à ses côtés. Museum Street s'offrait à mes yeux. Nous étions au premier étage. Le trafic nocturne agitait encore New Oxford Street, à ma gauche. À ma droite, au contraire, tout était désert, autant que je pouvais voir, presque jusqu'aux grilles du Museum. En face, dans l'un des appartements que j'avais remarqués au début de la soirée, béait une fenêtre. Je me retournai et, dans la pénombre, je vis

Kâramaneh, une corde à la main. Nos regards se croisèrent.

Levant la tête, je m'aperçus que cette sorte de corde, sur laquelle Kâramaneh tirait maintenant, passait au-dessus des fils téléphoniques qui traversaient la rue à cet endroit. La corde était mince et semblait passer dans un joint des fils, juste au-dessus du milieu de la rue.Elle en entraînait une autre, beaucoup plus forte, que Kâramaneh apporta jusqu'à la fenêtre. Ma compagne s'en saisit et la fixa au crochet de métal fiché dans le mur, plaçant dans mes mains une sorte d'étrier en bois.

– Assurez-vous que la rue est déserte, fit-elle en regardant à droite et à gauche, puis sautez. La longueur de la corde est calculée pour vous amener directement à la fenêtre d'en face, celle qui est ouverte. Un matelas à l'intérieur amortira votre chute. Lâchez l'étrier à ce moment précis, sans quoi vous seriez entraîné en arrière. La porte de la pièce où vous parviendrez ainsi est ouverte. Vous n'aurez qu'à descendre pour vous trouver dans la rue.

Un instant, je considérai l'étrier que je tenais, puis je regardai fixement la jeune fille. Elle semblait préoccupée, triste.

– Je vous remercie, Kâramaneh, dis-je doucement.

Elle réprima un léger cri lorsque je prononçai son nom et s'enfonça dans l'ombre.

– Je vous crois mon amie, dis-je encore, mais je ne comprends pas. Ne voulez-vous pas m'y aider ?

Je pris sa main qui ne se défendait pas, et l'attirai à moi. Je frémis jusqu'au fond de l'âme au contact de son corps souple.

Elle tremblait violemment. Elle faisait de vains efforts pour parler. Comprenant soudain, je jetai un regard dans la rue, jusqu'ici déserte et vis... Fu Manchu qui, tête levée, me regardait !

Couvert d'une lourde fourrure, sa face jaune grotesquement mise en valeur par une large casquette de sport en tweed, il se tenait immobile et me regardait.

Il me surveillait, c'était évident ; mais avait-il vu ma compagne ?

Dans un souffle, Kâramaneh répondit à ma question muette.

– Il ne m'a pas vue ! J'ai beaucoup risqué pour vous ; aidez-moi, en retour ! Sauvez-moi !

Elle m'éloigna de la fenêtre et courut dans le laboratoire. Se jetant sur le divan, elle me tendit ses poignets et, désignant les menottes :

– Mettez-les moi, fit-elle. Vite ! Vite !

Pour grand que fût mon désarroi, je compris cependant son intention. Le danger me trouvait froid. Je fixai les menottes, qui peu de temps auparavant avaient meurtri mes poignets, aux mains délicates de Kâramaneh. Un bruit étouffé se fit entendre, provenant de l'étage inférieur, d'autant plus menaçant que rien n'indiquait sa nature.

– Bâillonnez-moi ! ordonna Kâramaneh, nerveuse.

Et, comme je cherchais autour de moi :

– Déchirez ma robe ! dit-elle. N'hésitez pas ! Vite ! Vite !

Je saisis la légère mousseline et en arrachai une cinquantaine de centimètres. J'entendais Fu Manchu. Il parlait vite, et sur un ton sifflant. Il ordonnait. Il venait. Dans quelques instants... Je nouai le bâillon sur la bouche de la jeune fille et, ce faisant, j'effleurai la luxuriante chevelure de Kâramaneh avec délice et terreur.

Fu Manchu entrait dans la pièce voisine.

Empoignant les clefs, je courus. Ma retraite allait être coupée. Je me précipitai dans la pièce obscure qui donnait sur la rue. Dans l'embrasure d'une porte, à l'autre bout, Fu Manchu apparut. Il m'aperçut au même instant et, comme je bondissais à la fenêtre, il avança sur moi. De toutes mes forces, je lançai mon trousseau de clefs dans la direction de son visage que j'apercevais vaguement...

Phosphorescence naturelle comme je l'avais souvent pensé, ou reflet de la lumière extérieure, les yeux verts brillaient comme ceux d'un félin géant. Un cri de douleur guttural m'apprit que j'avais touché ma cible ; déjà, j'avais l'étrier dans les mains.

J'enjambai le rebord et, malgré ma hâte, hésitai une fraction de seconde à me lancer dans le vide...

Une main comme un étau me saisit à l'épaule.

Confusément, je me rendais compte que la pièce était pleine de gens. La bande jaune était tout entière à mes trousses ! Les criminels recrutés dans les lieux les plus sinistres de l'Orient.

J'ai toujours envié le sang-froid de Nayland Smith dans les cas les plus désespérés. Cette qualité n'est pas mienne ; mais, dans cette occasion, les dieux me furent propices et me soufflèrent le seul expédient capable de me sauver. Sans lâcher l'étrier, je m'accrochai au rebord de la fenêtre et projetai, avec toute la force dont je fus capable, mon pied droit en arrière. Mon talon heurta avec violence une tête ; j'avais assommé l'homme qui me retenait.

Sa main abandonna mon épaule et, confiant mon sort à la corde, je plongeai dans le vide par-dessus le large rebord et me retrouvais en train de glisser dans la nuit comme si j'avais des ailes.

La longueur de la corde avait été exactement calculée, comme me l'avait assuré Kâramaneh. Je descendis à 2 mètres du sol environ, puis remontai en perdant de la vitesse. J'allais atteindre la fenêtre ouverte...

Je crois avoir réussi, dans une certaine mesure, à dépeindre les émotions violentes de cette nuit. Je pensais la mesure pleine. Il n'en était rien ; car, au moment où j'allais toucher au but, terminant une trajectoire qu'il n'était pas en mon pouvoir de modifier, je m'aperçus avec horreur que j'étais attendu !

À demi sorti de la fenêtre, un dacoït birman que je reconnaissais pour l'avoir rencontré plusieurs fois aux côtés du Dr Fu Manchu ne me quittait pas des yeux ! Un bras nu, musclé, protégeant sa poitrine, il tenait à la main un long poignard courbe. Il attendait que ma gorge soit à sa portée !

J'étais toujours très calme, à tel point que je me souviens m'être félicité intérieurement, pendant ce court trajet aérien, de la façon dont je venais d'échapper à l'étreinte de mes adversaires.

Je me rejetai en arrière, raidissant les jambes. Au moment où mes jambes franchissaient la fenêtre, une douleur violente à un mollet me fit comprendre que je ne sortirais pas indemne des mains des assassins. Un choc pourtant, et le dacoït, frappé en pleine poitrine, roulait à l'autre bout de la pièce, inanimé...

Le trapèze que je n'avais pas lâché m'entraîna dans une nouvelle oscillation. Un passant qui m'aurait alors surpris dans ma course n'aurait pas douté de voir un fou. Je gesticulais violemment au bout de ma corde pour diminuer mon élan. Je ne me souciais pas, en effet, de retrouver le Dr Fu Manchu et les poignards qui m'attendaient. J'y parvins. Je me balançais maintenant au-dessus de Museum Street, et le côté comique de ma position ne m'échappait pas.

Je me laissai tomber. Ma jambe gauche refusa tout service et je roulai au sol. Je me relevai, couvert de poussière. Ironie du destin ! Le problème que Smith n'avait pu résoudre, j'en connaissais maintenant la solution : c'était au moyen d'une branche ou d'un point d'appui quelconque convenablement choisi que Kâramaneh avait pu s'échapper du bureau de Smith à Rangoon !

Je sentais, à la douleur que j'éprouvais dans le mollet, que le poignard du dacoït avait pénétré profondément. Le sang coulait dans mon soulier. Tel un homme pris de boisson, je me tenais, vacillant, au milieu de la rue, regardant obstinément la fenêtre où j'avais été blessé, celle d'où j'avais sauté, au-dessus de la boutique de J. Salaman, où je savais que se trouvait Fu Manchu.Celle-ci venait de se fermer violemment.

Des pas pressés résonnèrent sur le trottoir, dans la

direction de New Oxford Street. Deux agents venaient sur moi !

Je n'avais pas un instant à perdre. Mon parti fut vite pris. Tournant les talons, je me mis à courir vers le British Museum, comme si j'avais été moi-même complice du sinistre Fu Manchu et non sa victime !

La rue était déserte mais, au milieu de la place, j'aperçus le feu arrière d'un taxi qui s'éloignait à vitesse réduite. Ma jambe était devenue très douloureuse ; je n'en continuai pas moins ma course, et avant que les agents eussent atteint le bout de Museum Street j'avais la main sur la poignée de la portière du taxi qui, Dieu merci ! était libre.

– Docteur Cleeve, Harley Street ! criai-je à l'homme. À toute vitesse ! Il y a urgence !

À peine avais-je refermé la portière, me laissant tomber haletant sur la banquette, que nous partions à bonne vitesse dans la direction du domicile du célèbre pathologiste, dépistant définitivement la police.

Affaiblis par la distance, les trilles aigus d'un sifflet parvinrent à mes oreilles. Le chauffeur accélérait et n'entendit pas. La Providence, miséricordieuse, tirait le rideau. Mon rôle dans le drame jaune était fini, pour cette nuit-là.

21

LA TOUR DE CRAGMIRE

Moins de deux heures plus tard, l'inspecteur Weymouth, suivi d'une équipe de Scotland Yard, perquisitionnait dans la maison de Museum Street. La collection de J. Salaman était intacte, mais les chambres du premier étage étaient vides. Plus un seul instrument, pas même un flacon vide. Le départ avait dû être précipité. J'aurais donné mon revenu d'une année pour pouvoir lire les livres que j'y avais vus ; j'étais convaincu qu'ils contenaient des formules susceptibles de révolutionner l'art de la médecine.

Épuisé, physiquement et moralement, inquiet du sort de celle que je n'oubliais jamais, je me jetai sur mon lit, après avoir pansé ma blessure au mollet.

Je venais à peine de fermer les yeux (je le croyais, du moins) que je me sentis violemment secoué.

– Vous devez être très fatigué, me dit Smith, mais votre folle expédition de la nuit dernière ne vous donne droit à aucune sympathie. Lisez ceci. Nous avons un train dans une heure. Je réserverai un compartiment et vous pourrez continuer votre somme dans un coin.

Il me tendait un numéro du *Daily Telegraph*, ouvert à la page littéraire. Surmontant mon épouvantable fatigue, je lus, après avoir frotté mes yeux ensommeillés :

Messieurs M... annoncent qu'ils vont incessamment publier le livre si souvent annoncé de Kegan Van Roon, le célèbre orientaliste et voyageur américain, qui traite de ses récentes explorations en Chine. On se rappellera que Mr Van Roon se rendit en voiture de Canton à la Sibérie l'hiver dernier, y rencontra des difficultés extraordinaires dans la province du Ho-Nan. Tombé dans les mains d'un parti de fanatiques, il manqua trouver la mort. Son livre traite plus particulièrement du réveil de cette race mystérieuse, la race chinoise, et de ses enquêtes dans le Ho-Nan. Pour des raisons strictement personnelles, Mr Van Roon a décidé de rester en Angleterre jusqu'à l'achèvement de son livre qui sera publié simultanément à New York et à Londres. Il s'est établi sous les ombrages de Cragmire Tower, Somersetshire. C'est dans cette demeure romantique et historique qu'il rassemblera ses notes et offrira au monde un ouvrage appelé à un grand retentissement.

Je relevai les yeux du journal pour rencontrer le regard de Smith fixé sur moi.

– À ce que j'ai appris, fit-il, très calme, nous devons arriver à Saul à la nuit.

Il quitta la chambre sans rien ajouter, et je compris subitement le but de notre mission, et le calme voulu de mon ami, signe de son agitation contenue.

Nous eûmes de la chance – il me le sembla, du moins. Nous ne pensions arriver à destination qu'à la nuit tombante. En fait, l'après-midi d'automne était encore dans toute sa splendeur lorsque nous quittâmes la vieille hôtellerie du village de Saul, nous dirigeant vers l'est, laissant le canal de Bristol à notre gauche et une pittoresque campagne à notre droite.

Le hameau de Saul ne comptait qu'une rue tortueuse et l'auberge en était la dernière maison. Nous suivions un petit sentier qui serpentait dans le marais, se dirigeant vers le sommet de la colline. À près de 2 kilomètres, nous pouvions encore suivre le balancement de l'enseigne dorée de l'auberge.

La journée avait été très chaude, mais une brise venue de la mer, chargée d'essences salines, soufflait, rafraîchissante. Derrière nous s'allongeait le sentier, désert jusqu'à Saul. À l'est et au nord-est, la lande se perdait, monotone à l'horizon, dans la mer. Nous étions sur la hauteur et, aussi loin que le regard pouvait s'étendre, la campagne donnait l'impression d'un lac très étendu et asséché. L'idée venait naturellement à l'esprit : le marécage changeait capricieusement d'aspect et de couleur. Le brun et le vert alternaient, coupés de terres hautes.

– Voici la colline de Glastonbury, je pense, dit Smith, en braquant ses jumelles. Et plus loin, sauf erreur, Cragmire Tower.

La main en visière, je regardai également, et je découvris une tour ronde, de celles que l'on rencontre très fréquemment en Irlande et que certains spécialistes déclarent être d'origine phénicienne.

L'espace qui nous en séparait était plat comme la

main, sauf de rares mamelons, des sortes de buttes et quelques blocs irréguliers de pierres semés çà et là. Des constructions basses, délabrées, entouraient la tour. D'un côté la lande s'étendait à la toucher.

Même sous le soleil, l'endroit était assez sinistre. On eût dit un grand lac asséché, dans lequel des enfants de géants auraient jeté des pierres.

Pas une âme sur la lande. Quand nous fûmes à quelques centaines de mètres de Cragmire Tower, Smith s'arrêta de nouveau et, avec ses puissantes jumelles, étudia avec soin les alentours.

– Rien, Petrie, fit-il doucement, et pourtant...

Et, laissant retomber ses jumelles à son cou, il tirailla le lobe de son oreille gauche.

– N'avons-nous pas été imprudents ? reprit-il lentement, plissant les yeux, pensifs. J'ai eu, à trois reprises, l'impression que l'on se cachait, derrière nous, lorsque je tournais la tête...

– Que voulez-vous dire ?

– Sommes-nous donc... (il baissa la voix comme si nous étions entourés de Chinois aux aguets)... suivis ?

Nous nous regardâmes un instant, sans parler. Toute parole eût été inutile.

– Allons, Petrie ! lança alors Smith avec résolution.

Et nous repartîmes d'un bon pas.

Cragmire Tower est située sur une éminence et ce que nous avions cru être le marécage était une petite avancée de la mer, entourée de sable. La maison que nous cherchions était un bâtiment assez bas, à un étage, adossé à l'est de l'ancienne tour. Celle-ci était flanquée de deux ailes. Au nord-ouest s'étendait un petit jardin potager, bordé d'espaliers ; la propriété tout entière était entourée d'un mur en pierre grise.

L'ombre de la tour obscurcissait le sentier qui la contournait. Nous avions tous deux très chaud, après cette marche longue et rapide par une journée torride, et cette ombre nous fut agréable. Ce n'est pas elle qui nous donna le désagréable frisson qui nous secoua tous deux au pied de ces vieilles pierres marquées par les siècles. Il fut pourtant si violent que nous échangeâmes un regard.

Le silence était profond. Seule une mouette volait en cercle au-dessus de la tour, poussant de temps à autre un cri strident et lugubre. Je me remémorai les vers du poète :

Loin du monde banal et des folies tragiques,
Seul avec les oiseaux, créatures de Dieu,
Je vis, terré au sein de ces marais magiques,
Écoutant dans le vent le message des cieux.

Autour de nous, personne. Pas un bruit humain. Pas un aboiement de chien. Nayland Smith respira fortement, jeta un rapide coup d'œil derrière lui, vers le chemin que nous avions suivi, et reprit sa marche le long du mur. Je le suivis. Nous arrivâmes à la grille. Elle était ouverte. Nous foulions maintenant le sol d'une allée pavée, envahie par les herbes. La maison était visible en partie : les deux fenêtres du rez-de-chaussée étaient hermétiquement closes par de lourds volets ; les baies du premier étage brillaient au soleil de toutes leurs vitres démunies de rideaux. Cragmire Tower semblait inhabitée.

Nous gravîmes le perron. À droite d'une lourde porte de chêne pendait un anneau de sonnette vétuste et rongé par la rouille. Smith me lança un regard singulier, puis il sonna.

Au geste de mon ami répondit de l'intérieur un tintement discordant, fêlé, dont l'écho résonna longtemps comme entre des murs inhabités, puis mourut. Il nous avait été perceptible par l'une des ouvertures de la tour. Ce bruit était sinistre. Malgré le soleil éclatant, la chaleur, le ciel bleu, il me glaça le cœur. Aucune réponse autre que le triste cri de la mouette solitaire qui tournait au-dessus de nos têtes. Le silence retomba, angoissant. Nous nous regardions et déjà nous étions sur le point de nous exprimer mutuellement nos doutes quand, sans qu'aucun bruit de serrure ou de verrou nous ait avertis, la porte tourna sur ses gonds et un mulâtre de carrure athlétique parut sur le seuil.

L'apparition était si inattendue que je fis un pas en arrière. Nayland Smith me sembla au contraire n'éprouver aucune surprise. Il mit sa carte dans la main de l'homme.

– Nous désirons voir Mr Van Roon. C'est pour une affaire d'importance, fit-il avec autorité.

Le mulâtre s'inclina et disparut. Sa livrée blanche s'effaça dans l'ombre qui s'étendait au-delà du sol éclairé par un rayon de soleil. J'allais parler, quand Smith posa doucement la main sur mon bras, en guise d'avertissement. Le mulâtre revenait vers nous. Il s'effaça à droite de la porte et s'inclina de nouveau.

– Veuillez entrer, prononça-t-il de sa voix dure, irrégulière, d'homme de couleur. Mr Van Roon vous recevra.

L'allégresse du soleil ne m'atteignait plus. J'avais froid. J'entrai, aux côtés de Smith, à Cragmire Tower, mal à l'aise.

22

LE MULÂTRE

La pièce dans laquelle Van Roon nous reçut était curieuse. Elle avait à peu près la forme d'un trou d'ancienne serrure. Adossée à la tour, elle présentait plusieurs singularités, mais la plus étonnante était à coup sûr... qu'elle n'avait pas de fenêtres !

Dans le retrait aménagé dans le mur même de la tour, Van Roon était assis à une petite table en désordre. Une lampe à huile, munie d'un abat-jour vert, de style victorien, suffisait à l'éclairage de la pièce. Dans l'ombre, le long de la partie rectangulaire, je devinai des étagères chargées de livres. Les murs étaient lambrissés. On voyait les poutres de chêne du plafond. À droite et à gauche de la table, des livres s'empilaient sur de petits rayons et sur un meuble à tiroirs. Le célèbre auteur américain allongeait les jambes sur une chaise en rotin. Il portait des lunettes bleues. Son teint était olivâtre, son visage strictement rasé, ses cheveux très noirs. Affublé d'une vieille robe de chambre qui avait dû être rouge dans ses belles années, cigare à la bouche, il ne se leva pas à notre approche et se contenta d'étendre la main droite, qui tenait la carte de Smith.

– Vous pardonnerez son impolitesse à un pauvre infirme, messieurs. Je souffre des imprudences que j'ai commises en Chine !

D'un geste vague, il nous indiquait deux chaises en bois brut près de la table. Nous prîmes place et mon ami, posant un coude sur la table, regarda longuement celui que nous étions venus voir. Relativement peu connu du public anglais, le nom de Van Roon était célèbre dans les milieux littéraires américains. Il jouissait aux États-Unis d'une réputation comparable à celle de sir Lionel Barton, notre ami commun, en Angleterre. C'est dire qu'il était dans toutes les bouches. C'est Van Roon qui, suivant les traces de Mme Blavatsky, avait visité les retraites des mahatmas légendaires, sur les pentes de l'Himalaya, qui avait tenté d'arracher leurs secrets aux brousses suantes de fièvre du Yucatan et d'y retrouver l'Atlantide. C'est Van Roon encore qui, dans une voiture construite spécialement à cet effet par une firme américaine célèbre, avait traversé la Chine de bout en bout.

J'étudiais avec attention la face jaunie. Son impassibilité naturelle frappait dès l'abord. Les lunettes bleues rendaient mes observations aussi inutiles que si j'avais tenté de scruter les traits d'un Bouddha de bois ciselé. Le mulâtre s'était retiré, et c'est dans une atmosphère enténébrée et chargée des fumées de tabac que Smith et moi étudiions, peut-être indiscrètement, le visage de notre hôte.

– Monsieur Van Roon, fit tout à coup mon ami, vous avez dû voir ceci dans le *Daily Telegraph* de ce matin.

Et, tirant la coupure de sa poche, il la posa sur la table.

– Je l'ai vu, en effet, dit Van Roon en montrant des dents blanches et régulières dans un fugitif sourire. Et c'est à cet article que je dois votre visite ?

– Je l'ai lu ce matin, répliqua Smith. Une heure plus tard, le Dr Petrie, mon ami, et moi, nous étions dans le train de Bridgewater.

– Je suis ravi de vous voir, messieurs. J'aurais mauvaise grâce à vous en demander la raison ; mais je dois vous avouer que ma curiosité est éveillée. Je suis un bien piètre amphitryon ; mon corps torturé, cadeau de ces diables chinois dont j'ai surpris les secrets, ma demi-cécité, que je leur dois aussi, font de moi un triste compagnon.

Nayland Smith, d'un geste, protesta courtoisement. Van Roon nous tendit une boîte de cigares et frappa dans ses mains. Le mulâtre parut.

– Je vois que vous avez beaucoup de choses à me dire, monsieur Smith. Puis-je vous offrir un whisky-soda ? Préférez-vous le thé, puisque c'en est presque l'heure ?

Dûment instruit de nos goûts, le serviteur s'inclina et sortit. Mon compagnon, s'accoudant à la table encombrée, résuma à Van Roon le rôle de Fu Manchu, cet être puissant et maléfique, en Europe : sa mission principale, pour ne pas dire unique, était d'arrêter par tous les moyens la divulgation des renseignements politiques concernant la Chine.

– C'est une conspiration très vaste, monsieur Van Roon, dit-il, qui a pris naissance dans la province du Ho-Nan, où vous avez déjà risqué votre vie. Une immense société secrète a été fondée, qui comprend tous les peuples de race jaune. La Chine, endormie depuis des siècles, tressaille, s'agite dans son sommeil séculaire. Je n'ai pas à vous en dire plus : ce bouillonnement...

– Bref, coupa Van Roon, posant un verre plein devant Nayland Smith, vous voulez dire...

– Que votre vie ne vaut pas ça ! termina Smith, en claquant des doigts au nez de son interlocuteur.

Un long silence suivit... J'étudiais avec curiosité Van Roon enfoui dans ses coussins, le visage verdi par la lumière. Il tenait entre ses dents un cigare, depuis longtemps éteint sans qu'il y prît garde. Smith l'observait également.

– Vous me troublez, dit enfin l'Américain. Je suis d'autant plus disposé à croire qu'il existe en effet un groupe secret que j'en ai eu la confirmation physique. (Il fit une grimace de douleur.) Mais je n'imaginais pas qu'il puisse entretenir un agent, un délégué, ici, en Angleterre. En choisissant cette maison solitaire, j'ai évidemment fait leur jeu et facilité leur tâche... Mais, cher monsieur, je suis si négligent ! En tout cas, vous restez ici cette nuit, et les suivantes, j'espère ?

Smith me lança un rapide coup d'œil puis, se tourna vers notre hôte :

– Nous semblons ainsi vous imposer notre compagnie, dit-il. Mais, dans votre intérêt, il vaut mieux, je crois, que nous fassions ainsi. J'espère et je pense que notre arrivée dans cette maison est passée inaperçue de l'ennemi ; par conséquent, il est bon que nous nous dissimulions avec soin, pour l'instant, jusqu'à ce que nous ayons tiré des plans définitifs.

– Hagar ira chercher vos bagages à la gare, dit rapidement l'Américain.

Il claqua des mains pour appeler le mulâtre.

Pendant que ce dernier recevait les ordres, Nayland Smith l'observait attentivement.

– Cet homme est depuis longtemps à votre service ? demanda mon ami lorsqu'il se fut retiré.

Van Roon fit un signe d'assentiment.

– Depuis quelques années déjà, fit-il. Il était avec moi aux Indes et en Chine.

– Où l'avez-vous engagé ?

– À Saint-Christophe.

– Hem ! murmura Smith, qui, sans y penser, sortit sa pipe et commença à la bourrer.

– Je ne puis vous offrir que ma seule compagnie, continua Van Roon, mais, à moins que cela ne contrarie vos projets, vous trouverez la région intéressante ; je vous conseille fort une promenade jusqu'au dîner. La chère sera bonne, je crois. Hagar est un fin cuisinier.

– Une promenade ne serait pas pour me déplaire, repartit Smith, mais il y a danger.

– Ah ! Peut-être avez-vous raison. Vous craignez qu'on ne m'attaque ?

– À tout instant !

– Agréable perspective, pour un infirme tel que moi ! En tout cas, je vous remets tous mes pouvoirs, sans exception. Vous commandez ici. Je vous conseillerai seulement de ne pas quitter la région sans avoir fait la connaissance de quelques-uns de ses lieux historiques. Pour moi, confiné que je suis dans ce que j'appellerai la science de l'étrange, l'endroit est merveilleux, aussi intéressant, dans son genre, que les souterrains et les jungles de l'Hindoustan dépeints par Mme Blavatsky.

Sa voix qui, haut perchée, aux intonations un peu recherchées, n'était pas très américaine, non plus que son accent, montait, pleine d'enthousiasme.

– Aussitôt que je sus que Cragmire Tower était vacante, je sautai sur l'occasion. Excusez la hardiesse de la métaphore chez un infirme ! Je suis dans le paradis du chasseur de revenants. La tour elle-même est d'origine inconnue, probablement phénicienne. Son toit abrita, dit-on, le Dr Macleod, le nécromancien, après sa fuite devant les persécutions de Jacques d'Écosse. Elle est, de plus, voisine de Sedgemoor, scène de la sanglante bataille de la révolte Monmouth, où plus de mille hommes périrent. Une légende veut que le malheureux duc et ses fidèles soient visibles, par les nuits de tempête, sur le sentier qui borde la fondrière qui a donné son nom à la tour, brandissant des torches.

– Des feux follets, je pense ? dit Smith, la pipe fichée entre les dents.

– Votre esprit pratique vous inspire une explication également pratique, dit Van Roon en souriant, mais j'ai d'autres théories. Pour ajouter aux charmes de Sedgemoor, Sedgemoor hanté, il est possible, par temps clair, d'apercevoir les ruines de Glastonbury Abbey ; et Glastonbury est intimement lié à l'histoire de l'alchimie. C'est dans les ruines de Glastonbury Abbey, comme vous devez le savoir, que l'adepte Kelly, compagnon de Dee, le docteur, découvrit sous le règne d'Élisabeth les fameuses cassettes de saint Dunstan, contenant les deux essences.

Il continuait toujours, énumérant les curieuses particularités dc la région et de sa demeure que, pour ma part, je ne trouvais pas très attachantes.

– Nous ne voulons pas abuser plus longtemps de votre bonté, dit enfin Smith en se levant. Nous trouverons sans aucun doute à nous distraire dans le voisinage de la maison, jusqu'au retour de votre domestique.

– Vous êtes chez vous à Cragmire Tower, messieurs, s'écria Van Roon. La plupart des pièces sont vides, et le jardin est un maquis, mais la maçonnerie de la tour vous intéressera, et la vue sur la lande est très belle.

Et, avec un sourire étincelant et un geste de sa petite main jaune, le grand voyageur nous congédia. Comme je sortais sur les talons de Smith, je me retournai, sans raison précise. Van Roon se penchait sur ses papiers, et la lumière verte qui brillait sur ses lunettes créait une curieuse illusion : il semblait lever les yeux et nous regarder par-dessus ses verres. Le clair-obscur de la pièce devait en être cause, qui donnait à sa figure une curieuse expression de malveillance. Traversant la pénombre de la pièce, nous arrivions à la porte du perron. Smith l'ouvrit et je fus surpris de trouver l'obscurité là où nous venions de laisser le soleil.

Les légers nuages argentés qui se pourchassaient à l'horizon alors que nous gagnions Cragmire Tower n'avaient été que les signes avant-coureurs de plus lourdes nuées. Un coucher de soleil, rouge de sang, annonçait la tempête. À l'horizon, des nuages noirs s'entassaient, comme une chaîne de montagnes, baignés d'écarlate au-dessous. Comme nous passions la grille, je regardai attentivement la lande marécageuse qui s'étendait devant moi. Le ciel l'empourprait à son tour. La mer rougeoya, lugubre ; elle brillait d'un feu qu'on eût dit intérieur. Scène sauvage, scène majestueuse.

Nayland Smith, bien campé sur ses jambes écartées, regardait avec attention le sommet de la vieille tour. Sous l'influence de la conversation avec notre hôte, j'avais oublié la peur étrange qui m'avait saisi à notre arrivée. Maintenant, cette rouge lueur épandue sur Sedgemoor, comme le rappel du sang versé jadis, cette tour d'origine inconnue m'écrasant de sa masse, je me sentais de nouveau mal à l'aise et je ne goûtais pas le charme de la résidence de Van Roon. La seule proximité d'une tour, la nuit, agit toujours sur un homme un peu nerveux et l'inquiète. Et cette nuit-là, il y avait encore autre chose.

– Qu'est-ce là ? fit tout à coup Smith, en me saisissant le bras.

Il regardait au sud, dans la direction du hameau, et je sursautai violemment au contact de sa main, avant de diriger mon regard dans la même direction.

– Nous sommes suivis, Petrie, reprit-il. Je n'ai pu voir qui nous suit, mais je suis sûr que nous sommes suivis ! Tenez ! Là-bas ! Vous voyez remuer ?

Nous cherchions à percer l'obscurité ; puis, brusquement, Smith partit d'un éclat de rire et me frappa sur l'épaule.

– C'est Hagar, le mulâtre ! s'écria-t-il, et nos bagages. Cet original d'Américain nous a énervés avec ses histoires de feux follets et d'abbayes hantées.

Il jeta un coup d'œil vers la tour.

– Quel triste endroit ! Franchement, je crois que je ne pourrais pas supporter d'y rester !

Nous attendîmes à la grille que le sang-mêlé apparût au détour du sentier. Il tenait une valise à chaque main. L'homme était grand, musclé et, pour aller à Saul, il avait troqué sa tenue blanche contre une sorte de livrée avec une casquette.

Smith le surveillait.

– Je me demande en vain où Van Roon s'approvisionne, grogna-t-il. Il est étonnant qu'on ne connaisse pas le nouveau locataire de Cragmire Tower à l'auberge de Saul.

Il se tut et se mit à observer les alentours avec un soin extrême, que je ne m'expliquais pas. Il tira sur le lobe de son oreille gauche, puis me considéra, le front soucieux. Ses yeux brillaient dans le crépuscule, reflétant la lueur rouge du soleil couchant. Sans un mot, il prit mon bras. Nous reprenions la direction de la maison. À la grille, il se planta devant moi et, à voix basse me confia :

– Je suis maintenant absolument sûr que nous avons été suivis aujourd'hui !

Le vestibule, une pièce carrée, haute de plafond, était maintenant éclairé par une lampe fixée à un crochet au mur.Il était pauvrement meublé. La porte du bureau de Van Roon s'ouvrait au fond et, face à l'entrée, sur la gauche, s'amorçait un escalier, que nous prîmes à la suite du mulâtre. Le premier étage était séparé en deux par un couloir. Une grande chambre, sobrement meublée, échut à Smith. Sa valise était déjà placée à côté du lit laqué de blanc. Un grand placard occupait l'un des coins de la pièce. J'embrassais toute l'installation d'un coup d'œil et m'apprêtai à suivre l'homme qui m'attendait à la porte.

Il portait sa livrée de couleur sombre et, comme je

marchais derrière lui le long du corridor, je me surpris à m'étonner de sa carrure et de son cou d'athlète.

J'ai souvent parlé de cette sorte de pressentiment, de prescience de l'approche de Fu Manchu ou de ses serviteurs sanguinaires. Incontestablement, j'éprouvais cette curieuse sensation, ou quelque chose d'approchant. Je regardai du seuil la chambre bien ordonnée, située du même côté du couloir que celle de Smith, mais tout au bout, qui devenait la mienne. Quelque chose m'avertissait, me forçait à revenir sur mes pas. Une sorte de terreur inexplicable, enfantine presque, me saisit. J'eus *peur*, intensément, de laisser le mulâtre passer derrière moi.

Ce n'était évidemment que la suite logique de mes observations sur son extraordinaire musculature. Mais, quelle que fût l'origine de cette crainte, je me sentis incapable d'y résister. Au lieu d'entrer dans la chambre, je retournai chez Smith, sans un mot.

La porte fermée, j'allai à Smith, qui me regardait.

– Smith, dis-je, cet homme me fait froid dans le dos !

Mon ami hocha la tête.

– Vous êtes très sensible à ce genre de choses, fit-il lentement. Mais peut-être est-ce vous qui avez raison. L'homme ne me plaît pas non plus. Le fait qu'il est au service de Van Roon depuis plusieurs années ne prouve rien. Souvenez-vous de Kwee, le boy chinois de sir Lionel Barton. Il est très possible que Fu Manchu ait enrôlé celui-ci comme il avait acheté l'autre. C'est très possible...

Il se tut, et resta les yeux à demi fermés, le front plissé. Il réfléchissait profondément. Au-dehors, la nuit était maintenant complète, comme je pouvais le remarquer par les fenêtres dépourvues de rideaux. Deux bougies brûlaient sur la table de toilette ; elles venaient d'être allumées, et le silence était si profond qu'on entendait le grésillement d'une des mèches, probablement humide. Sans m'avertir de son intention, Smith fit soudain deux pas, allongea son long bras et, d'un revers de main, moucha les deux bougies !

Brusquement, la pièce fut plongée dans une obscurité totale.

– Pas un mot, Petrie ! murmura mon ami.

Avec précaution, je me rapprochai de lui. Je le tentai, plutôt, car il se déplaçait lui aussi. Son ombre se découpa, imprécise, sur la fenêtre. Il regardait audehors, vers la lande. Puis il souffla :

– Voyez ! Voyez !

Le cœur battant, je me penchai et, pour la deuxième fois depuis notre arrivée à Cragmire Tower, je me remémorai le poète :

Spectres, fantômes errants, que cherchez-vous ici ?
Pourquoi de vos regards à tout jamais ternis
Du marais endormi fouiller ainsi les eaux ?
Vous cherchez ? Mais quoi donc ? Vos tombeaux ?

Une lumière dansait sur le marais, une lumière qui allait et venait, montait et descendait, paraissait, s'évanouissait, revenait.

– Fermez la porte à clef, fit la voix étouffée de mon ami.

– Il n'y a pas de clef, dis-je.

– Alors, calez la chaise sous le bouton de la porte et ne laissez entrer personne avant mon retour ! répliqua-t-il à ma grande surprise.

Ouvrant la fenêtre toute grande, il enjamba la barre d'appui et posa les pieds sur la large corniche en ciment dans laquelle était encastrée une gouttière de plomb orientée vers la tour.

Après avoir, suivant ses instructions, barricadé la porte sans tarder, je revins à la fenêtre pour suivre sa progression. Cette subite sortie m'étonnait. Je ne pouvais croire au témoignage de mes sens, je ne croyais pas mes yeux ni mes oreilles. Pourtant, la lueur dansait toujours sur le marais. Mon ami s'éloignait, glissant le long du mur avec l'agilité d'un chat. Il avait dû reconnaître le chemin dans la journée, à mon insu. Je comprenais maintenant son dessein. La corniche s'arrêtait au vieux mur de la tour. De là, il était possible à un grimpeur émérite de gagner le bord de la fenêtre sans vitre, un mètre plus bas, de là la clôture, puis le chemin qui conduit à Saul.

Smith s'en tira à son honneur. Il courait maintenant de toutes ses forces vers la flamme qui palpitait toujours dans l'obscurité ! Il disparut bientôt dans la nuit. Mon étonnement et ma frayeur étaient extrêmes, et je tremblais si violemment que j'avais peine à tenir la barre d'appui de la fenêtre.

Je me croyais en plein cauchemar. Cragmire Tower était plongée dans le plus profond silence. Je percevais une faible odeur de cuisine. Au loin, dans la nuit, la mer bruissait. Pas de lune. Pas une étoile au ciel. La nuit était profonde. Seule, là-bas, sur la lande, la lumière mystérieuse dansait toujours.

Une, deux, trois, quatre, cinq minutes s'écoulèrent. La lueur disparut, définitivement cette fois. Cinq minutes encore d'un silence angoissant que je passai à prêter l'oreille, à scruter la nuit, tempes battantes, muscles tendus. Encore deux minutes : deux siècles. Puis une ombre, fantomatique, sortit de l'obscurité. Elle se précisa. J'entendais maintenant le souffle oppressé d'un homme apparemment épuisé. Je reconnus mon ami. Il grimpait au mur, atteignait la gouttière, la suivait... Sa voix me parvint, altérée, haletante :

– Traînez-vous jusque... jusqu'à moi et donnez-moi... la main, Petrie ! Je n'en puis plus !

Par un grand effort de volonté, je repris mon calme et parvins au milieu de la gouttière, à temps pour saisir mon ami par le bras et le plaquer contre le mur de la tour. Il tremblait, et je crois qu'il serait tombé sans mon aide. Nous regagnâmes la chambre.

– Vite ! Rallumez les bougies ! Est-on venu ?

– Non.

Après avoir gratté, sans succès, bon nombre d'allumettes, je parvins de mes doigts tremblants à faire la lumière.

– Allez chez vous ! m'ordonna Smith. Vos appréhensions sont vaines, pour l'instant, mais il faut laisser ouvertes les portes de nos deux chambres !

Je le regardai. Il avait les traits tirés, défaits. Son front ruisselait de sueur, mais dans ses yeux brillait cette lueur combative que je connaissais bien, et je compris que nous étions au début d'une étrange aventure.

23

UN CRI SUR LA LANDE

Je n'ai qu'un très vague souvenir de ce qui se passa ensuite, du moins jusqu'au moment où la mort nous appela dans la nuit. Un excellent dîner nous fut servi dans la salle à manger morne et froide où le mulâtre avait porté notre hôte infirme aussi facilement qu'il l'eût fait d'un enfant et l'avait installé au bord de la table.

Van Roon parlait beaucoup, faisait preuve d'une science profonde, de connaissances étranges. Smith lui tenait brillamment tête. Il semblait un peu fiévreux. On élabora des plans de défense. Je les ai oubliés.

Je cachais avec peine la répulsion que m'inspirait le mulâtre et, chaque fois qu'il était derrière moi, je réprimais un frisson. L'étrange soirée s'écoula ainsi et c'est avec l'accompagnement d'un lointain tonnerre que nous regagnâmes nos chambres, Smith et moi. Mon ami était parvenu à me glisser ses instructions. Cinq minutes après être entré dans ma chambre, je soufflai la bougie, calai ma porte, enjambai la barre d'appui de la fenêtre et, par la gouttière, rejoignis

Smith dans sa chambre. Elle était, elle aussi, obscure. Comme je passais la fenêtre, il me saisit le poignet pour m'imposer silence. Je m'immobilisai.

– Écoutez !

La scène eût fort bien convenu à une représentation de *Macbeth*. De gros nuages bas, d'un noir d'encre, apparemment chargés de pluie, roulaient sur la lande. Une sorte de fissure, de hiatus, les séparait, qui permettait à un rayon de lumière livide d'éclairer le paysage désolé, d'est en ouest. Une balafre sur l'obscurité. Un murmure confus se fit entendre. On eût dit la lointaine rumeur de la mer, coupée de sourds grondements. À l'ouest, très loin, de pâles éclairs illuminaient l'horizon, par intermittence.

Puis vint le *cri*.

Dans l'obscurité du marais, il éclata, sauvage.

– Au secours ! Au secours !

– Smith ! Entendez-vous ? Qui...

– Monsieur Smith... Nayland Smith ! poursuivait la voix chargée d'angoisse. Au secours ! Au nom de...

– Vite ! Smith ! m'écriai-je. C'est Van Roon ! On l'a enlevé. On le tue...

Nayland Smith me serrait le poignet à le briser, sans dire un mot !

Et le cri se répétait, plus fort, plus angoissé. J'étais certain que le pauvre Van Roon allait mourir.

– Monsieur Smith ! Docteur Petrie ! À moi ! Venez ou il... sera... trop... tard...

– Smith ! dis-je furieusement, si vous tenez à laisser s'accomplir un crime, j'irai seul.

Mon sang bouillait. Il était incroyable, inhumain, que nous puissions rester ainsi, sans intervenir, alors qu'un de nos semblables, notre hôte, de surcroît, allait périr, misérablement. Je me débattis de toutes mes forces pour me libérer. Nayland Smith me retenait obstinément. Je crois que je l'aurais frappé, tant ma fureur était grande, si mes mains avaient été libres. Les cris, qu'on entendait toujours, allaient s'affaiblissant.

– Tenez-vous donc tranquille, imbécile, me dit grossièrement Smith, Petrie, vous m'insultez en me croyant capable de refuser du secours à quiconque en aurait besoin !

Cette apostrophe me fit l'effet d'une douche froide. À l'instant même, je sentis que j'avais tort.

– Vous rappelez-vous l'appel de Çiva ? continuait-il, en me secouant avec irritation. Il y a deux ans de cela. Vous souvenez-vous encore de sa signification pour celui qui y obéissait ?

– Vous auriez dû me dire...

– Vous dire ? M'en auriez-vous laissé le temps ? Vous auriez sauté dehors avant que j'aie prononcé deux mots !

Je dus reconnaître qu'il avait raison et que sa colère était justifiée.

– Pardonnez-moi, mon vieux, dis-je, assez piteux. Avouez que mon premier mouvement était naturel. N'oubliez pas que vous m'avez habitué à répondre au premier appel de détresse.

– Taisez-vous, Petrie ! grogna-t-il. Assez là-dessus !

Les cris avaient cessé. Un coup de tonnerre, plus violent que les précédents roula au-dessus de Sedgemoor. L'éclair avait déchiré la nue, pour nous plonger dans une obscurité plus complète encore.

– Pas un mot, dit Smith. Agissons ! Avez-vous barricadé votre porte ?

– Oui.

– Bien. Entrez dans ce placard, le pistolet à la main, et ne refermez pas complètement la porte sur vous.

Il était dans une de ces périodes de fièvre que je connaissais bien et qui se communiquait toujours à moi. Je ne soufflai mot et obéis. Je m'installai presque confortablement dans le placard dont l'intérieur était à mes mesures. Par l'entrebâillement de la porte, j'apercevais le lit, la fenêtre ouverte et un pan de mur. Smith traversait la pièce lorsqu'un formidable coup de tonnerre éclata au-dessus de la maison.

À la lueur d'un éclair, je vis distinctement le lit ; Smith s'était couché la couverture remontée par-dessus la tête. De grosses gouttes de pluie s'écrasaient maintenant dans la gouttière de plomb au-dessous de la fenêtre ouverte.

Ma colère passée, la confusion qui l'avait suivie avait fait place à une étrange indifférence, à un détachement presque complet. J'étais sûr que Van Roon était mort, en plein marais. Je ne comprenais pas pourquoi nous nous étions abstenus de lui venir en aide. Avoir cherché à le sauver, et avoir échoué, eût été déjà assez regrettable. Mais avoir refusé de le sauver était d'après moi une honte. J'aurais préféré partager son sort, et...

La pluie redoublait et crépitait sur le bord de la fenêtre. Un éclair éblouissant fendit le rectangle d'obscurité plus profonde qui indiquait l'embrasure de la fenêtre et éclaira la pièce, le lit dans lequel Smith était couché en chien de fusil, à ce que je crois. Le coup de tonnerre suivit immédiatement, assourdissant. La maison en trembla sur ses bases.

La conjugaison de la colère du ciel, soudaine, retentissante des cris funèbres, des horreurs qui pouvaient à tout instant fondre sur nous eût ému le cœur le plus brave ; mais, chose étrange, je m'étais littéralement détaché des événements : j'assistais en spectateur au drame commençant. Même quand un rai de lumière apparut sous la porte, que je sus, à n'en pas douter, que le dénouement approchait, terrible, je demeurai calme et froid : était-ce fatigue extrême, hypertension nerveuse ? Je ne sais.

Sur la pointe de ses pieds nus, un homme traversait la pièce : Kegan Van Roon ! Il était en manches de chemise et tenait une bougie allumée dans une main. De l'autre main, il protégeait la flamme. Il n'était plus impotent, ne portait plus de lunettes fumées. Un instant, la lumière éclaira sa mince face olivâtre, et je compris une bonne partie du mystère de Cragmire Tower ! Il avait les yeux bridés. Un savant à coup sûr, un citoyen américain peut-être, mais avant tout un Chinois. Van Roon était un Chinois !

Que m'importaient ses traits ! Qu'il me suffise de dire qu'il leur manquait l'épouvantable expression du Dr Fu Manchu, mais qu'ils respiraient une bestiale férocité qui faisait défaut à ce dernier... Il s'approcha du lit, pas à pas, regarda, puis, avec une sorte de timidité, flatteuse pour Nayland Smith, il s'arrêta et fit signe à quelqu'un qui devait se trouver sur le seuil derrière lui. Je pouvais voir le bas de son pantalon souillé de boue verdâtre jusqu'aux genoux.

Silencieusement, le mulâtre apparut. En trois pas, il fut près du lit. Il était nu jusqu'à la ceinture. De ma vie je n'avais vu un torse semblable à celui, brun et luisant, qui était maintenant penché sur Nayland Smith. Ses muscles étaient énormes, sa nuque celle d'un taureau.

Pendant que Van Roon, ses yeux mauvais toujours fixés sur le lit, levait la bougie, le mulâtre, avec un curieux balancement de ses puissantes épaules, tendit ses mains ouvertes vers les draps en désordre...

Je poussai la porte du placard qui claqua sur le mur et bondis, browning au poing. Au même instant, une haute silhouette se dressa *derrière* le mulâtre. C'était Nayland Smith !

Dans sa main levée, il serrait une lourde canne. Je la savais plombée. Pourtant, il la mania avec une telle force qu'elle siffla en l'air avant de s'abattre avec un bruit mat sur le crâne du mulâtre. Le grand corps brun s'écroula sur le lit dans lequel... la valise de Smith était couchée. Il n'y eut pas un cri. Puis il me lança :

– Tirez ! Tirez, Petrie ! Tuez l'autre démon !

Le chandelier tomba à terre avec une grande flamme. Je vis à sa lueur le blanc des yeux bridés de Van Roon, qui bondit hors de la pièce avec l'agilité d'un chat sauvage. L'obscurité fut rayée d'un éclair. Déjà, Nayland Smith contournait le lit et se ruait à sa poursuite.

Je me précipitai derrière lui. Smith avait jeté sa canne et tenait maintenant son pistolet à la main. Ensemble, nous tirâmes dans le couloir et, à la lueur des coups de feu, nous vîmes Van Roon bondir dans l'escalier sur ses pieds nus. Le bruit de notre propre course était couvert par le tonnerre qui grondait presque sans interruption.

Trois fois encore, nous fîmes feu en direction de la silhouette du fuyard. Nous avions traversé le vestibule, nous étions dans le jardin, écrasés par une véritable trombe d'eau. Vaguement, je vis la chemise blanche du fugitif, au coin du mur de pierre. Un moment, il hésita, puis se jeta de côté et se dirigea vers la lande et la baie.

– En avant, Petrie ! En avant ! criait Smith qui courait à mes côtés à perdre haleine. C'est le chemin de la fondrière (il reprenait sa respiration après chaque phrase), c'est là qu'il voulait nous entraîner avec ses appels.

Un formidable éclair illumina la scène entière, jusqu'à l'horizon. Devant nous, une petite silhouette, les cheveux collés et brillants de pluie, suivait l'étroit sentier qui conduisait à la tache verte du marécage que nous avions remarquée l'après-midi.

C'était Kegan Van Roon. Il regarda un instant pardessus son épaule, nous montrant une face jaune terrifiée. Nous gagnions sur lui à chaque foulée. L'obscurité retomba et un assourdissant coup de tonnerre éclata sur nos têtes.

– Encore 50 mètres, Petrie, haleta Smith, et c'est le marais, l'inconnu.

Nous courions toujours.

– Doucement ! Doucement ! cria encore Smith ! Le sol est mou !

Je fis un faux pas. La boue avide s'était agrippée à mon pied, manquant de me faire tomber.

– Plus de chemin !

Nous fîmes brusquement halte. La pluie nous aveuglait. Je n'osais bouger, sachant bien que le marais, le marais dévorant, était tout proche.

Nous voulions voir. Nous attendions un nouvel éclair, je crois, quand, devant nous, dans l'obscurité, éclata un cri qui résonne parfois encore aujourd'hui à mes oreilles.

– Au secours ! Au secours ! Pour l'amour de Dieu ! Je me noie...

Nayland Smith m'écrasa le bras.

– Ne bougez pas, Petrie. Ne bougez pas, souffla-t-il. C'est bien. C'est la justice divine qui se manifeste, pour une fois.

Puis l'éclair vint, et nous vîmes, nous vîmes...

Au bord de la poche de boue, à 30 mètres de nous peut-être, les bras levés et suppliants, Van Roon coulait dans la boue noire. Ses épaules, sa tête étaient seules visibles... Et à l'instant même où l'éclair jaillit, il disparut avec un dernier, un long cri, un hurlement de bête !

L'étrange lumière s'éteignit. Instinctivement, nous détournâmes la tête, juste à temps pour voir Cragmire Tower, noire silhouette, plus noire que la nuit, vaciller et crouler ! Une flamme s'éleva, rouge, sinistre, au-dessus du bâtiment. Le tonnerre retentit. Nayland Smith, se pencha sur moi et me cria à l'oreille :

– Kegan Van Roon n'est jamais revenu de Chine. C'était une embuscade. Deux créatures de Fu Manchu...

– Mais cette lumière sur la lande ? répliquai-je.

– Vous ne savez pas le morse, Petrie. C'était un signal et qui se lisait ainsi : *Smith S.O.S.*

– Et ?

– J'ai saisi l'occasion, vous l'avez vu. Eh bien, c'était Kâramaneh ! Elle était au courant du complot. On voulait nous noyer dans le marais. Elle nous suivait depuis Londres, mais avait dû attendre la nuit pour nous prévenir. Dieu me pardonne si je l'ai mal jugée, mais nous lui devons nos deux vies, cela est sûr !

Les flammes envahissaient le bâtiment contigu à la vieille tour qui avait résisté à mille tempêtes pour succomber enfin. La foudre l'avait littéralement réduite en poussière.

– Le mulâtre ? jetai-je brusquement à Smith.

Nayland Smith, devant moi, cherchait le chemin du retour à la lueur des éclairs. Il se retourna. Ses traits étaient durs ; ses yeux brillaient comme l'acier.

– Il est mort, Petrie. Je voulais le tuer.

De loin, de Sedgemoor, nous parvint un coup de tonnerre tonitruant, formidable. On eût dit le rire de Jupiter, destructeur de Cragmire Tower.

24

L'HISTOIRE DES *GABLES*

Reprenant mes notes relatives à la deuxième incursion de Fu Manchu en Angleterre, j'ai l'impression que les plus mauvaises heures de ma vie aventureuse sont liées à la singulière et, à tout prendre, insignifiante bataille avec la main de feu. J'en traiterai ici. Qu'on m'excuse si je m'écarte du sujet.

L'inspecteur Weymouth était venu nous rendre visite, un matin, peu après notre aventure avec Van Roon, ou plutôt celui qui en avait pris la place. Il venait nous faire un rapport détaillé de la perquisition qu'il avait effectuée dans une maison de Hampstead, réputée inhabitable.

– Mais en quoi cette affaire vous regarde-t-elle ? demanda Nayland Smith en bourrant sa pipe avec nonchalance.

Nous venions de terminer notre petit déjeuner, mais dès son réveil, Smith s'était mis à fumer sans cesse, ne s'interrompant que pour le repas.

– Ma foi, répliqua l'inspecteur installé dans un

grand fauteuil près de la fenêtre, je crois qu'on me l'a confiée parce que je n'avais rien de mieux à faire pour l'instant.

– Ah ! fit Smith brusquement, en jetant un coup d'œil par-dessus son épaule.

Cette simple interjection voulait beaucoup dire : notre lutte contre Fu Manchu était suspendue. Nous avions en effet perdu toute trace de ce génie malfaisant et de son groupe depuis la destruction de Cragmire Tower.

– La maison s'appelle *The Gables*, continua l'homme de Scotland Yard. Dès le début, j'ai su l'entreprise inutile...

– Pourquoi ?

– Parce que j'avais visité la maison, il y a six mois déjà, juste avant votre retour de Birmanie. J'étais fixé.

La réponse parut intéresser Smith.

– J'ignorais, fit-il en souriant légèrement, que le nettoyage des maisons hantées relève de Scotland Yard. On apprend à tout âge.

– Habituellement, répliqua le gros homme avec bonne humeur, Scotland Yard se désintéresse de ces questions, en effet. Mais quand il y a mort d'homme...

– Mort d'homme ? fis-je en levant la tête. Vous ne nous aviez pas dit que le fantôme avait tué !

– Je suis un piètre conteur, docteur, dit Weymouth en tournant vers moi ses yeux pétillants. Deux hommes sont morts aux *Gables* dans les six derniers mois.

– Vous commencez à m'intéresser, déclara Smith.

Et je vis apparaître dans ses yeux la vieille flamme que je connaissais bien. Il alluma sa pipe et jeta l'allumette dans l'âtre.

– J'espérais aussi quelque chose d'intéressant, avoua l'inspecteur. Cette fin, cette disparition plutôt, du groupe de Fu Manchu m'a profondément déçu.

Nayland Smith eut un geste d'assentiment et de compréhension.

– Bien que le Dr Fu Manchu soit en Angleterre

depuis plusieurs mois, continua Weymouth, je ne l'ai pas vu une seule fois ; la maison que nous avons fouillée, dans Museum Street, était vide. Bref, je perds mon temps. Aussi ai-je demandé à conduire les opérations à Hampstead et à étudier l'affaire des *Gables*. Cela me distrait. C'est une curieuse affaire, qui est en réalité du ressort de la Société des recherches psychiques. En tout cas, même si le Dr Fu Manchu n'y est pas mêlé, l'affaire vous plaira à tous deux. Elle illustre le fait qu'on peut donner la mort sans user d'aucun agent matériel, animé ou non.

– Vous m'intéressez de plus en plus, dit Smith, en allongeant ses grandes jambes devant lui.

– Deux hommes, tous les deux en excellente santé, à cela près que l'un d'eux était asthmatique, sont morts aux *Gables*, sans qu'on ait levé fut-ce le petit doigt sur eux. Oh ! aucun escamotage ! Ils n'ont pas été empoisonnés, ni piqués par un insecte venimeux, ni étranglés, ni rien d'approchant. Ils sont morts de peur, tout simplement.

Accoudé à la table, le menton entre les mains, j'écoutais attentivement. Nayland Smith, un gros coussin derrière la tête, observait le narrateur de ses yeux gris perçants.

– Bref, dit-il, vous estimez que Fu Manchu aurait quelque chose à apprendre des *Gables* ?

Weymouth acquiesça avec force.

– Cette affaire me stupéfie, continua-t-il. Tout ce que j'ai vu jusqu'ici m'apparaît maintenant banal et rebattu. Quand l'affaire des *Gables* a reparu sur les rôles de Scotland Yard, ma stupéfaction n'a plus connu de bornes. Je pensais qu'il y avait un lien, une relation quelconque entre les deux victimes ; peut-être un motif de vol ou de vengeance. En définitive, j'espérais trouver une marque, une trace d'intervention humaine. Rien ; pas plus que la première fois !

– Cela prouve que la maison est bien hantée, fit Smith sans rire.

– Oui, cela existe. Nous trouvons quelquefois de ces

endroits inhabitables où il y a quelque chose de malin, de dangereux pour l'homme, d'insaisissable, contre lequel nous ne pouvons rien.

– Après tout, vous avez peut-être raison, fit Smith, lentement. On cite des exemples historiques : le château de Glamys et la tour Spelding, en Écosse ; le château de Peel, dans l'île de Man, avec son Maudhe Dhug ; la dame blanche de Rainham Hall, les chevaux sans tête du Caistor ; l'esprit de Wesley du presbytère d'Epworth et d'autres encore. Quant à moi, je n'en ai jamais rencontré et je confesse que je me sentirais très profondément humilié si je devais avouer qu'un agent quelconque peut agir matériellement, physiquement – en donnant la mort –, sans être soumis lui-même aux lois matérielles – les représailles.

– Cela m'humilierait aussi, reprit Weymouth, si je n'avais pas abdiqué toute fierté après mon insuccès dans l'affaire Fu Manchu. Pour ce qui est de soumettre le docteur aux lois matérielles...

– Bien répliqué, Weymouth ! dit Smith avec un de scs rarcs éclats dc rirc plcins dc jcuncssc. Nous nc sommes que des enfants, en présence de ce docteur chinois, inspecteur. C'est le fils étrange d'un étrange pays aussi vieux dans le mal que les pyramides d'Égypte le sont dans le mystère. Mais parlez-nous des *Gables*.

– C'est un coin inquiétant. Vous mentionniez tout à l'heure le château de Glamys. On comprend encore qu'un vieux manoir dont l'origine se perd dans la nuit des temps soit hanté, mais les *Gables* ont été construits vers 1870 ; c'est une maison moderne. Une riche famille quaker l'a habitée sans interruption, et apparemment sans accident, pendant plus de quarante ans. Puis Mr Maddison l'acheta et mourut, il y a six mois.

– Maddison ? fit Smith sèchement. Qui était-ce ? D'où venait-il ?

– Planteur de thé de Colombo, retiré des affaires, répondit l'inspecteur.

– Colombo ?

– Je devine : non. Aucune relation avec l'Extrême-Orient. J'avais fait le rapprochement, moi aussi. J'y ai perdu pas mal de jours précieux et de nuits blanches. Non. Rien à voir, dans la mort de cet hépatique, avec les projets du Dr Fu Manchu. J'en suis sûr.

– Et comment mourut-il ? demandai-je à mon tour.

– Dans son fauteuil, un soir. Il lisait après dîner, dans sa bibliothèque, comme il avait coutume de le faire quand il n'avait pas de visites, et ce jusqu'à minuit et plus. Il était célibataire, tout son personnel consistait en une cuisinière, une femme de chambre et un valet qui le servait depuis trente ans environ. Au moment de la mort de Mr Maddison, la cuisinière et la femme de chambre avaient rendu leur tablier, prétextant que la maison était hantée.

– Hantée ? Comment ?

– J'ai interrogé ces braves femmes, à l'époque. Elles m'ont fait des récits fantaisistes de spectres se promenant le long des couloirs, la nuit, et se penchant sur elles, dans leur lit, en chuchotant ; mais elles avaient surtout eu peur des bruits de cloches.

– Des bruits de cloches ?

– Il paraît que c'était insupportable. Jour et nuit on entendait des cloches sonner au-dessus de la maison. En tout cas, elles étaient parties, et Mr Maddison était resté seul avec son domestique, un nommé Stevens. J'ai interrogé ce dernier, un homme honnête, sérieux, qui était plus intelligent que les deux autres. J'avoue que sa déposition m'a impressionné.

– Il avait entendu les cloches, lui aussi ?

– Il en a fait serment, une sorte de tintement continuel, tantôt en l'air au plafond, tantôt sous le plancher, comme si on secouait des clochettes d'argent.

Nayland Smith se leva brusquement et commença à aller et venir dans la pièce, laissant derrière lui de grosses bouffées de fumée bleu-gris.

– Décidément, vous m'intéressez, inspecteur, déclara-t-il, suffisamment pour me faire abandonner, temporairement, le cas Fu Manchu. J'ai entendu parler aux Indes de la « cloche astrale ». Cela y ressemble.

– C'est Stevens, continua Weymouth, qui trouva Mr Maddison. Le valet était sorti pour recruter du personnel et il revint à 11 heures. Il avait sa clef. La bibliothèque était éclairée. Il frappa. Pas de réponse. Il entra. Son maître était assis tout droit dans son fauteuil, les mains crispées, et fixait un point devant lui. Son visage montrait un tel sentiment d'horreur que Stevens prit la fuite. Mr Maddison était raide mort. Le docteur qui habitait les environs et vint l'examiner ne constata aucune trace de violences : à en juger par la distorsion des traits du visage, la peur seule expliquait le décès.

– Rien d'autre ?

– Si. J'appris plus tard, indirectement, que le dernier habitant membre de la famille quaker avait vu l'apparition. Il vendit aussitôt la maison. Je tiens l'histoire de la veuve du jardinier de l'époque. Il paraît qu'on voyait certaines nuits une main lumineuse tenant un long poignard courbe se dessiner sur le mur du hall.

– Cette fois, fit Smith avec un petit rire, j'y suis.

– L'ancien propriétaire ne souffla mot à personne de ce qu'il avait vu, pour ne pas déprécier la maison, qui fut vendue meublée. Il est presque sûr que le second décès est dû lui aussi à la peur. Une répétition...

– ... De la main lumineuse ? coupa Smith.

– Mais oui. Or, j'ai examiné les *Gables* avec soin. J'ai fouillé partout. J'y ai même passé une nuit en compagnie d'un collègue de Scotland Yard. Nous n'avons rien vu, tout au plus avons-nous entendu une fois les cloches tinter.

Smith était déjà près de lui.

– Vous en êtes absolument sûr ?

– Je puis le jurer, déclara Weymouth avec force. Cela semblait venir d'au-dessus de nous. Nous étions dans la salle à manger. Puis le bruit s'éloigna et la nuit fut très calme. Après la mort de Mr Maddison, les *Gables* sont demeurés inhabités pendant près d'un an, jusqu'à ce qu'un Français, nommé Lejay, eût loué...

– Meublé ?

– Oui. Rien ne fut touché.

– Qui entretenait la maison ?

– Un ménage habitant les environs. L'homme faisait le jardin, tondait la pelouse. La femme venait une fois par semaine, pour balayer et aérer.

– Et Lejay ?

– Il arriva seulement la semaine dernière. Il avait loué pour six mois. Sa famille devait le rejoindre au bout de quelques jours. Quant à lui, aidé du ménage dont j'ai déjà parlé et d'un domestique français qu'il avait amené avec lui, il mettait la maison en état. Dans la nuit de vendredi, vers minuit, le domestique s'est précipité chez les voisins en criant : « La main de feu ! La main de feu ! » Un agent arriva et, en groupe, on se rendit aux *Gables*, pour trouver Mr Lejay mort, dans l'allée, au bas du perron de la villa ! Il avait le même visage convulsé d'horreur...

– Quel beau papier pour un journaliste ! fit remarquer Smith.

– Le propriétaire avait réussi à tenir la chose secrète jusqu'ici. Mais, maintenant, il est sûr que la presse va en parler.

Après un court silence, Smith lui demanda :

– Vous êtes retourné aux *Gables* ?

– J'y suis allé samedi. Je n'ai rien trouvé, rien relevé. L'homme est mort de peur comme Maddison, sans aucun doute. On devrait démolir cette maison. Elle est dangereuse.

– Oui, dis-je. Je n'avais jamais rien entendu de semblable. Ce Mr Lejay n'avait pas d'ennemis ? Vous n'avez trouvé aucune explication à cette mort ?

– Aucune. Mr Lejay était un homme d'affaires de Marseille. Sa présence était nécessaire à Londres pour plusieurs mois. C'est pour cela qu'il avait loué les *Gables*.

Nayland Smith allait et venait, de plus en plus vite, dans la chambre. Il tirait sur le lobe de son oreille gauche et sa pipe était depuis longtemps éteinte.

25

LES CLOCHES

Je bondis sur mes pieds quand un homme de haute taille, barbu, poussa la porte du bureau et entra avec impétuosité. Il portait un chapeau haut de forme, qui lui allait d'ailleurs fort mal, et un pardessus noir qui ne lui allait pas mieux.

– Tout va bien, Petrie ! Je viens de louer les *Gables* !

Très étonné, je reconnus enfin Nayland Smith.

– C'est la première fois que je me déguise, continuait avec volubilité mon ami, depuis la mémorable aventure de la fausse natte. (Il jeta sur le sol une petite valise en cuir brun.) Pour le cas où il vous plairait de visiter la maison, j'ai apporté l'indispensable. Mon bail prend effet dès ce soir !

Deux jours s'étaient écoulés et j'avais complètement oublié l'étrange histoire des *Gables* que nous avait racontée l'inspecteur Weymouth ; il paraissait en être tout autrement de mon ami. Dans ma surprise, je me baissai machinalement et ouvris la valise. Elle contenait des objets étranges, entre autres plusieurs perruques grises et une paire de lunettes à monture en or.

Agenouillé, l'étonnant contenu de la valise dispersé autour de moi, je regardai Smith avec curiosité. Son haut-de-forme à la main, il allait et venait, très excité, la pipe fumante sortant de sa fausse barbe.

– Voyez-vous, Petrie, finit-il par dire, je n'avais pas

grande confiance dans l'agent de location. Aussi ai-je loué sous le nom du professeur Maxton...

– Mais, Smith, pourquoi vous être déguisé ?

– Pour toutes sortes de raisons !

– Et pourquoi vous intéressez-vous aux *Gables* ?

– Vous n'avez pas encore compris ?

– Absolument pas. Tous ces gens-là sont des malades, rien de plus.

– Alors, vous ne viendrez pas avec moi ?

– Je ne me dérobe jamais à la tâche, répliquai-je, même la plus infime, si je puis servir à quelque chose. Mais, dans le cas qui nous occupe...

Comme je me levais, Nayland Smith se planta devant moi et ses yeux brillaient étrangement dans son visage grimé. Il me mit les mains sur les épaules :

– Et si je vous assurais que votre présence est nécessaire à ma sécurité, dit-il, à tel point qu'à défaut de vous je me verrais forcé de chercher un autre compagnon, viendriez-vous ?

D'intuition, je comprenais maintenant que mon ami me cachait son plan. J'en éprouvai un certain ressentiment. Ma réponse ne pouvait toutefois faire de doute : une heure plus tard, je quittais mon appartement sous les apparences d'un vieil homme assez mal habillé et je montais dans le taxi qui m'attendait, avec Smith.

Les *Gables* étaient une grande maison située assez loin de la route. Une allée semi-circulaire y conduisait. Le lieu était boisé de telle sorte que l'avenue formait, dans sa plus grande part, un tunnel de verdure. Un grand mur de briques défendait toute vue de la route, et l'autre extrémité de l'allée en forme de croissant était fermée par de lourdes grilles en fer forgé.

Smith renvoya la voiture au coin du chemin sinueux qui passait devant les *Gables*. Il était encaissé. Sur la gauche s'ouvraient les portes de service de quelques villas. À droite, sans interruption, s'étendait le mur des *Gables*. Arrivés à la grille, il me montra du doigt la route obscure :

– À partir d'ici, me dit Smith, si l'on fait abstraction de quelques ateliers d'artistes, plus rien jusqu'à la lande.

Il introduisit la clef dans la serrure de la grille, qui s'ouvrit en grinçant. Je fouillai du regard la voûte noire de l'allée, pensai aux apparitions, aux spectres qui hantaient, au dire de tous, la maison, à ceux qui étaient morts sous ces arbres... et éprouvai une vive répulsion pour le travail qui nous attendait.

– Allons, dit Smith vivement, laissant la grille ouverte. Si la femme de charge a suivi mes instructions, il y aura un bon feu dans la bibliothèque et quelques rafraîchissements.

Derrière nous, la grande grille se referma avec bruit. Je crois que, même par temps de pleine lune (et ce n'était pas le cas), seuls quelques faibles rayons auraient pu percer l'épais feuillage. L'obscurité était absolue, et Smith, pour se diriger, dut sans aucun doute faire appel à son sixième sens. Quant à moi, je ne vis rien de la maison avant d'être à quelques pas du perron. Le hall était faiblement éclairé. Je devinais la façade sans la voir.

Quand nous fûmes dans le vestibule et que la porte se fut refermée sur nous, je me demandai encore une fois quelle était la raison qui poussait mon ami à passer la nuit dans une maison hantée. La bibliothèque était éclairée et, par la porte ouverte, je voyais une petite table portant carafes, siphon, biscuits et sandwiches. À terre, une grande valise. Pour une raison inconnue de moi, Smith avait décidé que nous devions, pendant notre séjour aux *Gables*, user de noms d'emprunt.

– Dites-moi, Pearce, fit-il à haute voix, un whisky-soda avant de faire le tour du propriétaire ?

La proposition m'agréait fort. Je me sentais assez déprimé et, il faut le dire, très ridicule dans mon accoutrement.

Mes nerfs étaient tendus et mon ouïe anormalement aux aguets, car je m'attendais à ce que se produise à tout instant quelque événement inquiétant. Je n'eus pas longtemps à attendre. Au moment précis où je portais mon verre à mes lèvres, un son argentin frappa mes oreilles.

Ce bruit ne semblait pas venir de la bibliothèque, mais d'une pièce plus éloignée, au-dessus de ma tête. Il n'avait en lui-même rien d'effrayant et, cependant, dans le silence de cette maison de sinistre réputation, il me glaça de terreur. On eût dit un carillon de clochettes d'argent.

Je posai mon verre sur la table et, me levant lentement de ma chaise, regardai mon compagnon. Il me fixait avec intensité. Je n'étais pas le jouet d'une illusion. Nayland Smith avait entendu les cloches, lui aussi.

– Les esprits ne perdent pas de temps ! fit-il doucement. Ce bruit ne m'est pas nouveau. J'ai passé une heure ici la nuit dernière et je l'ai entendu...

Je regardai autour dc moi. La pièce contenait une grande quantité de livres, en majorité des romans. Je ne pouvais voir au-dehors : les deux hautes fenêtres étaient masquées de lourdes tentures pourpres. Une lampe à abat-jour de soie pendait au centre du plafond, exactement au-dessus de la table à laquelle je m'étais tenu. Les coins, les murs étaient dans l'ombre. Je regardai encore, avec appréhension, autour de moi, particulièrement vers la porte ouverte.

Nous restâmes un moment à écouter, retenant notre souffle.

– Cela recommence ! murmura Smith.

Le bruit se rapprochait. Il semblait maintenant venir du plafond. Simultanément, nous levâmes la tête, puis Smith eut un petit rire.

– Mouvement instinctif, je pense, dit-il. Car que pouvons-nous espérer voir au plafond ?

Les sons de cloche se faisaient plus distincts, plus pressés. Le premier carillon parut renforcé par d'autres, puis par d'autres encore. Arpèges, accords se succédaient, emplissaient l'air.

Ils étaient, je l'ai dit, harmonieux, mais d'autre part, ils étaient tellement inexplicables qu'ils provoquaient l'épouvante. Je ne doutais plus que notre présence eût attiré ces sonneries invisibles. Je me sentais pâlir. Je me tenais dans la pièce où le dernier et malheureux occupant des *Gables* était mort de peur. Si cette simple manifestation de l'au-delà affectait mes nerfs à ce point, comment allais-je pouvoir supporter les épreuves qui m'attendaient à coup sûr ? Je me raidis et vidai mon verre d'un trait. Nayland Smith était debout, immobile de l'autre côté de la table. Il regardait de droite et de gauche, fouillant l'ombre, les coins obscurs de l'immense pièce...

– Bien ! fit-il à voix très basse. L'inconnu est terrible, mais nous ne devons, à aucun prix, nous laisser aller à la peur. Sinon, nous ne resterons pas dix minutes dans cette maison.

J'acquiesçai d'un geste. À ma stupéfaction, Smith se mit alors à parler très haut.

– Mon cher Pearce, s'écria-t-il, entendez-vous le tintement des cloches ?

Ces derniers mots étaient manifestement prononcés à l'intention de l'intelligence invisible qui présidait à ce récital. Malgré mon peu de confiance dans cette ruse, je répondis sur le même ton :

– J'entends bien, mon cher professeur !

Un silence suivit mes paroles, plein d'angoisse pour nous qui restions aux aguets... Puis, très faible, le tintement reprit. Il s'éloignait apparemment, et mourut bientôt. Dans le silence revenu, j'entendais distinctement Smith respirer. Dix bonnes minutes s'écoulèrent. Le bruit ne se renouvelait pas. Plus rien.

– Donnez-moi cette valise, et restez ici sans bouger jusqu'à mon retour, me souffla mon ami à l'oreille.

Il sortit de la bibliothèque et le bruit de ses pas résonna dans le silence chargé de terreur.

Debout près de la table, je surveillais la porte ouverte, luttant contre la crainte qui m'étreignait de voir apparaître tout à coup une autre forme que celle de mon ami.

Je l'entendais aller de pièce en pièce tandis que j'attendais, tendu. Puis il revint et posa la valise sur la table.Ses yeux brillaient de fièvre.

– La maison est hantée, Pearce ! s'écria-t-il. Mais un revenant ne m'a jamais fait peur ! Venez ! Je vais vous montrer votre chambre !

26

LA MAIN DE FEU

Smith montait l'escalier, j'étais derrière lui. Il avait éteint la lampe dans le hall. Et se tournant vers moi il me cria :

– Je crains fort qu'aucun domestique n'accepte d'habiter ici !

Encore une fois, il s'adressait à la Présence, et cette idée avait quelque chose de très déplaisant. La maison était maintenant silencieuse ; le tintement avait complètement cessé. Sur le palier, mon compagnon, qui semblait bien connaître l'emplacement des interrupteurs, alluma toutes les lampes, sans cesser de s'entretenir avec moi de cette voix haute et artificielle qui faisait partie de son déguisement.

Nous visitâmes plusieurs chambres, toutes fort bien meublées. Toutefois, et mon imagination en était peut-être bien la cause, elles me déplurent toutes. Je me représentais difficilement qu'on y puisse vivre, dormir. Je sentais que l'endroit était inhabitable, que quelque chose de maléfique régnait sur la maison. Et je ne comprenais pas encore dans quel but nous étions venus ici. Nous fîmes halte dans le couloir bien éclairé, un long moment. Nous nous questionnions l'un l'autre du regard, comme si le pressentiment d'un événement imminent nous était venu en même temps. Étrange sensation.

Aucun bruit n'arrivait à nous. Mais quelques secondes encore, et notre pressentiment se trouva vérifié. Du côté des escaliers monta un long gémissement, une voix de femme, et sa douceur en décuplait l'horreur. J'étreignis convulsivement le bras de Smith. La plainte monta, s'enfla, puis s'éteignit.

Nous ne bougions pas. Ma mémoire travaillait fiévreusement. Un vague souvenir se précisait... Mon cœur battait avec violence. Le cri s'éleva de nouveau, mourut, reprit, cadencé. Alors, je me souvins. Pendant notre séjour en Égypte, deux ans plus tôt, quand Smith et moi nous cherchions Kâramaneh, je m'étais trouvé une fois dans le voisinage d'un cimetière indigène, aux environs de Bedrasheen. Je revoyais clairement la scène dont j'avais été le témoin : un groupe de femmes vêtues de noir entouraient un tombeau ; le cri qui, en cet instant, réveillait les échos des *Gables* n'était autre que la plainte funèbre des pleureuses égyptiennes.

Le silence était retombé, lourd. Mon front était baigné de sueur.

J'étais à bout de résistance nerveuse, je le sentais. Je n'avais jusqu'ici accordé qu'une médiocre créance aux récits surnaturels. Mais maintenant que j'avais à faire face à ces manifestations, je sentais qu'il m'eût été plus facile de tenir devant une bande de dacoïts, devant le Dr Fu Manchu lui-même, que de rester une heure de plus dans cette maison maudite.

Mon ami semblait lire mes pensées sur mon visage. Il poursuivit cependant l'étrange comédie qu'il s'était imposée, selon moi, bien inutile.

– Je crois qu'il vaudra décidément mieux passer la nuit à l'hôtel, fit-il.

Descendant rapidement l'escalier, il rentra dans la bibliothèque et se mit à boucler sa valise.

– Après tout, ces phénomènes doivent s'expliquer très naturellement, fit-il. Il est à remarquer que, jusqu'ici, nous n'avons rien vu. Nous nous habituerons sans doute aux tintements des cloches et aux cris. Il ne sera pas dit que je perdrai le prix de la location !

Et, comme je le regardais avec stupéfaction :

– Allons, Pearce, sortons ! s'écria-t-il très haut. Mais je reviendrai demain, ne serait-ce que pour étudier de plus près le phénomène ! Quant à vous, si vous ne partagez pas mes vues, vous resterez, mon ami !

Il éteignit la lumière et sortit dans le hall, valise à la main. Je venais sur ses talons. Nous allions à la porte.

– Éteignez donc, Pearce, ordonna-t-il. Le commutateur est à côté de vous. Nous trouverons bien notre chemin jusqu'à la porte.

Il me fallait, pour obéir à cet ordre, rester quelques pas en arrière de mon compagnon, et je crois n'avoir jamais eu aussi peur de ma vie : Smith n'avait pas encore ouvert la porte que j'avais éteint la lumière. Les ténèbres, aux *Gables*, dégageaient une indescriptible horreur. L'obscurité est sans contredit l'arme la plus efficace de l'inconnu. Je ne fis qu'un bond jusqu'à la porte et heurtai violemment Smith qui s'était tourné vers moi. Il abattit sa main sur mon épaule.

– Petrie ! Regardez derrière vous ! murmura-t-il.

Je jugeai à l'instant de la force de son émotion au fait qu'il avait oublié de me donner mon nom d'emprunt. Je me retournai.

Je n'oublierai jamais ce que je vis alors. J'ai beaucoup de souvenirs, d'étranges et de terribles ; rares sont les hommes qui ont vécu des angoisses, des aventures semblables aux miennes ; mais cette chose qui se mouvait lentement, qui venait à nous dans le noir était (si je peux m'exprimer ainsi) absurdement horrible. Une légende médiévale ressuscitée dans le Londres moderne. Une chimère affreuse des âges les plus obtus, les plus sombres, qui reprenait vie et force en pleine civilisation.

Une main lumineuse, dont les veines semblaient charrier du feu, dont on devinait le grain de peau, le squelette, une main de chair incandescente, serrant un court poignard qui brillait de la même infernale lumière, n'était pas à plus d'un mètre de nous.

Que fis-je alors ? Je ne le sus jamais. Jamais je n'éprouvai une semblable terreur. Je me rappelle seulement avoir poussé un grand cri : je m'arrachai à l'étreinte de Smith qui, désespérément, cherchait à me retenir...

– N'y touchez pas ! Éloignez-vous ! Il y va de votre vie... entendis-je vaguement...

Mais voyant la chose se rapprocher, je crois avoir frappé follement, aveuglément... et touché un corps...

Quel fut le résultat, je ne saurais le dire. Mes souvenirs deviennent alors des plus confus. Quelque chose ou quelqu'un (Smith, à ce que j'appris plus tard) me tirait de force dans l'ombre, violemment, irrésistiblement. Je tombai sur le gravier d'une allée. Je m'écorchai les genoux et les mains. Puis je courus, je courus, et l'air froid me frappa au visage. Je haletais. À mes côtés, une silhouette noire courait aussi... C'est à partir de cet instant que mes souvenirs redeviennent précis : mon compagnon de fuite me heurta pour modifier la trajectoire de ma course.

– Par ici, Petrie ! Par ici ! fit une voix haletante. Sur la route... Pas vers la lande...

C'était Nayland Smith. Une joie immense m'envahit. Nous courions toujours.

– Un policeman ! jeta mon compagnon, apercevant une lumière. Ils ne tenteront plus rien, maintenant !

Je bus d'un trait un verre de brandy et jetai un regard à Smith, allongé dans la chaise longue en rotin.

– Peut-être m'expliquerez-vous pourquoi vous m'avez fait subir cette épreuve ? Si vous croyiez ainsi me convaincre de l'existence des manifestations surnaturelles, vous avez pleinement réussi.

– Oui, fit mon ami d'un air détaché. Ils sont d'une intelligence diabolique. Nous le savions déjà.

Je le regardai sans comprendre.

– Me croyez-vous d'humeur à perdre mon temps, alors que le travail presse ? reprit-il. Pensez-vous sérieusement que je sois allé à la chasse au spectre pour m'amuser ? Vous m'avez souvent dit que j'avais besoin de me reposer, mais en vérité, Petrie, ce serait plutôt à vous de le faire.

De la poche de sa robe de chambre, il sortit un lambeau de soie vraisemblablement arraché à un chemisier, le roula en boule et me le lança.

– Sentez !

J'obéis et tressaillis involontairement. L'étoffe exhalait un léger parfum que je reconnaissais. Kâramaneh. Sans aucun doute, cette soie avait été portée par la belle servante de Fu Manchu, par Kâramaneh aux yeux noirs. Nayland Smith m'observait attentivement.

– Vous reconnaissez l'odeur ?

Je replaçai le morceau de soie sur la table et haussai légèrement les épaules.

– Le cas était bien clair, continua mon ami, mais j'ai pensé qu'il valait mieux chercher une confirmation. Il suffisait, pour l'obtenir, de jouer au nouveau locataire des *Gables*.

– Mais, Smith...

– Laissez-moi finir, Petrie. L'histoire des *Gables* ne s'explique que d'une façon : il est évident que l'objet de toutes ces manifestations était d'empêcher quiconque d'y venir habiter. Cette idée m'en suggéra une autre. Je me mis à faire mon enquête, en prenant la précaution de déguiser mon identité. Pour cela, j'eus recours au magasin d'accessoires de Scotland Yard que Weymouth avait mis à ma disposition. Je ne me fis pas connaître de l'agent de location et me présentai comme un étranger qui a entendu dire que la maison était à louer meublée et qui pense qu'elle lui conviendra. Mon enquête avait un but bien précis, mais je manquais de temps pour la mener à bien. J'avais mon idée, comme je vous l'ai déjà dit. Après avoir versé le montant du loyer et reçu les clefs, je revins visiter les lieux, seul. Je fus assez heureux pour m'assurer que mon imagination ne m'avait pas trompé.

« Je me souviens vous avoir étonné, l'autre matin, en vous demandant de me prêter un fort vilebrequin. Je désirais alors, mon cher Petrie, percer le lambrissage des différentes pièces des *Gables*, discrètement, cela va sans dire.

– Je dois vous avouer, mon cher Smith, que je comprends de moins en moins !

Il se leva et commença à marcher de long en large, selon son habitude.

– J'avais questionné Weymouth avec soin en ce qui concernait les tintements de cloche, et des recherches assez fastidieuses m'avaient permis de m'assurer que la maison était en si bonne condition que, du rez-de-chaussée au grenier, il n'existait pas un trou assez large pour laisser passer une souris.

Je devais faire une mine bien étrange, car Smith éclata brusquement de rire.

– Une souris, Petrie ! s'écria-t-il. Avec l'aide du vilebrequin, je modifiai tout cela. Je fis les trous dont je vous parlais tout à l'heure et, devant chacun d'eux, je posai un piège garni d'un succulent morceau de fromage. Ouvrez la valise !

La lumière commençait à se faire dans mon esprit. Je me jetai sur la valise posée sur une chaise et l'ouvris. Une horrible odeur de fromage emplit mes narines.

– Attention aux doigts ! cria Smith. Certains pièges sont peut-être encore armés !

Et je commençai à extraire de la valise des pièges à souris ! Deux ou trois étaient encore armés, mais la plupart avaient fonctionné. J'en posai neuf sur la table. Tous étaient vides. Dans le dixième, affolée de peur, le poil trempé de sueur, était tapie une petite souris blanche !

– Une seule et unique pièce au tableau ! s'exclama mon ami. Cela prouve qu'elles sont bien nourries. Regardez donc sa queue !

Mais déjà j'avais remarqué ce que Smith me montrait, et le mystère des cloches astrales n'en était plus un. Fixées à la naissance de la queue du petit animal, au moyen d'un de ces fils de métal qui servent aux fleuristes pour lier leurs bouquets, pendaient trois petites clochettes d'argent. Je levai les yeux et regardai mon ami, plein d'admiration.

– Enfantin, n'est-ce pas ? dit-il. C'est pourtant ainsi, aussi simplement, que les *Gables* ont été vidés de leurs occupants successifs. La ruse était bonne et difficile à déceler, car, comme je vous l'ai dit, de la cave au grenier de la maison, il n'y avait pas une ouverture par laquelle les souris eussent pu envahir la maison.

– Alors...

– On les avait introduites dans le creux des murs, dans les œuvres vives de la maison, par quelque cave à laquelle, après de courtes incursions sous les escaliers, dans les plafonds, elles retournaient automatiquement pour y trouver la nourriture qu'elles étaient accoutumées d'y recevoir.

Je quittai ma chaise. L'étonnement me rendait muet. Je repris le lambeau de soie qui traînait sur la table.

– Et cela ? Où l'avez-vous trouvé ? demandai-je, les yeux fixés sur le visage de Smith.

– Dans une espèce de cellier, Petrie, sous l'escalier. Il n'y a pas, à proprement parler, de caves aux *Gables*. En tout cas, le plan n'en fait pas mention.

– Mais...

– Mais il y en a une, évidemment ! Et qui doit avoir appartenu à une ancienne construction, détruite en partie, et que les *Gables* ont remplacée. Là, je ne puis que supposer, mais je suis sûr de moi : l'entrée de cette cave est évidemment dans ce cellier. J'en ai deux preuves : ce bout de soie, et aussi le fait qu'au moins une fois, comme je l'appris, le lustre de la bibliothèque a été éteint, mystérieusement. Cela n'a pu être obtenu qu'en manœuvrant l'interrupteur général qui se trouve justement dans le cellier.

– Mais, Smith, m'écriai-je, pensez-vous que Fu Manchu...

– Je pense que le Dr Fu Manchu, me répliqua Nayland Smith en se retournant pour me regarder dans les yeux, a un refuge *sous* les *Gables* depuis une période indéfinie ! J'ai toujours pensé qu'un homme aussi intelligent devait s'être ménagé plusieurs retraites, pour parer à tous les risques. Maintenant, j'en suis sûr ! Ces caves doivent s'étendre très loin et je suis également convaincu – ce que je vérifierai – qu'elles ont une autre entrée par l'atelier qui se trouve sur la route, plus loin. Nous savons maintenant pourquoi nos recherches dans l'East End ont été inutiles, pourquoi la maison de Museum Street était déserte : il s'était terré à Hampstead !

– Mais la main, Smith, la main de feu ?

Smith eut un petit rire.

– La peur vous a anéanti, mon cher, et je ne m'en étonne pas. C'était assez impressionnant. Mais ne vous rappelez-vous pas ce qui vous est arrivé, quand vous avez frappé cette main fantomatique ?

– Il m'a semblé avoir touché quelque chose.

– Et c'est la raison de notre départ précipité. J'ose espérer que notre retraite a eu toutes les apparences d'une déroute. Excusez-moi d'avoir joué de vos terreurs, mais si vous aviez su, vous ne seriez jamais parvenu à *simuler* ! Or, s'ils s'étaient douté que leur ruse était éventée, nous n'aurions pas quitté vivants les *Gables*. J'ai joué une partie serrée.

– Mais...

– Éteignez donc la lampe ! jeta mon compagnon.

J'obéis, sans comprendre. Je tournai l'interrupteur et, dans l'obscurité, devant mes yeux, apparut un poing crispé, menaçant, lumineux !.. On voyait distinctement les os, et la chair semblait de feu !

– Allumez ! s'écria Smith.

J'étais très intrigué. Mon ami reposait sur le bureau une petite lampe électrique.

– Ils ont mis également une lampe dans le manche d'un poignard en verre, fit-il avec une sorte de dédain. Cela produisait un réel effet. Pour la main lumineuse, une torche électrique suffisait.

– Les *Gables* vont être surveillés ?

– Enfin ! Petrie ! Je crois que nous tenons Fu Manchu.

27

LA NUIT DE LA DESCENTE DE POLICE

Nayland Smith frappa le sol du pied avec impatience.

– Quel contretemps, Petrie !

On sonnait à la porte avec insistance, bien qu'il fût minuit passé. Quel pouvait bien être ce visiteur tardif ? Il s'agissait presque certainement d'un cas urgent. Il était écrit que je ne prendrais pas part à l'expédition que nous avions projetée, à l'acte final de la tragédie de Fu Manchu.

– Tout le monde est couché, dis-je. Et comment puis-je recevoir un malade dans cette tenue ?

Nous étions tous deux vêtus très simplement de complets de cheviotte. En prévision d'un dur travail, nous n'avions pas mis de cols, mais des foulards en tenaient lieu. J'étais coiffé d'une grande casquette en tweed. Il m'était vraiment difficile, dans cette tenue, d'exercer mon art.

Nous nous consultâmes du regard par-dessus le bureau, consternés. On sonnait sans arrêt.

– Allons ! Il le faut ! fis-je avec regret. Cela signifie presque à coup sûr une visite et une absence de quelques heures.

Je posai ma casquette sur le bureau, relevai le col de mon veston et m'apprêtai à descendre. Le dernier regard que je jetai à Smith me le montra debout, tiraillant le lobe de son oreille, impatienté de ce contretemps. L'escalier était sombre, ainsi que le vestibule. J'ouvris la porte de la rue. Dans la vague lumière qui nous venait d'un réverbère placé à quelque distance, j'entrevis un homme de taille moyenne, élancé. Ses traits restaient dans l'ombre. Je devinais ses yeux, très grands. Le visiteur qui, malgré la chaleur de cette nuit, portait un lourd manteau d'hiver, était un Oriental !

Je reculai d'un pas.

– Ah ! Docteur Petrie ! fit une voix douce qui me fit tressaillir. Dieu soit loué, c'est vous !

Une sourde émotion m'envahissait. Que me rappelait donc ce jeune et gracieux Oriental ? Où avais-je entendu cette voix douce ?

– C'est le docteur que vous désirez voir ? fis-je.

Je sentis, en posant la question, qu'elle était inutile.

– Vous ne me reconnaissez pas, repartit l'inconnu, dont les dents brillèrent dans un sourire fugitif.

Brusquement, je compris la raison de mon émotion. Cette voix, bien que plus grave, ressemblait étrangement à celle de Kâramaneh, Kâramaneh dont les yeux hantaient mes rêves...

L'étranger s'avança, la main tendue.

– Non ! Vous ne me reconnaissez pas. Mais, moi, je vous ai trouvé et j'en remercie Allah !

Je reculai, tournai le commutateur, le cœur battant, et scrutai les traits du visiteur. Ils étaient d'une beauté toute classique et auraient pu servir de modèle à Praxitèle. La peau était d'or pâle. Les cheveux noirs aux boucles abondantes et les yeux de velours. On eût dit le bel Antinôs, sorti du Nil pour m'apparaître dans la nuit. J'étouffai un cri de surprise et de joie.

C'était Azîz, le frère de Kâramaneh !

Rien ne pouvait être plus dramatique que l'apparition d'Azîz, au milieu d'une nuit que le destin devait rendre mémorable. Je saisis la main tendue, j'attirai le jeune homme à moi, refermai la porte et demeurai un instant immobile, indécis.

Le beau visage se troubla un instant. Son instinct d'Oriental le mettait en garde contre la réserve de mon accueil. Mon hésitation ne se justifiait-elle pas, au moment où je me remémorais la trahison de Kâramaneh, où je me souvenais que celle dont nous avions fait notre amie, que nous avions sauvée de Fu Manchu, s'était retournée contre nous comme la vipère qui mord la main qui la caresse ? Nous allions cette nuit même attaquer le sinistre docteur dans son repaire, porter la main sur ce génie malfaisant et sur ses créatures, dont Kâramaneh. Pourtant, par deux fois, elle avait sauvé ma vie, risquant la sienne...

Évitant le regard du jeune homme, je pris son bras. En silence, nous gravîmes l'escalier et entrâmes dans mon bureau... Nayland Smith, debout de l'autre côté de la table, fixait durement le nouvel arrivant.

Son visage bronzé était impassible, et Azîz, qui s'était précipité, les mains tendues, s'arrêta court, avec un regard pathétique. Cet appel muet de ses yeux de velours me bouleversa.

– Smith ! dis-je sèchement. Vous souvenez-vous d'Azîz ?

– Fort bien, répliqua Smith sans qu'un muscle de son visage ne bougeât.

– Il est venu pour implorer aide et assistance.

– Oui ! oui ! s'écria Azîz, posant la main sur mon bras, d'un geste qui me rappela douloureusement Kâramaneh. Je viens d'arriver à Londres, cette nuit. Oh ! messieurs ! J'ai cherché, cherché, de toutes mes forces. J'ai souvent désiré mourir. Puis je suis arrivé à Rangoon...

– À Rangoon ! coupa Smith avec un regard dur de ses yeux gris toujours fixés sur le garçon.

– Oui, à Rangoon. Là, j'ai su. J'ai su que vous l'aviez vue – que vous aviez vu ma sœur –, et que vous étiez partis pour Londres. Je sais aussi qu'elle est ici.

J'ai demandé partout et tous m'ont répondu : « Oui ». Oh ! Smith Pacha !

Il se jeta en avant et saisit les deux mains de mon ami, impulsivement :

– Vous savez où elle est ! Conduisez-moi à elle !

Smith hésitait visiblement. Dans le passé, nous avions considéré le jeune Azîz comme un ami. Il était dur de le traiter en ennemi. Et pourtant, n'avions-nous pas également fait confiance à sa sœur qui, aujourd'hui...

Smith se tourna vers moi.

– Qu'en pensez-vous, Petrie ? fit-il durement. Pour moi, je pense que nos desseins sont percés à jour.

Il fit un bond soudain en arrière et son regard inquisiteur détailla la silhouette mince, cherchant une arme dissimulée :

– C'est une ruse !

Un long moment, il demeura ainsi à le regarder. Malgré le peu de confiance que j'accorde aux Orientaux, j'aurais juré que l'expression de pénible surprise peinte sur le visage d'Azîz n'était pas feinte. Smith, je le voyais bien, éprouvait la même impression. Il se laissa tomber dans le fauteuil en rotin blanc et, sans quitter Azîz des yeux :

– Je me trompe peut-être sur votre compte, dit-il. Expliquez-vous ! Dites-nous ce qui vous est arrivé.

Les larmes roulaient dans les yeux caressants d'Azîz, si semblables à d'autres yeux qui, dans mes rêves, regardaient dans les miens. Nous regardant à tour de rôle, les mains ouvertes vers le ciel, les doigts crispés, il commença à nous conter son histoire, ses longues recherches...

– C'est Fu Manchu, bons seigneurs, c'est ce *hâkim*, qui n'est pas un homme, mais un *efreet* ! Il nous trouva moins de quatre jours après votre départ, Smith Pacha !.. Il nous trouva au Caire, et il fit tout oublier à Kâramaneh, même moi... Même moi...

Smith serra les dents et demanda brusquement :

– Que voulez-vous dire ?

Pour ma part, je comprenais amplement. Je me souvenais de la facilité avec laquelle le brillant docteur avait opéré sur le pauvre inspecteur Weymouth ; comment, au moyen d'un quelconque sérum recueilli sur un serpent des marais, il avait provoqué une perte complète de mémoire. Il avait dû rendre Kâramaneh amnésique de la même façon. Je sentis le sang se retirer de mon visage.

– Smith ! dis-je.

– Laissez-le parler ! m'interrompit sèchement mon ami.

– Ils essayèrent de nous prendre tous les deux, continuait Azîz de sa voix douce. Je m'enfuis à la course, dans l'espoir de ramener du secours.

Et, secouant tristement la tête :

– Mais, hormis le Tout-Puissant, qui donc est aussi fort que le *hâkim* Fu Manchu ? Je me cachai, messeigneurs, une, deux, trois semaines. J'attendais. Hélas ! Quand je revis ma sœur, elle ne me reconnaissait plus, moi ! son frère ! Elle était en *arabeeyeh* et passait très vite le long de Sharia en Nahhâsin. Je courus, courus derrière la voiture en criant mon nom. Elle se retourna, chercha, me vit et ne me reconnut pas ! Je me sentis mourir et je roulai, évanoui, sur les marches de la mosquée d'Abou.

Il laissa retomber, d'un air las, ses mains expressives et baissa la tête.

– Et ensuite ? fis-je, impatient.

Mon cœur palpitait tel un oiseau pris au piège.

– Hélas ! Je ne la revis pas ! J'ai cherché non seulement dans toute l'Égypte, mais dans l'Inde, et ce n'est qu'à Rangoon que j'ai recueilli les nouvelles qui m'amènent en Angleterre.

Il tendit les mains, d'un geste naïf :

– Et me voici, Smith Pacha !

Smith bondit sur ses pieds et se tourna vers moi :

– Je suis peut-être bien crédule, mais je crois ce que dit Azîz. En tout cas (de la main il arrêta les paroles qui se pressaient sur mes lèvres), vous me direz tout cela une autre fois, Petrie ! Ne prenons pas de risques ! Le sergent Carter est en bas, avec la voiture. Demandez-lui donc de monter. Il restera ici avec Azîz jusqu'à notre retour.

28

LE SABRE DU SAMOURAÏ

Le sourd grondement de Londres qui ne dort jamais semblait bien loin de nous. Nous allions, Smith et moi, côte à côte, sur le sentier étroit conduisant à l'atelier. La nuit était claire, mais sans lune. La petite construction d'un blanc terne, but de notre marche, semblait flanquée d'un arbre solitaire qui se découpait au-dessus du toit vitré et ressemblait à l'un de ces tombeaux de Mokattam Hills, la ville des morts. J'écartai cette idée déplaisante qui me revint, obstinément.

Le sifflet d'une locomotive troua la nuit, indice de cette vie fébrile, incessante, de la plus grande capitale du monde. Autour de nous, le silence, une ombre violette, un ciel pailleté d'étoiles, une nuit d'Orient. Nous étions vingt hommes déterminés. À quelque distance, sur la droite, les *Gables*, la maison sinistre que nous jugions être l'entrée du repaire souterrain du Dr Fu Manchu ; devant nous, l'atelier de peintre, qui, si les déductions de Nayland Smith étaient exactes, masquait la porte dérobée de la mystérieuse retraite.

Au moment où mon ami, avec d'infinies précautions, introduisait la clef dans la serrure, une chouette fit entendre son cri sinistre au-dessus de nos têtes. Je retins mon haleine : ce pouvait être un signal, mais, levant la tête, je vis une silhouette sombre s'élever en oblique depuis l'arbre solitaire et se perdre bientôt dans le bouquet d'arbres qui masquait les *Gables*.

Silencieuse maintenant, la chouette disparut dans l'ombre plus dense des arbres.

Nos plans avaient été étudiés dans leurs moindres détails. Smith poussa la porte comme prévu. Je me plaçai à la droite de mon ami, que j'apercevais confusément, et pressai le bouton de ma lampe électrique...

Je crois qu'en ma qualité de chroniqueur des hauts faits du Dr Fu Manchu – le plus diabolique génie que notre siècle ait connu, l'homme qui rêvait d'un empire jaune universel –, j'ai dû acquérir une certaine facilité de description de l'étrange et du terrible. J'avoue cependant qu'il m'est impossible de traduire l'émotion que j'éprouvai lorsque le jet de lumière de la petite lampe troua l'obscurité de l'atelier et éclaira les traits délicats de... Kâramaneh !

Elle était debout, à quelques pas de nous, vêtue des voiles du harem, les doigts et les bras couverts d'ornements barbares ! D'instinct, je baissai la main et, un instant, je vis les chevilles nues, les bracelets d'or, les petits souliers de cuir rouge.

Je ne prononçai pas une parole. Smith garda le même silence que moi. L'étonnement nous avait rendus muets.

Elle était debout, immobile, le doigt sur les lèvres, nous commandant le silence. Elle était très pâle, sous la lumière de la lampe, mais très belle, et mon cœur battait follement. Nous faisions, à coup sûr, dans cet atelier mal tenu, avec des toiles et des chevalets appuyés contre les murs, un étrange trio bien propre à amuser les dieux nous observant depuis les étoiles.

– Allez-vous-en ! murmura Kâramaneh.

Je vis le mouvement de ses lèvres rouges, l'éclat de ses yeux, lacs de mystère qui narguaient mon âme assoiffée. Elle semblait terrifiée. Je n'étais plus, pour un instant, de ce monde ; j'avais perdu contact avec la vie ; je bâtissais un palais où nous étions seuls, Kâramaneh et moi, où, loin des hommes, je vivrais ma vie à déchiffrer le mystère de ces yeux sombres. Nayland Smith me rappela durement à la réalité.

– Tenez la lampe droite, Petrie ! me souffla-t-il. Mon scepticisme a été fortement secoué cette nuit, mais je ne veux pas courir de risques inutiles.

Il marcha sur la belle silhouette qui, à côté de l'estrade aux modèles, se détachait sur les draperies en peluche. Kâramaneh s'avança à sa rencontre, étouffant un cri dont l'angoisse n'était, à coup sûr, pas simulée.

– Partez ! Partez ! chuchota-t-elle, la voix pressante.

Elle le repoussait de ses mains posée sur son torse.

– Pour l'amour de Dieu, partez ! J'ai risqué ma vie pour venir ici cette nuit. *Il* sait ! *Il* est prêt...

La passion, l'accent firent hésiter Smith. Jusqu'à moi venait le faible, le délicieux parfum, ce mirage qui m'obsédait depuis deux ans. Je fis un pas.

– Ne bougez pas ! murmura Smith.

Kâramaneh, frénétique, s'accrochait à lui.

– Écoutez-moi ! supplia-t-elle, écoutez-moi ! Vous, si habile, vous ne savez pas ce qu'est le cœur d'une femme, vous n'y comprenez rien, rien, si me voyant, m'écoutant, sachant comme vous le savez, ce que je risque, vous doutez encore de ma sincérité. Je vous dis que c'est la mort qui vous attend derrière ce rideau ! Qu'*il*...

– C'est précisément ce que je voulais savoir !

La voix de Smith tremblait d'émotion.

Soulevant brusquement Kâramaneh, il la jeta de côté ; en trois bonds, il était à l'estrade, il arrachait la tenture.

Je ne sais plus ce qu'il advint alors. Confusément, je revois Smith enjamber les plis de l'étoffe, j'entends son cri étouffé :

– Petrie ! Mon Dieu ! Petrie !...

Kâramaneh, pâle comme une morte, me regardait. Elle m'étreignait, mais son charme n'opérait plus sur moi, car je savais, et j'en étais désespéré, que Smith allait à la mort !

Comme un insensé, sans but précis, je repoussai la jeune fille, et pistolet au poing, le rayon de la lampe électrique dirigé sur l'amas d'étoffe pourpre tombé au sol, je bondis en avant.

La tenture masquait une trappe, un trou noir ! Je le compris trop tard. Un cri tremblant de peur et d'angoisse retentit derrière moi. Je tombai, laissant échapper lampe et pistolet, me raccrochant désespérément à des cordons qui filaient entre mes doigts. La tête me faisait mal ; un sourd gémissement m'échappa ; et je tombai, tombai...

Quand je repris conscience, je m'accablai de reproches. Combien de fois m'étais-je déjà jeté, étourdiment, dans de semblables pièges ? Devais-je toujours oublier qu'avec le Dr Fu Manchu toute impétuosité était fatale ? Deux fois déjà nous avions été victimes d'une telle ruse. Nous savions pourtant bien que le plancher d'un atelier à l'usage du Dr Fu Manchu devait être truqué, qu'il ne fallait s'y aventurer qu'après l'avoir sondé, soigneusement...

– L'Anglais est d'esprit si heureusement simple qu'il est possible de concevoir avec une précision mathématique un plan quelconque et de s'en remettre aux Nayland Smith et aux docteurs Petrie pour y jouer leurs rôles. À l'exception de mes deux confidents, tous mes amis sont partis depuis longtemps. Mais ici, dans ces caves oubliées par le temps lui-même, et qui sont, aujourd'hui, aussi secrètes et aussi utiles qu'elles pouvaient l'être il y a deux siècles, j'attends patiemment. Le piège est préparé. Je suis l'araignée qui surveille la mouche !...

Au son de cette voix railleuse, j'ouvris les yeux. Ce faisant, j'essayai de me redresser, pour m'apercevoir que j'étais lié à une lourde chaise d'ébène incrustée d'ivoire, et attaché au sol par deux anneaux de fer.

– L'enfant lui-même apprend par l'expérience, continuait la voix inoubliable, tour à tour gutturale et sifflante, mais toujours aussi calme que si l'orateur eût cherché avec soin les mots les plus propres à rendre sa pensée. L'enfant qui s'est brûlé craint le feu, dites-vous en Angleterre. Mais Mr le commissaire Nayland Smith, qui jouit de la confiance du Bureau indien, qui a tous pouvoirs de contrôle sur la Section des recherches criminelles, n'apprend rien de l'expérience. Il est moins qu'un enfant, puisqu'il s'est jeté lui-même deux fois dans une pièce dont l'air est chargé d'un anesthésique préparé par mes soins, en partant du lycoperdon, appelé communément « vesse-de-loup ».

J'avais complètement repris connaissance et je compris que tout était fini ; nous étions aux mains du Dr Fu Manchu ; la partie était perdue.

J'étais assis dans une cave basse. Le plafond était de briques. Les murs étaient drapés d'admirables étoffes chinoises au fond vert brodées d'une infinité de paons blancs. Un tapis vert recouvrait le sol. Tous les meubles étaient, comme la chaise sur laquelle j'étais assis, en ébène incrustée d'ivoire. Ils étaient peu nombreux, au reste. Tout au plus, une lourde table dans un coin, couverte de livres et de papiers. Devant elle, un lourd fauteuil sculpté à haut dossier. Une seconde table, plus petite, était placée à droite de l'unique porte, une ouverture basse, en partie drapée de rideaux de perles, et au milieu de laquelle pendait une lampe d'argent. Un bâtonnet d'encens dans un brûleur d'argent laissait monter un mince filet de vapeur parfumée. La pièce en était imprégnée, le plafond bleui.

Le Dr Fu Manchu était assis dans le fauteuil à haut dossier. Il était vêtu d'une robe verte brodée d'un dessin que je ne distinguai pas tout d'abord, mais que je reconnus bientôt pour être un immense paon blanc. Il portait, perché tout au sommet de son immense front, un petit bonnet. L'une de ses mains griffues reposait sur la table ; il se tournait légèrement vers moi, une incroyable expression de méchanceté sur son visage impassible.

En dépit de l'incroyable intelligence qui s'y reflétait – ou à cause de cette intelligence –, le visage de Fu

Manchu était absolument repoussant. Ses yeux verts, comme ceux d'un chat dans l'obscurité, brûlaient tantôt comme des feux de sorcière, et tantôt s'éteignaient. Il n'avait, en définitive, rien de l'homme, et tout du diable.

Allongé de tout son long, Nayland Smith gisait à terre. Ses vêtements étaient déchirés. Il avait les bras liés derrière la tête. Un crampon de fer le clouait au sol ; il avait toute sa connaissance et regardait le docteur droit dans les yeux. Ses chevilles nues étaient également enchaînées et fixées à une seconde chaîne qui, tendue en travers du tapis vert, sortait par la porte, pour s'attacher à quelque chose que je ne voyais pas, masqué par le rideau.

Fu Manchu ne parlait plus. J'entendais Smith respirer lourdement. Le tic-tac de ma montre se laissait percevoir. Bien qu'attaché à ma chaise, j'avais les bras et les mains libres. Contre le mur, à portée de ma main, un sabre était appuyé au mur. Il était d'un magnifique travail, japonais sans aucun doute : une longue lame recourbée, damasquinée, montée sur une poignée d'acier à deux mains, incrustée d'or. Je frémis d'espoir. Puis je m'aperçus que le sabre était attaché au mur par une fine chaîne d'acier longue de deux mètres au plus.

– Même si vous aviez la dextérité d'un lanceur de couteau mexicain, fit la voix gutturale de Fu Manchu, vous ne sauriez m'atteindre, cher docteur Petrie.

Le Chinois avait lu ma pensée.

Smith tourna un instant les yeux vers moi pour les reporter aussitôt sur Fu Manchu. Sous le hâle, le visage de mon ami était pâle. Il serrait les dents. Il savait être à la merci de l'ennemi de la race blanche, de cet être inhumain qui ne connaissait pas la pitié, dont le vrai génie était cette froide cruauté, la cruauté délibérée d'une race qui sacrifie chaque année ses filles non désirées par centaines, par milliers, en les jetant dans des puits spécialement creusés à cet effet.

– L'arme non loin de votre main, continuait le Chinois, est le produit d'une civilisation avancée, celle de nos voisins les Japonais, race devant le courage de laquelle je m'incline très respectueusement. C'est le sabre d'un samouraï, docteur Petrie. Il est glorieux et c'est seulement par suite d'une regrettable mésentente avec moi que la noble famille japonaise qui la possédait disparut...

Cette voix doucereuse, où se glissait parfois une note sifflante avant de redevenir froide et monotone, m'exaspérait à la longue. Je remarquai aux muscles des mâchoires de Smith que, dans son impuissance, il brûlait d'une colère au moins aussi violente que la mienne. Toutefois, je m'abstins de tout geste, de toute parole.

– L'ancienne tradition du seppuku ou hara-kiri, continuait le Chinois, vit toujours dans les grandes familles japonaises. C'est un rite sacré, et le samouraï qui se voue à cette fin honorable doit le suivre très exactement. En tant que chirurgien, la nature exacte de la cérémonie pourrait vous intéresser, docteur, mais une description technique des deux incisions que le sacrificateur pratique pour permettre son passage dans l'autre monde serait, d'un autre côté, de nature à déplaire à Mr Nayland Smith. C'est dans cet esprit que je me contenterai de vous instruire sur un point de détail, capable seulement d'intéresser l'observateur. Bref, même un samouraï, et il n'est pas de race plus brave au monde, peut hésiter à parfaire l'opération à laquelle il se soumet. L'arme qui est près de vous, docteur Petrie, est appelée « le Sabre de l'Ami ». Dans le cas envisagé, un ami sûr est chargé, et c'est un grand honneur, de se tenir derrière l'homme courageux qui offre sa vie aux dieux. Si celui-ci, d'aventure, voit son courage faiblir, l'ami, armé du noble fer – sur lequel j'attire tout particulièrement votre attention –, rappelle le hiérophante à ses devoirs et corrige la faute d'étiquette en séparant ses vertèbres cervicales de sa colonne vertébrale au moyen de ce même sabre, placé, je répète, à portée de votre main.

Je commençais à comprendre, confusément. Quand je dis comprendre, je n'envisageais qu'une partie du plan du Dr Fu Manchu. J'étais loin encore de soupçonner dans son entier l'horrible vérité. Je pressentais seulement qu'une épouvantable épreuve allait nous être imposée.

– Je vous tiens en très haute estime, docteur, dit encore Fu Manchu. Vous allez en avoir confirmation. Je nourris des sentiments très différents à l'égard de votre compagnon...

Sous le calme affecté, les accents tour à tour gutturaux ou sifflants décelaient une haine frénétique que j'avais vue éclater parfois en des crises sauvages. J'attendais un éclat de cette colère, qui ne vint pas.

– Je n'admire qu'une seule des qualités possédées par Mr Nayland Smith, et c'est le courage ; je voudrais qu'un homme aussi courageux choisisse lui-même sa fin, s'efface de sa propre volonté devant ce mouvement mondial qu'il ne saurait arrêter. Bref, je voudrais qu'il meure comme un samouraï. Vous demeurerez son ami jusqu'à la fin, docteur Petrie. J'ai pris les dispositions qui s'imposaient.

Il donna un léger coup sur un gong d'argent placé sur le coin de la table. Un Birman trapu, puissant, que je reconnus pour un dacoït, se présenta aussitôt. Il était vêtu d'un vieux costume bleu qui avait dû appartenir à un homme beaucoup plus grand que lui. Mais j'y prêtai peu d'attention. Ce que portait le Birman m'intéressait seul.

C'était une sorte de boîte grillagée d'environ 2 mètres de long, haute du tiers, également large. Un fort châssis, recouvert en haut, aux extrémités et sur les côtés d'un fin grillage. Le fond n'en était pas fermé. Cet appareil semblait être divisé en cinq sections ou plus exactement pouvoir être muni de cinq trappes qu'il était possible de baisser ou de lever à volonté. Ces dernières étaient en bois et évidées à leur partie inférieure. Ces évidements, ou ces arches, étaient de tailles différentes. La première et la dernière étaient très basses et petites. Celle du milieu, au contraire, très grande et touchait presque au haut de la cage.

Cet appareil absorbait toute mon attention. Mais, comme le Birman s'arrêtait à la porte, posant un coin de la cage sur le tapis, je regardai dans la direction du Dr Fu Manchu. Il surveillait lui-même Nayland Smith, montrant ses dents jaunes, des dents de fumeur d'opium, dans un sourire cruel que je connaissais bien.

– Dieu ! murmura Smith. Les six barrières !

– Votre profonde connaissance de mon beau pays vous est fort utile, répliqua Fu Manchu aimablement.

Je regardai mon ami... et j'eus l'impression que le sang se retirait de mon cœur. Si je ne comprenais pas l'usage qui devait être fait de cette cage, Smith semblait le trop bien connaître. Sa pâleur augmentait. Et bien que ses yeux fixassent toujours Fu Manchu avec défi, j'y lisais une indescriptible horreur.

Obéissant à un ordre guttural de Fu Manchu, le dacoït posa la cage de telle façon qu'elle couvrit entièrement le corps de Nayland Smith, à l'exception de sa tête et de son cou. Ses traits durs, couturés et marqués de petite vérole, contractés en une sorte de rictus, le dacoït ajusta les trappes de bois au corps de Nayland Smith et je compris leur but. Elles servaient à diviser un corps humain en six parties à peu près égales. Nayland Smith était maintenant placé sous la cage, le corps divisé en six zones, dont chacune était rigoureusement séparée des autres.

Sa besogne terminée, le Birman se recula et alla s'adosser à la porte. Le Dr Fu Manchu, détournant les yeux du visage de mon ami, les tourna vers moi.

– Mr le commissaire Nayland Smith aura l'honneur d'agir en qualité de hiérophante, s'initiant lui-même aux Mystères, fit-il doucement. Et vous, docteur Petrie, serez l'« ami ».

29

LES SIX BARRIÈRES

Un geste et le Birman disparut, pour réapparaître un instant plus tard, chargé d'un curieux sac de cuir assez semblable à un *sakka*, l'outre arabe. Ouvrant une petite trappe pratiquée à l'extrémité de la cage et faisant communiquer le premier compartiment, celui qui recouvrait les pieds et les chevilles nues de Smith, avec l'extérieur, il y inséra l'entrée du sac, saisit celui-ci par le fond et le secoua vigoureusement. Sous mes yeux épouvantés, quatre rats énormes tombèrent dans la cage !

Le dacoït jeta le sac au loin et referma la trappe. Une sorte de brouillard obscurcit ma vue, au travers duquel je devinais les yeux verts du Dr Fu Manchu, fixés sur moi. Sa voix m'arrivait, lointaine, réduite à un sifflement reptilien.

– Des rats de Canton, docteur Petrie... Les plus méchants du monde... Ils n'ont à peu près rien mangé depuis huit jours !

Puis tout devint indistinct, comme si un peintre avait barbouillé de rouge les détails de la scène. Pendant un temps que je ne pus mesurer, qui me sembla être très long, et ne dura vraisemblablement que quelques secondes, je ne vis rien, je n'entendis rien ; mes perceptions furent abolies. Je fus réveillé, rappelé à la réalité, par un bruit que je ne pourrai jamais oublier.

Les rats criaient.

Le brouillard rouge qui obscurcissait ma vue se dissipa. Avec une horrible passion, j'étudiai l'épouvantable torture à laquelle était soumis Nayland Smith. Le dacoït avait disparu. Fu Manchu observait avec placidité les animaux efflanqués, hideux, qui bondissaient dans la cage. Les rats se remettaient de la peur qu'ils avaient éprouvée et commençaient à...

– Vous avez dû remarquer, dit le Chinois à voix presque basse, ma prédilection pour les humbles alliés. Vous avez connu mes scorpions, mes vipères à cornes, mon homme-babouin. On ignore généralement, je crois, le service que peut rendre un petit animal tel qu'un marmouset, mais il me semble que c'est à un acte irréfléchi de mon préféré que vous devez un assez joli souvenir, docteur...

Nayland Smith poussa un gémissement sourd. J'osai le regarder. Il était d'une pâleur mortelle. Son front ruisselait de sueur. Ses yeux rencontrèrent les miens.

Les rats ne criaient plus.

– Tout dépend de vous, docteur, continuait Fu Manchu. Je crois Mr le commissaire Nayland Smith assez courageux pour supporter la levée de toutes les barrières ; mais je vous sais un ami dévoué, et je vous prédis que vous userez du sabre du samouraï avant la levée de la troisième...

Une plainte basse et continue, frémissante d'horreur, s'échappait maintenant des lèvres du supplicié. Je ne l'oublierai jamais.

– En Chine, conclut le Dr Fu Manchu, nous appelons cette amusante fantaisie les Six Barrières de la Joyeuse Sagesse. La première, par laquelle les rats sont admis, se nomme la Barrière du Joyeux Espoir ; la deuxième, celle du Doute Enjoué. La troisième est poétiquement dénommée la Barrière de l'Extase Vraie, et la quatrième, celle du Doux Souci. J'ai été l'ami très honoré d'un mandarin de haut rang qui supporta la plaisanterie jusqu'à la cinquième barrière (appelée généralement Barrière des Doux Désirs) et l'admission du vingtième rat. Je le mets au rang de mes dignes ancêtres. J'ai supprimé la sixième barrière, ou Barrière Céleste, qui fait pénétrer l'homme dans la Joie de la Complète Compréhension, et lui ai substitué le sabre japonais, coutume aussi vieille qu'honorable. L'introduction de ce nouveau facteur est une idée heureuse dont je suis, à juste titre, fier.

– Le sabre, Petrie ! implora Smith. Épargnez-moi l'humiliation de demander grâce à cette crapule jaune !

Sa voix était méconnaissable, mais il parlait d'un ton ferme.

Mon esprit était devenu terriblement lucide. J'avais évité de regarder du côté du sabre de samouraï, mais je n'avais cessé d'y penser. Ma colère était tombée ; je ne maudissais plus l'être inhumain qui était assis dans son fauteuil d'ébène. Je ne savais rien du passé, l'avenir n'existait plus pour moi. Notre longue lutte contre la bande chinoise, nos rencontres avec les innombrables créatures de Fu Manchu, les dacoïts, Kâramaneh elle-même, j'avais tout oublié. Je ne voyais plus rien de cette étrange chambre souterraine. Je vivais mes derniers moments : j'étais seul avec mon pauvre ami, et avec Dieu.

Les rats criaient maintenant ; ils se battaient.

– Vite ! Petrie ! Vite ! Je faiblis !

Je me tournai et saisis le sabre de samouraï. Mes mains étaient sèches et brûlantes. Elles ne tremblaient pas. J'éprouvai le fil de l'arme sur l'ongle de mon pouce gauche, aussi tranquillement qu'on essaie un rasoir. Elle était affilée à souhait. Je plaçai les mains sur la poignée gravée, me penchai en avant et levai le « Sabre de l'Ami » au-dessus de ma tête. À ce moment, je plongeai dans les yeux de mon ami. Ils brûlaient de fièvre. De ma vie, sur aucun lit de souffrance, je n'avais rencontré une expression pareille.

– La levée de la première barrière est toujours un instant décisif, fit la voix gutturale du Chinois.

Je ne le voyais pas ; je l'entendais à peine, mais je sentais qu'il s'était levé et se penchait pour mieux voir.

– Allez, Petrie ! Maintenant ! Dieu vous bénisse et... adieu !

J'entendis un cri sauvage, éloigné, le bruit d'une lourde chute. J'ose à peine me rappeler cet instant, car le lourd sabre s'abattait déjà quand le bruit me parvint, avec l'espoir !

Comment pus-je détourner le coup, je ne sais. La lame, dans sa course foudroyante, coupa une mèche des cheveux de Smith et entama le cuir chevelu, avant de s'enfoncer profondément dans le sol au-dessus de sa tête.Elle resta là, enfoncée dans le bois de cinq bons centimètres. Étreignant encore la poignée qui vibrait dans mes mains, je tournai la tête et regardai la porte.

Fu Manchu, sa longue main griffue sur le sommet de la cage, se penchait en avant, mais ses yeux verdâtres se tournaient dans la même direction que les miens.

Pâle comme la mort, les yeux brillants d'une généreuse folie, Kâramaneh se tenait sur le seuil !

Elle ne regardait ni le supplicié ni moi, mais le seul Fu Manchu ! D'une main, elle retenait les draperies de la porte, soudain elle leva l'autre. Ses bracelets étincelèrent sous les rayons de la lampe. Elle tenait mon browning ! Fu Manchu fit un bond, la respiration sifflante, au moment où Kâramaneh pointait l'arme sur le haut front. Un coup de feu éclata...

Un point rouge apparut à la racine des cheveux, sous le bonnet noir. Je sentais ma raison m'échapper. L'esprit vide, je considérai la scène stupéfiante, inespérée.

Fu Manchu leva les bras au ciel, et les larges manches de la robe verte glissèrent jusqu'à l'épaule. Puis il porta les mains à la tête, et son bonnet tomba. Il poussait des cris brefs, gutturaux. Il oscilla en arrière, à droite, à gauche, puis tomba en travers de la cage. Il se débattait. On ne voyait plus que le blanc de ses yeux. Les énormes rats gris libérés bondissaient dans la pièce. Deux d'entre eux se précipitèrent au-dehors, effleurant Kâramaneh au passage. Un autre s'élança comme une flèche sous la chaise à laquelle j'étais toujours lié. Le dernier sautait aux murs... Fu Manchu, inanimé, gisait à côté de la cage renversée, sa lourde tête penchée en arrière

J'éprouvai la sensation que j'avais ressentie la

veille, dans la nuit. Je tombais, je tombais... dans un abîme sans fond... Et des bras tièdes m'entouraient le cou, des baisers brûlants se posaient sur mes lèvres...

30

L'APPEL DE L'ORIENT

Deux petites mains m'aidaient à sortir de l'abîme d'inconscience où j'avais été plongé. Je poussai un soupir qui ressemblait à un sanglot et ouvris les yeux.

J'étais assis dans le grand fauteuil de cuir de mon bureau... Une silhouette étrange et belle, dans les voiles du harem, était prosternée à mes pieds. Mon premier regard était pour la plus douce image que le monde m'ait jamais offerte, pour Kâramaneh aux yeux noirs, aux longs cils mouillés de larmes diamantines !

Je ne voyais, je ne voulais voir qu'elle. Peu m'importait que nous fussions seuls ou non dans la pièce. Dans une étreinte brutale de passion, je serrais ces doigts minces chargés de bagues, je me perdais dans le mystère de ces yeux sombres. Comme ils étaient changés ! Pourquoi brûlaient-ils d'une flamme aussi pure ? Pourquoi le désir fou me revenait-il de presser sur ma poitrine cette forme exquise ?

Nous nous taisions. Aucun mot n'aurait pu exprimer la plus faible part de ce que nous ressentions. Hésitante, une main se posa sur mon épaule. Je m'arrachai à mon extase et tournai la tête.

Azîz était debout à mes côtés.

– Remercions le Très-Haut, dit-il. Ma sœur nous est rendue. (Je l'aurais embrassé pour ce pluriel.) Elle se souvient.

Je comprenais tout. Cette adorable fille mi-agenouillée, mi-couchée à mes pieds n'était pas la créature criminelle et pervertie que nous projetions d'arrêter en même temps que les autres serviteurs du docteur chinois. C'était bien la douce compagne que j'avais connue deux ans auparavant, la Kâramaneh que j'avais cherchée en Égypte vainement, au prix de mille fatigues, et que je croyais avoir définitivement perdue dans ce pays de mystère.

Cette perte de mémoire, que Fu Manchu avait artificiellement provoquée, était sujette aux mêmes modifications que tous les états d'amnésie. Le choc provoqué par le combat qu'elle avait livré la nuit précédente l'avait guérie ; la vue d'Azîz avait fait le reste.

L'inspecteur Weymouth était debout près du bureau. Mon esprit s'éclaircissait rapidement. Sans lâcher la main de la jeune fille, la forçant à se mettre debout, je me levai.

– Weymouth, où est ?...

– Il désire vous voir, docteur, répondit l'inspecteur.

Un grand frisson me secoua.

– Mon pauvre Smith ! fis-je, d'une voix brisée.

Le Dr Gray, mon confrère et voisin, apparut sur le seuil comme je prononçais ces mots.

– Tout va bien, Petrie, dit-il. Évidemment, nous sommes arrivés à temps. J'ai cautérisé les blessures et, sauf complications, je crois pouvoir assurer qu'il sera sur pied dans une semaine ou deux.

Je crus que j'allais fondre en larmes. Ma conduite fut en tout cas extravagante. Les bras levés, je me mis à crier d'une voix perçante :

– Dieu soit loué ! Dieu soit loué !

– Allah est grand ! répondit Azîz de sa voix douce chargée de toute la dévotion du musulman sincère.

J'oubliai tout, même Kâramaneh. Je me jetai sur la porte, comme si ma vie eût dépendu de ma rapidité. Sur le seuil, je m'arrêtai et rencontrai le regard de l'inspecteur Weymouth.

– Et qu'avez-vous fait du... corps ? demandai-je encore.

– Nous ne l'avons pas retrouvé. La cave où vous

étiez enfermés s'est écroulée deux minutes après que nous vous en avions retirés !

À l'heure actuelle, ces jours étranges me semblent lointains, irréels. Toutefois, alors que beaucoup de ces affreux souvenirs s'estompent dans ma mémoire, cette soirée vit toujours en moi. J'étais à un tournant de ma vie.

Durant les jours qui suivirent, pendant que Smith se remettait lentement de ses blessures, j'établis mon plan avec soin. Je voulais recommencer ma vie, m'exiler, avec joie, renoncer aux attaches anciennes. Un grand espoir me transportait. De froides paroles ne sauraient exprimer ce que je ressentais alors.

Je ne puis dire que mon ami m'approuvait entièrement ; du moins, il ne me blâmait pas ouvertement. À Kâramaneh, je ne dis rien. Elle s'était remise à moi, une fois pour toutes, du soin de la protéger, et j'en éprouvais une joie infinie.

J'ai toujours voulu, dans ces lignes, me borner à retracer les faits relatifs à la sinistre activité du Dr Fu Manchu ; je ne parlerai donc pas de mes affaires personnelles. J'ai dû souvent mentionner Kâramaneh, la belle Orientale, quand elle était l'esclave de Fu Manchu. Arrachée à la servitude, elle ne doit plus intéresser mes lecteurs. C'est pourquoi, lorsque j'aurai relaté les incidents qui marquèrent notre voyage vers l'Égypte – j'avais l'intention d'exercer au Caire –, je poserai la plume.

Ces incidents dramatiques se produisirent dans la deuxième nuit de mer, entre Marseille et Le Caire.

31

MON OMBRE S'ÉTEND SUR VOUS

Je m'éveillai avec difficulté. Mes nerfs, surmenés par six mois d'une lutte épuisante de tous les instants, se détendaient. Je ne vivais plus dans la peur de m'éveiller un poignard sur la gorge. La nuit ne me paraissait plus une ennemie.

La voix prononçait sans doute mon nom (avait dû prononcer mon nom, plutôt) depuis quelque temps déjà. Je m'éveillai le cœur battant avant que le sentiment de ma nouvelle sécurité me rassure. On éprouve toujours une sorte de crainte irraisonnée à s'éveiller la nuit, surtout dans une chambre inconnue. Je me dressai brusquement, la main crispée au rebord de ma couchette, et tendis l'oreille...

On frappait doucement à la porte de ma cabine. On appelait mon nom, à voix basse et pressante.

Par le hublot, la lune entrait dans ma cabine, et si l'on excepte un vrombissement continu, inévitable sur un grand paquebot, le silence était complet. Je ne pouvais être plus seul, bercé par la Méditerranée. Mais on frappait de nouveau, on criait :

– Docteur Petrie ! Docteur Petrie !

Je repoussai vivement mes couvertures et sautai sur le plancher de ma cabine, à la recherche de mes pantoufles. Une peur confuse m'envahit subitement. Je craignais l'impondérable, une sorte de choc en retour, une réapparition du redouté Chinois. J'ouvris brusquement la porte.

Sur le pont étincelant, noir sur un ciel étoilé, se tenait un homme enveloppé dans un grand caban bleu qui dissimulait mal son pyjama. Ses pieds nus s'enfonçaient dans des babouches rouges. C'était Platts, l'officier radio.

– Je regrette infiniment de vous déranger, docteur, et je crains d'avoir, par la même occasion, réveillé votre voisin ; mais il semble qu'on cherche à nous passer un message, probablement urgent, à vous destiné.

– À moi ? fis-je, au comble de la stupéfaction.

– Je n'ai pas pu déchiffrer, dit Platts, en passant ses doigts dans ses cheveux ébouriffés, et j'ai pensé qu'il valait mieux vous réveiller. Voulez-vous venir ?

Je tournai les talons sans mot dire, passai ma robe de chambre et suivis Platts vers l'arrière.

La mer était très calme. Par le tribord avant, une haute colonne de flammes illuminait le ciel. Platts indiqua de la tête l'étrange lueur.

– Stromboli, fit-il laconiquement. Nous franchirons le détroit vers 9 heures.

Nous gravîmes l'étroite échelle qui menait au pont du radio. À la table, l'assistant de Platts était assis, écouteurs aux oreilles.

– Avez-vous pu l'avoir ? demanda mon compagnon au moment où nous pénétrions dans la pièce.

– L'émission continue, dit l'homme sans bouger, mais toujours par intermittence. Chaque fois que je reçois, je retrouve les mêmes mots : Dr Petrie, Dr Petrie... C'est tout.

Il se tut et se remit à écouter. Je me tournai vers Platts.

– D'où vient le message ?

– C'est le plus curieux de l'affaire. Tenez !

Et, me montrant la table :

– Entre nous et Marseille, droit à l'ouest, se trouve un paquebot des Messageries, et le *Peninsular Oriental* rentrant en Angleterre, que nous avons croisés ce matin. L'*Isis* est devant nous. Je les ai appelés tous deux, et le message ne vient pas d'eux.

– De Messine, peut-être ?

– Non plus, fit l'homme casqué, qui saisit brusquement un crayon et commença à écrire.

Platts se pencha sur le message que l'autre était en train de transcrire.

– Le voilà ! s'écria-t-il. C'est clair, maintenant.

Je contournai la table et me penchai à mon tour sur l'épaule de l'assistant. Je lus : *Dr Petrie... Mon ombre...*

Je pris une bonne inspiration et me retins à l'épaule de l'officier. L'assistant tripotait ses cadrans avec irritation.

– Encore perdu ! murmura-t-il.

– Ce message..., commençai-je.

Le crayon courait sur le papier :*... s'étend sur vous – fin de transmission.*

L'opérateur se leva et retira ses écouteurs. Dans cette étroite cabine au-dessus du paquebot endormi, sur l'étendue bleue de la Méditerranée, nous nous regardions tous les trois. Grâce à la science moderne, quelqu'un, séparé de moi par des centaines, peut-être des milliers de milles d'océan infini, avait parlé, et avait été entendu.

– Pourrais-je savoir de qui émane ce message ? demandai-je.

Platts secoua la tête.

– Ils n'ont pas donné de mot de code, dit-il. C'est étrange, tout comme le message. Et vous, docteur Petrie, n'avez-vous aucune idée ?...

Je le regardai bien en face. Une idée me venait en effet, que je repoussai aussitôt. Cela eût dépassé les possibilités humaines.

N'eussé-je pas vu, de mes propres yeux, son front troué d'une balle, n'eussé-je pas été sûr que ce cerveau prodigieux n'était plus, j'aurais répondu sans hésiter :

– Ce message est du Dr Fu Manchu !

Mes réflexions se trouvèrent brusquement interrompues par un cri lointain qui renforça mes sinistres pensées. Mes deux compagnons sursautèrent aussi violemment que moi. Le message mystérieux n'avait pas été sans les impressionner. Mais alors qu'ils demeuraient immobiles, je bondis hors du poste et dégringolai l'échelle aussi vite que je le pus.

J'avais reconnu la voix de Kâramaneh !

Il m'était impossible d'établir une relation quelconque entre le message reçu et le cri dans la nuit, mais l'instinct m'y poussait. J'étais sûr, maintenant, qu'en effet l'ombre de Fu Manchu s'étendait encore sur nous !

Kâramaneh occupait une grande cabine à l'arrière du pont principal. J'eus donc à descendre du pont supérieur où se trouvait ma cabine au pont promenade, puis au pont principal et à parcourir ce dernier dans toute sa longueur.

Kâramaneh et son frère Azîz, qui occupait une cabine voisine, accouraient. Ils me rejoignirent près de la bibliothèque. Les yeux de mon amie semblaient agrandis par la peur. Son teint sans pareil était sans couleur. Azîz, drapé dans une robe de chambre, entourait d'un geste fraternel les épaules de la jeune fille.

– La momie ! balbutiait-elle ; la momie !

Des portes s'ouvraient. Quelques passagers, que les cris de Kâramaneh avaient réveillés, apparaissaient, plus ou moins habillés. Une femme de chambre accourait à notre rencontre. J'eus cependant le loisir de m'étonner de la vitesse avec laquelle je m'étais déplacé : parti du pont supérieur, j'étais arrivé cependant le premier.

Stacey, le médecin du bord, nous rejoignit bientôt. Devançant les questions que je prévoyais :

– Allons dans la cabine du Dr Stacey, dis-je en prenant le bras de Kâramaneh. Il vous donnera un somnifère.

Je me tournai vers le groupe :

– Ma patiente a éprouvé un grand choc nerveux, expliquai-je, et il lui arrive de souffrir de somnambulisme.

Je remerciai du geste la femme de chambre qui offrait ses services, et nous entrâmes sans plus tarder dans la cabine du docteur, située sur le pont supérieur. Stacey referma soigneusement la porte. C'était un ancien camarade de faculté et il en savait déjà beaucoup sur Kâramaneh et Azîz.

– Je crains qu'un mauvais coup ne se prépare, Petrie, fit-il. Grâce à votre présence d'esprit, nous éviterons les commérages du bord.

Je regardai Kâramaneh. Ses yeux ne me quittaient pas. Elle était toujours dans cet état de terreur muette où je l'avais trouvée. Très pâle, son regard avait une expression enfantine, détachée, qui me faisait tout craindre. Le choc nerveux qu'elle venait de subir n'allait-il pas provoquer une nouvelle amnésie ? Stacey partageait apparemment mes craintes :

– Vous avez été effrayée, fit-il doucement en s'asseyant sur le bras du fauteuil occupé par la jeune fille et en lui tapotant paternellement la main. Racontez-nous cela.

Lentement, comme avec peine, la jeune fille se détourna de moi et fit face à Stacey ; une rougeur fugitive empourpra ses joues, pour les laisser plus pâles encore. Elle saisit la main du docteur Stacey dans les siennes et me regarda de nouveau.

– Prévenez immédiatement Mr Nayland Smith ! dit-elle, la voix tremblante. Il faut le mettre en garde !

Je me levai brusquement.

– Comment ? fis-je. Qu'est-il arrivé, pour l'amour de Dieu ?

Azîz, qui paraissait aussi anxieux que moi d'être mis au courant des événements de la nuit, était aux genoux de sa sœur, les yeux levés vers elle, et pleins de l'étrange amour, de cette adoration qu'il éprouvait pour elle. Il me fit un rapide signe de tête.

– Quelque chose... (Kâramaneh s'arrêta, frissonnante)... une chose horrible qui semblait une momie déliée de ses bandelettes, est entré dans ma chambre cette nuit, par le hublot...

– Par le hublot ? répéta le Dr Stacey, incrédule.

– Oui ! Par le hublot ! Un être très grand, et mince. Il portait des bandes, des bandes jaunes autour de la

tête. On ne voyait que ses yeux, ses yeux brillants... Ses épaules, ses jambes étaient nues...
– C'était... ?
– Oui ! Un homme à la peau brune.
Kâramaneh, devinant ma question, secoua la tête affirmativement, et sa belle, sa miroitante chevelure, se dénouant, inonda ses épaules.
– ... Un homme très grand, maigre, une sorte de squelette, qui se penchait en avant et avançait des mains menaçantes, comme ceci !
– Un étrangleur ! Un thug ! m'écriai-je.
– Il... elle... la chose, la momie m'aurait sûrement étranglée, si j'avais dormi. Elle se penchait sur ma couchette et cherchait, cherchait...
Je serrai les dents.
– Mais j'étais dans le fauteuil...
– La lumière était allumée ? interrompit Stacey, surpris.
– Non, répondit Kâramaneh, éteinte.
Elle se tourna vers moi et rougit délicieusement :
– Je pensais. Tout cela n'a duré que quelques secondes, en silence. Quand la momie s'est penchée sur la couchette, j'ai ouvert la porte et bondi dans le couloir. Je crois que j'ai crié, involontairement. Oh ! Docteur Stacey, il n'y a pas un instant à perdre ! Mr Nayland Smith doit être immédiatement prévenu. Quelque horrible serviteur du Dr Fu Manchu est à bord de ce navire !

32

LA TRAGÉDIE

Nayland Smith, en pyjama, s'appuyait à la table de toilette. La petite cabine était pleine de fumée. Mon ami, sa pipe noircie serrée entre les dents, regardait rêveusement les volutes qui s'échappaient du fourneau. Il réfléchissait intensément et, comme il n'avait pas le moins du monde paru étonné de l'attentat commis sur Kâramaneh, j'en conclus qu'il avait prévu ce qui s'était produit. Brusquement, il se leva, sans me quitter du regard.

– Votre habileté a sauvé la situation, Petrie. Vous avez manqué de sang-froid, cependant, quand vous m'avez proposé de faire fouiller et d'interroger tous les hommes servant à bord. Notre jeu est au contraire d'avoir l'air de tout ignorer, de croire que Kâramaneh a fait un mauvais rêve.

– Mais Smith..., commençai-je.

– C'est inutile, Petrie, coupa-t-il. Vous devez bien penser que j'ai envisagé la possibilité de la présence à bord d'un serviteur de Fu Manchu. Je puis vous assurer qu'aucun des Indiens qui sont à bord ne répond au signalement donné par notre jeune amie. Selon elle, nous devons chercher (sans nous préoccuper de momie, bien entendu) un homme exceptionnellement grand et remarquablement mince, puisqu'il a pu entrer par le hublot. En résumé, le serviteur de Fu Manchu qui a attenté à la vie de Kâramaneh se cache à bord de ce navire, ou bien, s'il ne se dissimule pas, il est déguisé.

Avec la clarté de vue qui lui est propre, Nayland Smith avait magistralcment résumé la situation ; mentalement, je passai en revue les passagers et les membres de l'équipage qui m'étaient familiers, et je dus, in *petto*, reconnaître que mon ami avait raison. Il continuait, allant et venant sur l'étroite bande de tapis de la table de toilette à la porte :

– De ce que nous savons de Fu Manchu et de son groupe (qui lui survit, ne l'oubliez pas), nous pouvons assurer que le message radio n'a pas été simple accessoire de mélodrame, mais a joué un rôle bien défini, et utile. Vous, Petrie, dormez dans une couchette du pont supérieur ; moi aussi. Notre lutte avec les Chinois nous a donné l'habitude de dormir fenêtres fermées. Votre hublot était donc vissé, tout comme le mien. Kâramaneh occupe une cabine du pont principal, son frère également. Depuis que le navire est dans le détroit de Messine, le beau temps aidant, les stewards ne ferment plus les hublots la nuit. Nous savons que celui de la cabine de Kâramaneh était ouvert. Par conséquent, tout attentat commis sur nos personnes devait porter sur Kâramaneh qui, après vous, Petrie, et moi, est évidemment l'adversaire le plus dangereux du Dr Fu Manchu.

J'étais absolument de cet avis. La force des raisonnements de Smith était remarquable.

– Vous aurez noté, continua-t-il, que la cabine de Kâramaneh est au-dessous de la vôtre. À un appel de sa part, vous deviez, normalement, répondre le premier, avant moi, par exemple, qui dors de l'autre côté du bateau. C'est ainsi que j'explique ce message radio volontairement mal transmis, caractéristique de l'ingéniosité de la bande. L'étrangleur est ainsi parvenu à vous éloigner de votre cabine et à opérer en toute tranquillité.

Mon étonnement croissait. Ces événements successifs qui, à première vue, n'avaient entre eux aucun lien, s'ordonnaient sous mes yeux et devenaient les phases d'un drame minutieusement réglé par un génie criminel. J'étudiai les traits de mon ami et compris quelle avait été la prodigieuse intelligence de Fu Manchu, la comparant à celle de Smith que j'estimais déjà très vive. L'habile Chinois avait vaincu, en un sens, l'homme remarquable qui était devant moi. Je devais reconnaître, en cela du moins, qu'il était un maître dans l'art du mal.

– Je considère cet incident, continuait Smith, comme un attentat posthume du docteur ; un legs de haine, une attaque dont les résultats auraient pu être désastreux : Fu Manchu, mort, pouvait réussir là où, vivant, il avait échoué. L'un de ces bandits diaboliques est à bord. C'est l'évidence même. Comme toujours, nous devons opposer la ruse à la ruse. N'en appelons pas au capitaine, ne provoquons aucune perquisition, aucune visite des passagers ou de l'équipage. L'attaque n'a pas donné le résultat escompté ; d'autres viendront. Pour l'instant, vous allez reprendre votre rôle de médecin attaché à la personne de Kâramaneh et dire à qui voudra l'entendre qu'une légère rechute affecte les nerfs de votre malade et trouble ses nuits. Vous vous tirerez très bien de votre mission, je pense ?

Je fis un rapide signe d'assentiment.

– Il n'y aura pas d'enquête, mais je crois que l'ordre de garder les hublots fermés ne tardera pas à être donné, à la moindre menace de mauvais temps ou dès que nous aurons franchi le détroit.

– Vous voulez dire...

– Ne changeons rien à nos habitudes. Cette nuit même, nous pouvons nous attendre à du nouveau. Nous verrons, par la suite, à parer aux dangers que nous aurons à courir.

– Fasse le Ciel que nous y échappions ! dis-je avec ferveur.

À peine arrivé dans la salle à manger pour le petit déjeuner, je fus en butte, dès le matin, aux pressantes questions et à la sollicitude de Mrs Prior, la commère du navire. Sa chambre était voisine de celle de Kâramaneh et les cris de la jeune fille, la nuit, l'avaient éveillée. Fidèle à ma consigne, je m'étendis abondamment sur l'état nerveux de ma patiente et les rêves étranges ou affreux qui l'assaillaient. Je dus reprendre plusieurs fois mes explications avant de pouvoir gagner la table d'angle qui nous était réservée.

Les règles très strictes de la société anglo-indienne avaient menacé, pendant les premiers jours du voyage, d'isoler Kâramaneh et Azîz, coupables d'avoir dans leurs veines du sang oriental. L'attitude de Smith, et le commissaire de la Birmanie n'est pas un mince personnage, avait beaucoup contribué à abaisser la barrière ; la radieuse beauté de la jeune fille avait fait le reste. De fait, la société de Kâramaneh et de son frère à la beauté si romantique était universellement recherchée. La dernière marque d'intérêt vint de l'évêque de Damas, vieil homme bienveillant dont les lointaines origines orientales n'étaient pas douteuses, et qui occupait une table voisine de la nôtre. Au moment où je prenais place devant mon porridge, il pivota sur sa chaise et se pencha à mon oreille.

– Mrs Prior vient de me dire que votre belle amie avait été souffrante cette nuit, dit-il doucement. J'ose espérer que cette indisposition n'aura pas de suite. Cette jeune fille est bien pâle, cependant.

Je me tournai vers lui, avec un sourire. Maladroitement, je le heurtai, et le pauvre évêque, qui venait de faire un assez long séjour en Angleterre pour y suivre un dur traitement, après une typhoïde assez grave, retint une exclamation de douleur.

Malgré ses traits, légèrement orientaux, il eût pu poser pour un Sadler, tant sa tête fine et petite semblait déplacée sur son corps volumineux.

– Me pardonnerez-vous ma maladresse ? fis-je.

Pour toute réponse, il leva un doigt couleur de vieil ivoire d'un geste désapprobateur et me sourit.

Le pauvre homme était infecté de bacilles typhiques et ses « humeurs malignes » avaient dû trouver une issue. Il marchait péniblement sur deux cannes, tout courbé. Il avait été nécessaire de lui gratter l'os du pied gauche, et je comprenais bien la souffrance que ma maladresse avait dû lui causer. Mais, déjà, il écartait mes excuses, s'informant avec intérêt de la santé de Kâramaneh, avec la douceur et l'aménité qui lui avaient valu à bord de chaudes sympathies.

– Je vous remercie, monseigneur, de votre sollicitude. J'ai assuré la malade qu'elle trouverait la nuit prochaine un sommeil calme. Ma réputation professionnelle est en jeu, et je la soutiendrai.

De fait, la compagnie était agréable et la journée s'écoula sans histoire. Smith passa de longues heures avec le premier lieutenant et visita avec lui les parties les plus reculées du navire. J'appris plus tard qu'il avait exploré le quartier des serviteurs indigènes, le gaillard d'avant, la salle des machines, les chaufferies et même la soute, mais tous ces mouvements, ces allées et venues furent effectués avec une telle discrétion qu'ils passèrent inaperçus.

À l'approche du soir, au lieu et place de l'animation qui règne habituellement à l'heure du dîner à bord, j'éprouvai une certaine contrainte, un peu de cette appréhension qui me dévorait, aux temps de nos luttes avec Fu Manchu, avant l'action ou l'attaque d'un des agents de mort du docteur jaune. Je ne m'expliquai jamais ce phénomène.

Mes pressentiments devaient se réaliser. La nuit qui tombait allait, et au-delà, les justifier. Aujourd'hui encore, j'éprouve la plus grande difficulté à dépeindre le désespoir qui vint me terrasser.

Je serai bref. Quelques minutes avant le commencement du repas, alors que tous les passagers, ou presque tous, étaient réunis et placés, un cri s'éleva à l'arrière du pont supérieur, un cri qui fut rapidement repris par d'autres voix, et qu'un steward répéta machinalement à mes côtés :

– Un homme à la mer ! Un homme à la mer !

Tous mes pressentiments me revinrent. En un instant, je fus sur le pont. Contournant un canot, je me penchai au bastingage, regardant vers l'arrière.

Tout d'abord, je ne vis rien. Le télégraphe de la salle des machines sonna quelques coups précipités. Les hélices stoppaient. Puis, sur une nouvelle sonnerie, elles recommencèrent à tordre les flots avec violence, faisant trembler la carcasse du navire, d'où je conclus que nous faisions à toute vitesse machine arrière. Fouillant du regard le sillage du navire, j'avais conscience de l'agitation qui gagnait le bord, des mouvements rapides de l'équipage et des commandements brefs du troisième officier. Subitement, je vis ce que je mis des jours et des nuits à oublier.

Sur le bord de la ligne d'écume que le navire laissait derrière lui, j'aperçus les manches d'une veste blanche et un chapeau mou ballottés par les vagues.

Les manches semblèrent s'agiter, décrire dans l'air des mouvements désordonnés, puis elles glissèrent sur la crête miroitante d'une vague et disparurent. Seul le chapeau resta.

Une veste blanche, un chapeau de feutre gris ! L'homme à la mer était Nayland Smith !

Je ne puis espérer décrire par des mots l'impression que j'éprouvai alors. Ce fut une complète solitude qui se referma sur moi comme une main de glace.

Sauter par-dessus bord pour me porter à son secours fut ma première pensée.Mais le faire eût été une sottise. L'homme était déjà à un demi-mille sur l'arrière. D'autres que moi avaient vu la veste et le chapeau qui flottaient : parmi eux, le troisième officier qui se tenait maintenant debout à l'arrière du canot mis aussitôt à la mer. Le navire modifiait déjà sa route, décrivant un immense arc de cercle autour de la frêle embarcation qui dansait sur les vagues bleues...

De l'heure qui suivit, je ne puis rien écrire. Malgré mon intimité avec Smith, je ne savais s'il était bon nageur. Il n'en était rien, à en juger par la rapidité avec laquelle il avait coulé en eau calme. Quand le canot parvint au lieu de l'accident, aucune trace de Smith ne subsistait. Seul, le chapeau flottait encore.

33

LA MOMIE

Aucun de nous ne voulut dîner ce soir-là. Kâramaneh m'avait étreint les mains, sans un mot et, les yeux pleins de larmes, s'était retirée dans sa cabine. Elle ne réapparut pas. Écroulé sur ma couchette, je regardais devant moi sans voir. Le monde avait pour moi changé d'aspect ; le navire, la mer, le ciel étaient autres. Le pauvre vieil évêque, mon voisin, avait, à plusieurs reprises, passé la tête à la porte. Il semblait s'être courbé davantage sur ses cannes. Il essuyait fréquemment ses lunettes. Il n'avait pas osé prononcer un mot, sentant mon désespoir par trop violent.

Quand il me fut de nouveau possible de penser, je me trouvai en face d'un grand problème. Devais-je aviser le commandant du navire ? Pouvais-je espérer mettre la main sur le séide de Fu Manchu par mes seuls moyens ? Que la mort de Smith pût être un accident, je ne le crus pas un instant. Il était impossible de ne pas la rapprocher de l'attentat commis sur Kâramaneh. Dans ma douleur et mon doute, je résolus de prendre conseil du Dr Stacey. Je me levai et gagnai le pont.

Les passagers que je rencontrai sur ma route m'accueillirent de leurs regards émus. Tout au contraire, l'attitude de Stacey me surprit et me peina.

– Je parierais tout ce que je possède – c'est peu, il est vrai – que ce n'est pas là le travail de votre ennemi, me dit-il.

Quant aux raisons qui le poussaient à porter une telle appréciation, il refusa tout net de me les exposer, me conseillant de veiller et d'attendre avant de faire une quelconque communication au commandant du navire.

Maintenant, je puis regarder en arrière : je retrouve l'amertume des heures que je vécus alors. Je ne supportais pas la vue de mes semblables. J'évitais même Kâramaneh et Azîz. Je m'enfermai dans ma cabine et restai affalé sur un siège, dans l'obscurité croissante. Le steward frappa à ma porte pour me demander si je n'avais besoin de rien, et je le congédiai brutalement. C'est ainsi que je passai la soirée et une grande partie de la nuit.

Les groupes de promeneurs qui passaient devant ma cabine parlaient invariablement de la fin tragique de mon pauvre ami ; peu à peu, avec la nuit, le pont se fit désert. Un silence m'enveloppait maintenant que je préférais à la présence de quiconque, sauf de celui, qui, hélas, ne pouvait m'être rendu.

J'avais perdu la notion du temps. J'étais, je crois, sur le point de céder au sommeil, dans mon fauteuil ; j'étais en tout cas bien mal éveillé quand, brusquement, un homme, qui semblait s'être tapi le long de la cloison de ma cabine, se dressa et regarda par le hublot, que je n'avais pas fermé.

Il devait être de haute taille pour pouvoir l'atteindre. Dans la nuit, je ne distinguai pas ses traits, mais sa silhouette, qui se détachait sur un canot blanc, ne me parut pas familière. Sa tête, petite, semblait entourée de bandelettes. Les épaules larges donnaient une étrange impression d'irréel. Bref, la grande ombre que je distinguais par le hublot ressemblait à une momie !

Au premier moment, je restai interdit, puis, sortant de l'apathie dans laquelle j'étais plongé, je me levai vivement et vins à la porte que j'ouvris. Je regardai sur le pont : il était absolument désert.

Je compris aussitôt qu'il était inutile de questionner l'officier de quart de ce qu'il avait pu apercevoir ; de la passerelle, on ne voyait pas ma cabine, pas plus que celle de l'évêque, mon voisin.

Je demeurai quelques minutes à la porte à me demander, avec un parfait sang-froid, du reste, si j'avais vraiment vu mon ennemi, ou bien si mon imagination ne m'avait pas joué un mauvais tour. Bien plus tard, je sus la vérité. Refermant la porte de ma cabine, je me jetai sur ma couchette et m'endormis bientôt d'un lourd sommeil.

Mon réveil fut des plus pénibles ; je ne voulais pas croire que je ne rencontrerais pas Smith sur le pont, la vieille pipe de bruyère fumante entre les dents. Je dus aller jusqu'à sa cabine pour m'en convaincre. Le malheur qui me frappait me semblait encore une fiction, un mauvais rêve dont j'allais bientôt m'éveiller. De fait, je ne me rappelle rien du jour qui s'écoula ni du lendemain, à deux exceptions près : l'attitude du

Dr Stacey, qui semblait m'éviter avec soin, et un fait étrange que mentionna le second, alors que nous arpentions côte à côte le pont principal.

– Je ne crois pas avoir dormi pendant mon quart, docteur Petrie, et pourtant, la nuit dernière, il m'a semblé qu'une ombre passait par-dessus le bastingage, juste à l'arrière de la passerelle, et traversait le pont avant de disparaître.

Je le regardai, étonné.

– Cela venait de l'eau ?

– Cela m'étonnerait, fit-il avec un sourire. Du pont inférieur, plutôt.

– Un homme ?

– On aurait dit un homme de haute taille. Il a filé comme un poisson et je ne l'ai pas revu jusqu'à la fin de mon quart. À vrai dire, je n'en ai pas parlé, car je crains d'avoir légèrement somnolé. Le quart de minuit est mauvais et, à cet endroit, la navigation est si facile que c'est un jeu d'enfant.

J'étais sur le point de lui confier ce que j'avais vu moi-même, mais quelque chose me retint. Cependant, je n'ignorais pas que, si j'avais parlé, il aurait aussitôt attaché une importance extrême à l'incident : il était douteux que nous ayons rêvé, tous deux, au même instant. Une présence dangereuse hantait le navire, j'en étais sûr ; pourtant, je demeurai passif, abîmé dans le chagrin.

Le paquebot devait atteindre Port-Saïd à 8 heures du soir, mais l'accident tragique nous avait retardés : j'appris que, selon toute probabilité, nous n'arriverions que vers minuit, et que le débarquement n'aurait lieu que le lendemain matin. Kâramaneh qui, tout le jour, avait cherché des yeux le pays natal, était résolue à rester debout jusqu'à l'arrivée, quand une communication fut affichée qui nous informait que le navire n'arriverait pas au port avant 2 heures du matin. Même les passagers les plus enthousiastes se résignèrent alors à retarder l'heure du premier salut à la terre des pharaons et à renoncer à l'un des plus beaux spectacles que le monde puisse nous offrir, je veux dire la vue de Port-Saïd la nuit.

Pour ma part, je dois avouer que j'avais perdu tout intérêt pour notre arrivée et que je n'en attendais aucune joie. Je voyais des larmes dans les yeux de Kâramaneh et je me rendais compte que ma froideur à son égard devait profondément l'attrister. J'avais reçu le coup le plus douloureux de ma vie, et la présence de ma belle compagne ne me consolait pas de la perte de mon plus cher ami.

Les lumières de la côte égyptienne se devinaient dans le lointain quand le dernier groupe de traînards se dispersa. J'avais depuis longtemps prié Kâramaneh de rejoindre sa cabine. Le cœur lourd, je gagnai la mienne, me déshabillai machinalement et me couchai. Que cela paraisse singulier ou non, j'avais, depuis la nuit tragique, négligé toutes précautions. Je ne nourrissais pas de désir de vengeance contre notre ennemi mystérieux ; j'étais étrangement sûr qu'il ne s'attaquerait plus à nous, qui restions. Je n'avais fait aucune démarche pour obtenir la fermeture des hublots. Cette nuit, en vue de la côte égyptienne, ils étaient grand ouverts. Fait qui ne me frappa guère sur le moment, mais que je ne devais, par la suite, pas oublier.

La nuit était très chaude, et je me félicitai que le hublot de ma cabine fût béant. Puis je réfléchis que les ouvertures du pont inférieur devaient également être ouvertes. J'éprouvai soudain une certaine appréhension. Je me redressai sur ma couchette et j'allais me relever quand je me ravisai subitement.

Les passagers étaient depuis longtemps dans leurs couchettes. Le grand navire était silencieux. Nous n'étions pas encore assez rapprochés du port pour que les préparatifs de mise à quai aient commencé.

Et la silhouette étrange que j'avais déjà entrevue s'encadrait dans le hublot ouvert !

Je ne bougeai pas et simulai le sommeil. L'inconnu devait, dans la pénombre, me voir assez distinctement. Pendant trente secondes peut-être, cette décharnée rappelant une momie m'étudia ; de mon côté, les paupières mi-closes, je l'observais, tout en respirant régulièrement. Puis, sans plus de bruit que n'en aurait fait un chat, elle s'éloigna sur le pont. Je jugeai de sa taille au fait que sa tête, curieusement enveloppée, restait visible, malgré l'éloignement, jusqu'au moment où il contourna le canot blanc voisin de ma cabine.

Avec précaution, je glissai à bas de la couchette et m'approchai à mon tour du hublot : l'homme-momie était en pleine lumière. Il s'était couché sous le canot suspendu à ses haussières et semblait occupé à fixer au bastingage les deux crochets métalliques d'un objet qu'il me semblait reconnaître, une sorte de corde très souple portant des échelons de bambou.

Ainsi que Kâramaneh l'avait indiqué, l'être était extraordinairement mince. Ses reins étaient ceints d'étoffe blanche et sa tête portait une sorte de turban, ne laissant voir que les yeux. Les jambes nues étaient d'un brun foncé.

Mon automatique était dans ma malle de cabine et, dans le noir, il ne fallait pas songer à le prendre sans faire de bruit. Ne sachant que faire, je restai immobile, observant l'homme. Après avoir fixé solidement son échelle, il rejeta l'extrémité par-dessus bord, passant devant le bossoir du canot, et s'apprêta à descendre. Il jeta un rapide regard autour de lui. À cet instant, je compris sa mission.

Un cri s'échappa de mes lèvres. Je me précipitai sur la porte, l'ouvris violemment et courus vers lui. Je n'avais aucun plan précis. J'étais sans arme et l'assassin eût pu sans difficulté mettre son dessein à exécution, parvenir à ses fins sans que je puisse rien faire, si une autre intervention ne s'était produite...

Au moment où l'individu, dont la tête était maintenant au niveau du pont, m'aperçut, il s'arrêta court. Au même instant, un coup de revolver claqua.

Avec un cri sourd, l'homme tomba, se raccrocha de

ses doigts jaunes aux tôles du pont et, avec une rapidité et une vitesse inconcevables, suspendu par les mains, fit une dizaine de mètres vers l'arrière, puis, d'un rétablissement, reprit pied.

Une deuxième détonation éclata, et une voix (mon Dieu ! étais-je devenu fou ?) se fit entendre distinctement :

– Emparez-vous de lui, Petrie !

Stupéfié, j'étais resté immobile, quand une forme surgit du canot : un homme, simplement vêtu d'un pantalon et d'une chemise. Il se jeta à la poursuite de la momie qui avait disparu au coin du fumoir. Pardessus l'épaule, il me cria :

– La cabine de l'évêque ! Que personne n'y entre !

Je me pris la tête entre les mains. Elle était brûlante. Je croyais devenir fou !

L'homme qui traquait la momie était Nayland Smith !

Dans la cabine de l'évêque, Nayland Smith, son visage maigre trempé de sueur, maniait d'étranges objets de caoutchouc qui jonchaient le sol, parmi les vêtements abandonnés de l'évêque. Le lit était vide.

– Des coussins pneumatiques ! Et voici des poires à air pour distendre les joues ! fit-il en rejetant à terre avec dégoût deux petits ballons. Je l'ai reconnu à ses mains et à ses poignets, Petrie. Il portait les manches très longues, mais ne pouvait pas cependant dissimuler entièrement ses poignets osseux. L'observer sans être vu était impossible. De là ma ruse : jeter un mannequin par-dessus bord, calculé pour flotter au plus dix minutes ! Il en flotta quinze, et je vous prie de croire que je passai un mauvais moment !

– Smith ! Comment avez-vous pu me faire subir...

– Mon vieil ami, répondit-il en me mettant la main sur l'épaule, je ne pouvais faire autrement, croyez-moi. De ce canot, sur le pont, je pouvais voir dans sa cabine, mais je n'osais quitter mon observatoire que de nuit ! Le second m'a aperçu une fois, et j'ai bien cru que mon stratagème était éventé. À coup sûr, il n'en a pas parlé.

– Mais pourquoi ne pas vous être confié à moi ?

– Impossible ! J'ai failli céder à la tentation la première nuit ; n'oubliez pas que je vous voyais, dans votre cabine.

Et il m'administra une nouvelle tape sur l'épaule :

– Cher vieux Petrie ! Le Ciel soit loué pour l'amitié que vous me portez ! Mais vous admettrez tout le premier que vous savez très mal simuler ! Connaissant ma présence à bord, votre joie n'aurait, malgré vos efforts pour la dissimuler, trompé personne ! C'est pourquoi je me suis servi de Stacey, sur les traits duquel on lit bien moins facilement que sur les vôtres ! Eh bien, mon cher Petrie, j'ai failli prendre notre homme la première nuit ! La première ruse avait échoué, la radio pour vous éloigner, et le reste, et il savait que le coup du hublot serait impossible à faire en pleine mer. Il risqua le tout pour le tout. Il jeta son déguisement et vint rôder autour de votre cabine. Vous vous en souvenez ? Vous ne dormiez pas. Je ne bougeai pas. Je le laissai regagner sa cabine. Je voulais le prendre sur le fait.

– Avez-vous une idée de... ?

– Ce qu'il est ? Aucune ! Pas plus que je ne sais où il est actuellement ! Je pense que c'est une des créatures de Fu Manchu, spécialement choisie pour ce joli rôle, un homme cultivé, à coup sûr, d'origine thug. Je l'ai touché à l'épaule ; mais il n'en a couru que plus vite. Nous avons fouillé le navire, sans résultat. Il est possible qu'il se soit jeté à l'eau pour gagner la terre à la nage...

Nous montâmes sur le pont. Autour de nous, cette inoubliable scène : Port-Saïd la nuit. Le navire courait maintenant sur son erre, sans bruit. Smith prit mon bras et nous nous dirigeâmes vers l'avant. Au-dessus de nos têtes, la splendeur de la nuit égyptienne ; autour de nous, le tumulte de l'Extrême-Orient.

– Je donnerais cher pour connaître la véritable identité de l'évêque de Damas, murmura Smith.

Il s'arrêta brusquement et m'étreignit violemment le bras. Dans un bruit de chaîne, la maîtresse ancre glissait à l'eau. Mais, dominant le tumulte, un grand cri, inhumain, effroyable, un cri à vous glacer le cœur, retentit. L'ancre s'enfonça dans l'eau du port. Le cri s'était éteint. Smith me fit face ; ses traits étaient décomposés.

– Nous ne saurons jamais, Petrie, me souffla-t-il, et que Dieu lui pardonne. Il doit être en bouillie, maintenant. Avez-vous entendu ? Le malheureux était caché dans le puits aux ancres !

Une petite main prit la mienne. Je me retournai. Kâramaneh était près de moi. J'entourai ses épaules de mon bras et la pressai contre moi ; et je dois avouer que tout le reste fut oublié.

Un instant indifférent à la rumeur qui s'élevait sur le gaillard d'avant, Nayland Smith nous considéra. Puis avec un de ses rares sourires, il se détourna et partit vers l'arrière.

– Après tout, vous avez peut-être raison, Petrie ! dit-il.

IMPRIMÉ EN FRANCE PAR BRODARD ET TAUPIN
Usine de La Flèche (Sarthe).
ISBN : 2 - 7024 - 2718 - 9
ISSN : 0768 - 1089

BLUFF YOUR WAY IN PHOTOGRAPHY

JOHN COURTIS

RAVETTE BOOKS

Published by Ravette Books Limited
Egmont House
8 Clifford Street
London W1X 1RB
(071) 734 0221

First printed 1987
Revised 1992
Reprinted 1993

Series Editor – Anne Tauté

Designer – Jim Wire
Printer – Cox & Wyman Ltd.

The Bluffer's Guides series is based
on an original idea by Peter Wolfe.

An Oval Project
Produced by Oval Projects Ltd. for
Ravette Books, an Egmont company.

CONTENTS

INTRODUCTION

The essence of bluff is the successful defence of an inherently weak position which, in the case of photography, implies getting good results and maintaining your image without unlimited funds or massive experience. This book is therefore about:

- holding your own against other photographers in conversation, with pointers to their feet of clay
- wearing the correct camera
- debunking myths
- knowing a bit more about other people's mistakes so that your own work looks better as a result.

It is not about:

- cinematography,
- video,
- adventures in the darkroom, or
- finding unclad models.

Getting an image on record in a form in which it reminds you, even faintly, of the scene your eye visualised is actually extremely difficult. Unless you are very skilled, it is craftier to be an informed critic than a performer. Fortunately the photographer's obsession with hardware rather than results means that there is a lot to criticise, even before you see what they produce.

Complications like developing and printing can thankfully be avoided, unless you become addicted. If you do decide to take pictures, rather than sneer knowledgeably from the sidelines, it is possible to delegate the messy bits and still give considerable pleasure to victims, relatives, friends and of course, yourself.

PROS AND AMS

There is no difficulty in distinguishing between amateurs and professionals. As in other sectors, professionals do it for the money. The fun lies in defining the different kinds of amateur so that you can impress those that are in your league, or avoid competing with those that are out of it.

1. At the one end, there is the unashamed amateur. One who is ignorant but doesn't mind showing it. This kind wants photography to be effortless and cheap.

2. Next comes the rank amateur, so called because he (it is nearly always a male) has almost mastered darkroom work, except for the business of cleaning up afterwards. These people therefore smell somewhat rank and anyone downwind of them can catch faint whiffs of hypo, developer and beer.

3. Then you have the experienced amateur – a dangerous breed. This lot know a great deal about the subject, and do not like being caught out.

4. The only group left is the near-professional which includes:

   a) those whose results are almost professional
   b) those whose cameras are professional.

The situation is only a little complicated by the fact that in certain respects the total professional and the total amateur come together. For example, true professionals and unashamed amateurs are wholly concerned with results. 'Did it come out properly?' is their traditional cry.

In between, the semi-professional and the experienced amateur are often distracted by their hardware, which frequently is as important as, or more important than, the results.

One useful indicator is the brown fingernail syndrome. Real pros or very dedicated amateurs wallow in black and white developer for hours, disdaining the use of rubber gloves or tongs. Do not tangle with such people, except to remind them that the noxious concoction of sulphuric acid, potassium permanganate and bleach will remove the traces.

Neither very senior professionals nor bluffers bear these marks because they delegate to professional processors. Darkrooms are to be avoided. There is nothing wrong with entering one from time to time, mainly for the atmosphere, but the idea is to be above such things. Ideally what you are trying to achieve is an image which:

a) amateurs will perceive as experienced, perhaps professional

b) professionals will feel comfortable enough with not to dismiss you as wholly amateur.

Good reasons for not having your camera with you:

a) I'm changing systems. (N.B. Always 'systems' not cameras. The true enthusiast always has enough clobber to call it a system).

b) I don't like bringing the *Leica/Pentax/Nikon* near sea air/water/sand/children/radiation sources, etc. (N.B. This argument is not valid if the audience knows your camera is bakelite, with a plastic lens.)

Good reasons for having the wrong camera to hand:

a) I'm between systems.

b) I'm just trying to get back to basics and improve my composition/technique.

c) I collect very bad cameras.

d) I'm emulating **Bert Hardy** (*q.v*). (In case your audience is totally ignorant or very knowledgeable it is important that you know Bert Hardy was the great *Picture Post* photographer who, irritated by people who attributed his superb results to his superb equipment, went out with a box camera and produced equally striking results.)

Good reasons for not having a camera at all:

To the enthusiast there are no good reasons for not having a camera unless it has been stolen and the shops are shut.

Useful things to say to stop people asking about your camera:

"What made you select that particular model?"

Carrying as it does the implication that the photographer may have made a suspect choice, this should generate a spirited defence of his or her photographic philosophy and, if time permits, their complete history of camera ownership. It is guaranteed to fill most conversational voids, especially if you are not wearing a camera.

Cameras To Be Seen With

The preferred position for a bluffer would be to have no camera, but this is socially unacceptable in photographic circles. The acceptable minimum is either to have a camera, but never be seen using it, or to buy a cheap *Kodak* camera case made in brown cloth, circa 1950, which you stuff with newspaper. The case is never opened under any circumstances.

If your choice is challenged, claim that you have gone back to black and white because of its greater social impact and that the capriciousness of the box camera makes greater demands. This is certain to bring nods of approval from camera buffs.

The Obsession

The major idiosyncrasy of the photographic world is its obsession with hardware, rather like people who own a vintage car.

There is an all-pervading tendency to attribute good results to good equipment rather than its user which, if practised on a concert pianist and his or her Steinway would lead to words if not blows. This unfortunate tendency dominates the amateur's approach to the subject and can give the bluffer a major tactical advantage.

Take heart too from the fact that, unless a camera is extremely badly designed, it is capable of producing good results in most normal lighting conditions. However, if you are to be a successful bluffer it is important to have either a camera which says something about you or a very bad camera to set you apart from the crowd.

Being Tempted

One of the problems about being associated with photographers is that you may become corrupted, tempted, tainted. This corruption is seldom sexual or financial, except in the negative sense. No, the problem is that you may wish to acquire a camera or cameras beyond your needs and indeed means.

In the simple form, this affliction will lead to the acquisition of a new and expensive modern camera, probably a 35mm SLR, which does a number of things you do not understand, and even if you did, would never use. Numerous amateurs succumb to this.

The more extreme form involves the acquisition of an old and expensive camera which is a collector's piece and leads inexorably to the pursuit of all the bits for a 'system'. This extreme also involves the exchange of substantial sums of money for something which does less than the new alternative. The 'system' is similarly constrained and in many cases you can find yourself panting after a piece of equipment which not only will not do what a modern automatic can, but costs more piece by piece.

There is a peripheral bonus. If you buy something new it starts to depreciate at once. If you buy the older and worthy alternative at the correct price it will in due course appreciate. There is also a certain cachet attached to its display.

It is also possible to be tempted by films. The film manufacturers would have us believe that there are discernible differences between the results obtainable from high-priced, high speed, high resolution films and their dramatically cheaper cousins. In a perfect world this is true. Alas, in an imperfect world where we all send our films to imperfect printers to be printed, it can be very difficult to tell the difference between the upmarket film and the free giveaway, once the great levelling has happened. The wise will buy on price alone and only trade up if the results are visibly unacceptable.

The World's Worst Cameras

An outsider might expect people to collect the best of the past. This does happen, and the photographic equivalent of the Stradivarius is collected avidly and at high prices. However, the real obsessions are about the rare and horrid. It is important to remember this before you risk comment on someone's treasured 'nasty'.

Be mildly omniscient about very bad cameras.

Better still, actually own one. This virtually relieves you of the obligation to have any results. Indeed, it might be politic to buy one which is not in working order. This is less expensive, and enables you to be permanently waiting for the right part to be found. Collectors will love you.

Recognising the worst is a challenge. Some were unreliable; some were overpriced, some ugly, some difficult to handle, some too heavy, some too light; some were useless without batteries, some had poor lenses, some took photographs secretly in your gadget bag whenever you put them away because the shutter release was proud of the body. Others were difficult to repair when the manufacturers were still interested, and impossible thereafter. Having a unique interchangeable lens system which nobody bothered to emulate also spells trouble. It is not possible to memorise every bad camera. Instead, it should be enough to know a few examples against which to compare those you encounter in the flesh.

The first thing to remember is that no very bad cameras have been made in the Southern Hemisphere. This is because very few cameras have been manufactured south of the Equator and the scarcity affects both extremes, good and bad.

The second is that the Japanese have an unfair advantage – not that they did not make any contenders for the world's worst title, but their very commercial post-war attitudes prevented them from exporting many. Note 'many', not 'any', because one or two horrors did in fact slip through.

Our nominee for the world's worst from Japan would be the *Plusflex,* a single lens reflex 35mm of incredibly simple specification yet with a fairly good lens aperture (which might have fooled buyers into assuming more than a shutter which doubled as a mirror) and providing only two speeds best described as slow, and dead slow.

East Germany's entry is the *Pentina*. To find out why, ask a camera repairer. They won't touch them now, and wouldn't even when contemporary spares were available. It also had a non-standard lens mount and looked chunky at a time when everyone else was trying not to.

However, *Kodak* has produced so many cameras over the years that they can be forgiven for the bluffer's pet hate – the *Kodak Instamatic 400* which had a motorwind and slightly exposed shutter release, thereby permitting the thoughtless user to discharge a complete film without removing the camera from briefcase or handbag.

The Instamatic 126 film which that example used is common to two other nominees – precision cameras whose precision exceeded that of the film cartridges. In this category salute the *Zeiss Contaflex 126 SLR*, the *Rollei SL26* and the *Kodak Instamatic Reflex* – arguably commercial failures but now changing hands at more than the new price.

Nothing But The Best

These are the machines which, if you sought excellence in modern photography rather than in bluff, you might buy and use.

The oldest contemporary make is the *Gandolfi*. You can hint at an interest. The reason that you do not yet have one is, of course, that you could not make up your mind about which wood to choose and lost your place in the queue. Gandolfi Brothers specialise in hand-made 10" x 8" cameras at their workshops. There is a two or three year waiting list. Each costs almost as much as a small new car.

Coming down in size, 'medium format' is very chic. This implies negative sizes, in centimetres, of 6 x 7, 6 x 6 and 6 x 4.5. To be really assertive, the *Mamiya RZ67* is king. The reason you don't own one is not because of the price, although at c.£2000 for an acceptable kit, that might have been a factor. No, you remember the previous *RB* model. Too many faults for your liking. You are waiting for the *RZ* to settle down before you consider purchase. Note that you will only consider it. Never commit to a future purchase: someone is sure to remember. It is worth keeping in mind that the somewhat weak reservation about the *RZ* is also a good reason for not buying nearly any expensive new model. There is always something to dislike about the previous one.

It is vital to know that the classic medium format camera, like the current ones based on 120 or 220 film, was the twin lens reflex (TLR). It is not fashionable anymore.

Acceptable medium format names are *Hasselblad*, *Pentax* and *Bronica*. You need also know of the existence of *Plaubel Makina* and various *Rolleis*. Both these makes are less well recognised than the recent models deserve, so it is not necessary to have an opinion about them.

In 35mm format *Nikon* and *Canon* have more cachet than *Pentax*, while your position on *Olympus* must be to admire their advertisements but have no first hand opinion of the cameras. Rather like Bailey and Lichfield really.

The Best of the Rest

It is very useful to know a little about the *Leica*. It is not possible to know the lot, unless you purchase several of the vast tomes which have been written about the camera, its inventor and its makers, which will automatically disqualify you as a bluffer and turn you into an expert.

Here then is the essential minimum about this worthy photographic paragon. It was made by **Ernst Leitz** of Wetzlar and allegedly resulted from a private design project by their employee **Oskar Barnack**. The *Leica* system spawned a massive collection of accessories all of which are identified by five letter alphabetic coding, so a *Leica* enthusiast who is muttering about NOOKY or VIDOM, FOKOS or VIOOH, to say nothing of OOTGU and OTOOM is not practising Esperanto, and is wholly intelligible to other *Leica* addicts. Do not attempt to compete. Advanced accessory recognition will still leave you way behind unless you actually have a *Leica* around to show you belong. Instead, tell them you don't know your OOZAB from your ELPRO and leave them guessing.

Or utter the classic words from Dorothy Parker's review of *I am a Camera* variously quoted as 'No Leica' or 'Me no Leica'.

There is one other distinction. Just as 'Leica screw' is not an informal invitation, so 'Leica bayonet' is not a warlike one. The early *Leicas* had screw-mounted interchangeable lenses. For purists these are the only real *Leicas* and the later ones with bayonet mounts are distinctly less worthy. Much later ones in which the rangefinder method of focus control had given way to the single lens reflex method are of course beyond the pale.

Hasselblad is the Swedish camera industry's only claim to fame. *Hasselblad* users are likely to be professional photographers, very rich amateurs, or astronauts whose cameras have been lent to them by mission control.

The Swiss ought to have a camera which represents their watch-making history and their famous clinical attitudes. The *Alpa*, by Pignons S.A. is the only significant current Swiss camera – an excellent SLR. Alas, the most collectable Swiss camera, made by the watchmakers Le Coultre, was not a commercial success and was British designed. Anyone using a *Compass* is likely to be a British collector rather than a refugee from the land of yodelling and mountain horns.

There are relatively few American cameras and even less great ones, but the use of any of them tells you a lot about the owner. If you consider first the cheap and cheerful category with things like basic *Kodaks*, *Keystone* and perhaps the simpler *Bell and Howells* you can assume that the user is concerned only with function and, to his or her credit, is not a camera snob.

Those using early *Ansco* or *Argus* (which looks like a brick) are of course collectors, while the *Polaroid* user may be rank amateur or hardy professional. If you ever come across something which the owner's proud bearing implies is a modern camera, but looks like a small piano-accordion or a First World War tank, that is a *Polaroid*. *Polaroid* cameras enable you to take bad photographs fairly quickly – that is to say there has to be a longer interval between pictures than you would expect with a motorwind but you can see how horrid the results are soon enough to tempt you to try for a better picture. This sells a lot of film, which is a good thing for Polaroid Land Corporation, considering their film prices by comparison with non-instant materials.

Instant pictures also appeal to those who wish to take photographs of their loved ones, or someone else's, in states of extreme undress and indeed extreme bad taste without embarrassing the staff of commercial photo processors. This is a euphemism for not embarrassing the photographers – the processors are well beyond embarrassment and close to terminal levity. With luck, instant pictures may also tempt those with some artistic sense into thinking again; not, as the film manufacturers might hope, into taking more shots until you get it right but about giving the whole thing up altogether. Only with instant pictures does the awesome gap between reality and real life loom so quickly and graphically.

On this front, *Polaroids* have enabled the professional photographers to fight back at Art Directors. Most medium format professional cameras have *Polaroid* backs which enable test shots to be made before the actual pictures are taken. The client disappointed with the final results is now reminded firmly that their Art Director 'agreed the Polaroids'.

Another good name is Folmer and Schwing. They sound like a pair of psychiatrists who have written a noted book. In fact they were the proprietors of the firm which made the *Speed Graphic*, the definitive big press camera. Anyone using a *Speed Graphic* is not a press photographer, or is trying to look like one so is presumably an actor.

The use of a Russian camera tells you very little about its carrier except that he or she is unlikely to be professional. They are probably impoverished amateurs or possibly people seeking an innocuous but effective blunt instrument to use as defence in a street fight. The *Fed*, *Kiev*, *Zenit* and *Zorki* fall into this category. Most are copies of something the West did better.

In the hardly-visible-at-all group comes the superb *Minox*, a sub-miniature which was once to be seen in all the best spy films and as a result is most unlikely to be seen with a real spy. The only thing you can deduce from the use of a 'real' *Riga Minox* is that the owner is a collector. Intelligence agencies have for some years preferred good 35mm miniatures – formerly good rangefinder models, and nowadays workmanlike 36mm SLRs. Both are good for document copying.

You may be certain that anyone using a British precision camera these days must be a reactionary or a collector. The British camera industry went into terminal decline in the post-war years and almost all those firms producing cameras since 1945 have given up. Other dead names include *Agilux*, *Corfield*, *Dufay*, *MPP*, *Reid and Sigrist*, *Purma* and *Wray*. All of them spell collector. *Purma* also spells eccentric. (It had a gravity assisted shutter which clunked rather than clicked every trip.) Do not forget *Ilford*, the old faithful of British camera making – most of them sound and pedestrian with just a few remarkably nice ones, like the *Advocate* and *Witness*.

Finally, two unexpected names. *Nimslo* is the first. You could claim that the *Nimslo* owner is not a photographer in the eyes of other photographers or even bluffers, although history may prove us wrong. *Kodak* is the second. There were a few excellent precision *Kodaks* which you might still find attached to a discriminating owner. The *Retina* and perhaps *Retina*

Reflex qualify. The *Retinette* does not.

You may care to point out that the *Kodaks* mentioned above were actually made in Germany, therefore the discerning American national would until recently have been found with a German camera. He is now likely to be wearing a Japanese one.

Ultimate Hardware

The 1990s offer the bluffer unique opportunities not to be found out. The advent of auto-everything cameras (motor wind, motorised zoom, auto exposure and autofocus) variously called 'compact zoom' or 'bridge' (if they are not compact enough) enables any fool to point and shoot reliably. The best posture, when caught using one is to say "This is my camera of record", as if your 'system' has been left at home.

The Great Ar Mystery

There is a mysterious practice, nearly a century old, which may actually enhance your position just by knowing the question without the answer. Fortunately no contemporary answer is needed as the Japanese have drifted away from it altogether. We refer to the 'ar' suffix which is appended to the names of so many great lenses without reason.

Numerous manufacturers have followed the pattern. Examples include Apotar, Biloxar, Cassar, Dignar, Imar, Finetar, Graftar, Hexar, Industar, Kalmar, Lypar, Mirar, Noritar, Optar, Paxanar, Radionar, Summar, Tessar, Uitar, Westar, Xenar and Secanar.

The bluffer can learn something about a camera from the name of the lens. If the initial letter of the name is the same as the initial letter of the camera it is almost certain that both lens and camera are pretty mediocre.

Very good cameras have lenses which have an identity of their own and it is statistically unlikely that there is going to be a coincidence of initials. *Pentax* has Takumar, *Olympus* has Zuiko, *Leica* has Elmar, *Voigtländer* has Lanthar.

The most honest name for an undistinguished lens must be the Cute Anastigmat, which at least left the user in no doubt as to its limitations.

If someone knowledgeable, or ungracious, calls your bluff and gives you a reason why all were 'ar's-ended, you should ask your informant why all the other great lenses end in 'on' and 'or'.

The Question of Colour

This has nothing to do with colour film or the colour of people. It is about cameras. The first issue concerns the vexed question of bodies. White is out, except on a few vintage models. Real gold is definitely out unless one was given a gold one by the manufacturers for being such a good photographer. So are animal skins (snake, mink or otherwise). But most important, all colours which look right for boats lost at sea (orange, red, yellow, etc.) are wrong for real cameras. This is because cameras finished in vivid colours may reflect on to the subject and thus produce unnatural hues in the final results.

The key choice is therefore between chrome and

black. Most standard finishes are black and chrome but the status element increases as the total volume of chrome reduces, and the black increases. An all black camera, made thus by the manufacturers, is the hallmark of the very serious amateur and some professionals.

Slightly upmarket of this is the mixed chrome/black example with the chrome bits hand-painted matt black. This spells dedicated amateur or the professional who is important enough not to care and does not have to answer to a newspaper for the equipment. The finishing touch in this scale is the odd spot of white paint on all the dials at the most commonly used settings. Definitely the ultimate professional image or superb fakery.

How To Wear Your Camera

There is a very unfortunate tendency among people who should know better to hang a camera with a long (telephoto or zoom) lens at waist level. A little thought would suggest to them that this is not only vulgar but sexist. The fact that it is virtually impossible for the thing to stay level, so that it droops in an unprepossessing way, is even more depressingly symbolic.

The alternative is to use something called a warthog. This is rather like a sporran which has lost all its fur and, when in use, looks as if you are carrying a spare haggis about your person. It can also look like a codpiece. On balance, the naked equipment looks better.

There are several other socially acceptable ways to

wear a camera. We recommend something small, on a wrist strap, or the conventional SLR on the neck strap adjusted so the machine is at chest level. If you have a big one there are chunky things called gadget bags which hang from the shoulder at hip level and look fairly 'professional'.

In actual fact the true pro does not sport a camera at all. If it is 35mm it may be left in the glove compartment of the car until required, ignoring old wives tales about the sustained heat being bad for the film. (The warning is valid, but professionals use film fast enough for the dose to be limited, by comparison with the amateur's which lingers for weeks unused.)

Pros relegate larger formats to a large aluminium case, strong enough to stand on, and designed to cause the maximum pain to a soccer striker who has just beaten the goalie, missed a sitter, and crashed into it on the touchline to gain sympathy from the crowd. Other than this, the pro will only carry a compact if:

a) he senses the possibility of a 'grab shot' when otherwise off duty, or

b) he is attending an event thrown by the makers of the compact who pay him large sums to be seen waving it about.

Carrying two cameras may seem only a step away from those suspect amateurs who spend 'glamour weekends' with three or more models slung round their paunches, but it is respectable to have a second camera or second body for your 'system' for one or more of the following reasons:

a) so that you have colour and monochrome available

b) for different film speeds

c) for instant access to standard and telephoto (or wide-angle and telephoto)

d) so that at least one foolproof camera can be brought into action quickly.

If you've got it, flaunt it, unless you are in a country where the mobile thieves snatch anything of value and depart at high speed on scooters. We can imagine few things more ignominious than being towed by the neck on one's Pentax Wide Strap while a thief attempts to detach it from the camera, or you from the strap.

GETTING IT RIGHT

As with aviation and computers, most faults in photography arise from human error. In the case of cameras the fault is usually 'pilot error' rather than that of a distant third party.

What's Wrong and Why

The bluffer can gain a distinguished and not wholly deserved reputation as an omniscient diagnostician with many cameras simply by reading the instructions, because most owners are too lazy to do so. They will even put you ahead of the classic *Reader's Digest Repair Manual*, though this is not difficult as the contents are overly concerned with cleaning and mending holes in the camera bellows. If, however, the instructions are not available, or you are too lazy to read them, the following examples may by helpful.

- Many 35mm cameras 'won't rewind', when the film has finished. You can win points by suggesting that the rewind button has not been depressed. If it has been, push it harder.

- Others 'won't wind on' which can mean several things. It could be that:

  a) the user has failed to set the exposure counter correctly, or

  b) the user has failed even to read it, and the film is finished.

  Check by feeling whether there is any slack at the

rewind knob or crank. If not, this diagnosis is confirmed.

c) the previous exposure did not take place, i.e. the shutter release was not fully depressed so the camera is preventing the user winding on and thus wasting an unused section of film.

- Another thing the generalist manuals do not tell you is that the 'nothing works' mode is a deliberate symptom when a planned safety feature has come into play. For example, manufacturers have been known to arrange this feature in the following circumstances:

a) no film or film finished

b) no batteries, or faded ones

c) lens retracted in carrying position (*Leica*, *Purma*, etc.)

d) lens cap still on (rare device but useful)

e) delayed action set

f) film chamber not fully closed

g) insufficient light for automatic exposure to work

h) shutter lock set

i) flash not yet fully recharged.

The choice dictates trial and error but you can look exceptionally experienced while fiddling.

- 'The shutter is jammed' can be due to the previous causes but with old cameras it can also cover:

a) failure to wind the shutter (which was not coupled to the film wind in most pre-war and some post-war types)

b) trying to set the shutter speed after the shutter has been wound.

Gain kudos by, very gently, moving the speed dial back to the original setting if this is possible, or by firing the shutter with the lens cap on and then resetting the shutter correctly. Howls of derision may emerge from non-bluffers at this point because they don't know that you have depressed the rewind button to avoid wasting film while you wound on the shutter.

- For all other mysterious malfunctions which do not actually involve bits dropping off the camera (or in modern ones, wisps of smoke) the correct procedure is to go through the normal **SAFEWay** routine, i.e.

  Set shutter speed
  Adjust aperture of lens
  Focus on subject
  Expose film
  Wind on — and a**way** you go again.

- Gentle repetition will usually solve the problem. Whatever the cause, never be tempted to dismantle or oil the machine. Modern cameras do not need oiling and they reassemble far less readily than they dismantle.

- Finally, if the camera is your own or the owner is out of sight, there are two alternative sovereign remedies:

a) to fetch the beast a sharp slap, manually, if it is mechanical rather than electric or electronic.

b) for battery powered examples, to remove, clean and replace the batteries IN THE CORRECT DIRECTION.

You are now more than halfway to being an expert. Recommending professional repair takes care of the rest.

Do's and Don'ts

Take comfort from the fact that you do not have to be a photographer at all to obtain moral ascendancy over most amateurs and quite a few professionals.

It is perfectly permissible to be able to take photographs, but perhaps less acceptable to let third parties see the results. However, it is very important to know why other people, professional or otherwise, take bad photographs and even good ones.

Always point out that results depend on the photographer and not on the cameras so that having a very expensive product hung round your neck, or indeed any other part of your anatomy, can be counter-productive. The ownership of a top-of-range camera which produces bottom of range results tells the world quite a lot about your competence.

When defending your position as:

a) a non camera owner, or
b) the owner of a non-prestige camera, or of
c) a prestige camera of yesteryear which is wholly manual –

remind the critic that advanced cameras, unless totally automatic, merely offer extra ways of getting things wrong.

You could also mention that avoiding error is an important part of good photography. This may not win you friends but will retain your moral superiority. Moral superiority is rather important because criticism of photographs, unlike criticism of works of art, is likely to take place in the presence of the perpetrator. Even when looking at the work of a professional in a gallery or other exhibition, there is a strong possibility that he or she may be among those present. So take heed of what you can, and indeed should, criticise about other people's efforts. In the process you will, by osmosis, learn how to take photographs which are quite presentable.

Basic Errors

The things which tend to ruin amateur snaps are not necessarily wrong when done by professionals. Paradoxically, the fact that the professionals do them and get away with it demonstrates their professionalism or, according to your point of view, their sheer brass nerve. Rather like the cave man who invented cooked meat – an accident turned to advantage. Some professional photographs look like that and it is perfectly acceptable to say so if the photographer isn't around. However, if he or she is in the vicinity you may have to do better than smart remarks about accidents in the Stone Age.

The correct technique is to know the accident which produced the result on view. Accidents know no boundaries of professionalism. The symptoms are almost invariably the same. Never discuss symptoms. The only safe comment is a factual statement of the error which produced the allegedly artistic result you are being shown – such as:

a) *If the whole picture is uniformly blurred* you can almost invariably deduce 'camera shake'. It is permissible to mention this to friends and relations. You can also mention that it can be cured by using faster shutter speed and/or holding the camera more steadily. It is not appropriate to make this comment to professionals. They have tripod spikes.

b) *If the blurring is partial*, with the subject blurred and the foreground or background sharp, the diagnosis is 'incorrect focus' and anyone willing to receive advice may be told to switch to a camera with range finder or reflex focussing. Or to guess better.

c) *If the print or slide is much too dark*, you may mutter 'under-exposed'. Then recommend using an exposure meter or even the chart which usually comes with each film.

d) *A washed out result* – much too light, indicates 'over-exposure' but the solution is the same.

All the above have at some time or another been used, perhaps deliberately by photographers in search of special effects – or excuses.

e) The same applies to the *'ghost' effect* produced by double exposure, when two pictures are taken on one piece of film. This cannot happen by accident with modern cameras or earlier precision models, so anyone claiming to have done it deliberately with a recent camera is likely to be telling the truth and should not be lightly contradicted.

f) *The total absence of a picture* may mean several things. You could explain that it is due to taking pictures with the lens cap on (not possible if they are using a single lens reflex) or, with an older camera, that they have wound the film on twice without firing the shutter, so that the result is a clear negative or a totally black slide. Shutter failure can do this too. If the whole film is like this, they have failed to load the film properly. The reverse symptom, a totally black negative or clear slide, results from the failure to wind the (35mm) film back into the cassette after the last exposure. (You will not catch professionals displaying this sort of error, even to friends.)

g) Random fogging, or ruination, can be simply the result of travelling by air. Remind others that any security system for baggage based on low dose X-rays may ruin a film both before or after exposure.

More fundamental errors are still possible. There is a marvellous cartoon which shows a supercilious camera dealer saying to a puzzled customer 'Of course Sir cannot find out where to put the film in...Sir is holding an electric razor.'

Composition

Composition is the area which sorts out the good amateurs and the professionals from the rest. As with music there are some basic rules of composition which the amateurs ignore at their peril and the really good photographers flout with success.

The golden rule for criticism in the area of composition is two-fold. If it looks wrong it almost certainly is wrong and you can find a classic error to reinforce your criticism. However, if the picture has such a 'classic' error but it looks right, the photographer is competent, perhaps even gifted. Think before you speak. A few examples should make this clearer.

* *Posed* amateur snaps generally look awful, yet several distinguished photographers have either managed to pose the subjects so that they don't look posed or have used the formality of the pose to add dignity and impact. Amateur 'glamour' doesn't need any clues to identify it. Its total lack of artistic or erotic impact is sufficient guide.

* People gazing into the lens (not necessarily posed) generally look wrong. Only the competent photographer can get away with this. Similarly a subject *dead centre* in the photograph is wrong in theory according to camera clubs and arty writers but is actually exactly what the professional photographer wants and the bluffer can learn from this. Subjects dead centre come from good photographers.

* Very simple things like getting the *horizon* correct are also important and the bluffer can use this as a standard weapon.

Finally, never criticise anyone else's work directly. Merely hint at the good practice which appears to be lacking in the print in question. For instance, if the lighting lacks something, state with truth that "The right lighting is so important for good results." It may occasionally be taken as a compliment but at least this tactic avoids direct conflict. Bluffers are allowed to be cowards, by the way.

Lulling Suspicions

Most people are relatively ignorant about photography and, though at first startled by the appearance of a person with a camera close at hand, will quickly resume their former activities, particularly while drinking. There are some similarities with wild life photography here. The calming effect is heightened if the intruder is neutrally dressed and the camera is dark, dog-eared, and without flash equipment.

It is not generally realised that with modern films (400/1000 ASA) and a decent lens (f/2 or better) it is perfectly feasible to take good pictures, hand-held, by candlelight, provided the subject is close to the light source. Better still, the victims assume there is no danger because your flash has not gone off.

In daylight the same simple attitudes also help. Because snapshot family photographers always point their cameras directly at the victim with the grim determination of a firing squad and condition the subject to face the lens in the same manner (and attitude of mind) most previous victims will not be alarmed if you point the camera ten degrees to the left or right, particularly if they are not looking at you. This has two advantages:

1. the results are more natural

2. the composition is better because when the subject is looking sideways in a picture the viewer's mind is happier if the subject seems to be looking across the frame, rather than out of it.

Choice of camera can also help. So many modern cameras have to be held to the eye to focus and shoot that anything with a waist level viewfinder is assumed to be out of action. This applies to all TLRs, a few SLRs and some old box and folding cameras with external reflex finders.

Doing it Better

Successful performance as a bluffer inevitably leads to being asked for advice by an admiring relative. These notes are for your guidance when a nephew or niece needs guidance.

It may be helpful to ascend to a high philosophical plane. Point out that photography is all about recording the visible effects of light and shade, colour and shades of grey, events and non-events, action and still life.

The typical novice will at this point drag you back to basics and ask for advice on cameras. Your safest posture is qualified disapproval, no matter what they have in their hands. You can then help them to make "the best of a bad job".

For example, the likelihood is that he/she has been given or has bought a compact. Your view must be that the sole merit of a compact is that it is compact. Compact 35mm cameras have only two other minor advantages. First, that they take 35mm cassettes, which give the most varied choice of film type possible. Second, that their short focal length lenses eliminate the need for precise focussing.

Alas, they have compensating disadvantages. The short focal length actually means that you have a permanent wide angle lens fitted. This is not an extra bonus, it is a disaster. Casual study of the photographic media will reveal that when photographers of all grades, shapes and sizes buy extra lenses, zoom or telephoto, what they want is a telephoto facility. Relatively few seek wider angles. Observe the modern press photographer too; those pendulous things on the front of their cameras are without exception there to get in close, not to widen the field of view. All the great photographers of the past, when coaxed for advice to amateurs insisted that getting closer, on foot or with telephoto lens, is crucial.

Your protégé may protest that this makes it impossible to photograph groups properly. Point out that only wedding photographers have to photograph groups. Nobody else should.

Recommend architecture instead. At least with a building you can wait until the time of day when the sun comes round to an ideal position and the textures or the shadows make an acceptable pattern. The sun very seldom does this with groups of aunties. By all means suggest people in photographs of buildings, they help to give an impression of scale, but not close enough to the camera to be dominant.

Remind the amateur that verticals tend to converge, and unless he or she is actually seeking to demonstrate that effect, there are several easy cures – without resorting to the special lenses and rising fronts of technical cameras, as follows:-

a) move back a bit

b) use a wide-angle lens

c) climb up something

d) turn the camera at right angles so the picture area is upright rather than horizontally biased, i.e. 'portrait' rather than 'landscape' format.

Failing a suitable collection of bricks and mortar, suggest a candle-lit experiment, if only because it is likely to be an indoor portrait and everyone should try portraits, however informally, at some stage. It also teaches amateurs something about themselves. Quote **Baron,** the portrait photographer, who said 'To be a successful portraitist either your photography must be good or you must have sufficient personality to direct the sitter. You can get along with either but you must have one or the other.' This is, indirectly, another good reason for avoiding groups.

Portraits also provide a chance to turn the camera on end and use the frame vertically. A great many pictures are ruined because the photographer fails to appreciate this simple possibility. It can help to get closer, too.

Remember to stress the fact that photographs have impact because of light and colour, seldom because of the subject alone. Set your pupil a small task – to go away and fill a whole reel, roll, cassette or cartridge of film solely with pictures that have visual impact, i.e:

- a splash of colour in an otherwise drab picture

- a splodge of black in a colourful one

- texture or patterns
- a sharply focussed subject contrasting with an out-of-focus background or foreground (easy to achieve by using a wide aperture)
- arrested motion
- a visual joke or anomaly.

This has two advantages. It will save a lot of film, and you may not be bothered for days, if not weeks, thereafter.

Film

In order to bluff better, and for the benefit of nieces and nephews, you must recognise that bluff can conflict with practicality. The arch bluffer would undoubtedly carry bulk stock of low speed, fine grain monochrome film. This screams to the informed viewer that the user does his own processing and has a precision camera capable of recording high-quality images on the high quality film.

The practical amateur, on the other hand, is going to plump for a medium or fairly high speed colour film which a professional laboratory can process at modest cost. The 100-400 ASA range covers most needs. State that there isn't a great deal to choose between film makes unless you are going for very expensive specialist types. The unashamed amateur can legitimately buy almost any make of colour film which is going cheap, if 'in date', confident that the processing house's competence, or lack thereof, makes more difference than the film.

Advise against buying very short lengths (this applies to 35mm but not to 120, 110 or 126) because the cost per exposure is disproportionately high and the cost of processing makes matters worse. Only at the 20/24 exposure mark does the cost of film and processing get down to an economic level. Recommend also that they do not leap from one film speed to another without good reason, not only because it is so easy to leave the exposure control set to the wrong speed (impossible with DX coding, which reads the speed off the film cassette itself) but also because sticking to the same speed, make and type makes for more consistent results.

Finally, advocate prints rather than slides, both because you detest the slide show trap, and because the hardware with which you project the stuff is never as good as the hardware you took it with so does not do it justice. This is bunk of course if the camera is simple, but it is a useful throwaway line.

And don't forget to mention that Kodachrome, the most important colour film of the century, was invented by two musicians, **Godowsky** (who married a daughter of one of the Gershwin brothers) and **Mannes**. It is said that they would whistle the last movement of Brahms Symphony in C Minor in the dark room to time processing stages during their experiments. Why they were fiddling with photochemistry no one knows, but they obviously followed in the great tradition of Victorian amateurs.

The Image

All of us have suffered at the hands of the amateur photographer with snaps or slides to show. There are ways to avoid these persons, but they offer an exemplary lesson. Determine that you are not going to be like them. Nobody should have to leaf through dozens of bad prints or sit yawning through a slide show.

Defending Yourself

First, how to avoid being shown them. For prints, there are two levels of defence. Not having your reading glasses will stop anyone who doesn't know you don't need them. If this excuse won't wash, you have to train them for the future by riffling quickly through the pack with absolutely no sign of interest and commenting benevolently on the most common fault you can identify, before you change the subject. Most people won't show you the next batch.

Slides are a different matter. If the proud owner proffers them by hand, displayed against the nearest light source, either of the above techniques may be relevant. At least there is unlikely to be more than one box at a time. Alas, the high-tech fiend with an automatic slide projector is more determined and will have row upon row of magazines full of the unedited results of a summer's snapping and, with worse luck, the winter's as well.

Short of sabotaging the projector (it is not well known that you can 'blow' most projector bulbs by shaking the projector firmly, when switched on) the excuses have to be pretty good.

An obscure eye condition which reacts badly to viewing bright screens in darkened rooms is first class. You can do your own research, but the Posner-Schlossman syndrome is worth quoting if you can't find one you like. It has the advantage that its symptoms occur unpredictably and it is chronic. The second excuse might be to feign the symptoms of narcolepsy and/or perfect a revolting snore.

As a final defence against the interminable amateur show, make sure that when the owner hands you a prized but horrid transparency or print, you grasp it so that either thumb or forefinger is planted firmly on the emulsion. This will curtail the session quicker than any known method.

Fighting Back

Enough of defence. Now for attack. To obtain more professional results, you must adopt the tricks of the trade. Professionals, unless they are wedding photographers, have one great advantage over the amateur which is seldom recognised or indeed mentioned. They hide or destroy the majority of their work. If you are prepared to do the same, the quality of your 'published' results can take a great leap forward.

Consider the results you will achieve if you do not:

a) No result – 'it didn't come out'.

b) Bad composition and technique.

c) Bad composition, good technique.

d) Good composition, bad technique.

e) Good composition, good technique.

It should go without saying that you don't show people things in the first category. It is an easy step to exclude the (b) examples. The difficulty the amateur faces is that much of the normal output then falls under (c) and (d). We suggest, very strongly, that your aim should be to steel yourself to scrap or at least suppress the work in these categories, even though it leaves very little available for display under (e). Heart-rending though this may be, it brings enormous benefits.

- It must force you to try harder, sooner, to get things right.
- It reduces the risk that you will lose friends by being a photobore.
- It dramatically improves your reputation as a photographer.

Display

As for the display of prints, the expert will put the minority of good ones in an album. Modern albums with self-adhesive pages and a transparent covering sheet for each page give you control over the way people see the results. But the crucial professional trick is to crop the finished prints to a size and shape which enhances the composition. For this you really need one essential extra piece of hardware – a small guillotine.

PROCESS PIONEERS

Learning about the early days of photography can leave you with a faint sense that somebody is having you on. Not so. You can relay this information with a straight face and a clear conscience.

The first 'camera' was the 'camera obscura' which it is said that **Ibn Al-Haitham** was using in 1038. This consisted of a light-tight room with a very small hole in one wall, presumably discovered by accident or an early peeping Tom, who observed that an image of the scene outside formed on the opposite wall. Lenses later improved the result but nobody successfully recorded the image, except by tracing it, until the early 19th century.

There is a good reason for this. Until someone thought to incorporate a mirror into the set-up it had to be viewed upside down and there must be a limit to the enthusiasm one can generate for any view while bent double with one's head at stomach level.

The next practical hurdle remains even now. After waiting many hundreds of years to record the results produced by 'the camera' most pioneers could only find materials which darkened on exposure to light rather than bleached out, thereby ensuring that photography was trapped into using negative images and cumbersome processes for all time.

The things the early experimenters did in their darkrooms, or in some cases, in public, defy logical analysis. There is also an illogical mixture of speed and sloth about developments which deferred the introduction of some very basic improvements for many decades.

The way to fix the pioneers in your mind is to recall the peculiarly odious materials they used. There is no record of the processes which failed but some of the passing successes make one wonder what the instant failures were like.

Thomas Wedgwood was using a camera of sorts in 1802, but could not 'fix' his pictures. He and **Humphry Davy** (of the miner's safety lamp) used a solution of silver nitrate applied to paper or white leather, which darkened on exposure to light (a fact recorded first by **Angelo Sola** in 1614). These experiments must have been hard on the local sources of leather because the image simply vanished on fuller exposure to light.

It is to the Frenchman, **Joseph Nicéphore Niepce** that the credit is given for taking the first photograph, in 1826. This was of a view from his window and took eight hours to expose. The image of the window, ironically, is more memorable than the subject it framed. As not even the French can agree upon how to pronounce his surname, and they managed to erect a monument to him with the wrong date on it, you can be excused from a clear understanding of Niepce's process, which involved pewter plates soaked in oil of lavender, and bitumen of Judea.

He later worked closely with **Daguerre**, a scene-painter for the theatre, who used a silver-plated copper sheet previously exposed to iodine vapour, exposing this to the light, developing the image by using mercury vapour and 'fixing' the (positive) image permanently thereafter. These materials, although not too good for the health, look pedestrian when compared to work going on in England.

William Henry Fox Talbot originally used a silver chloride coating on paper to achieve his negative, but later tried a glass plate coated with egg white instead of the paper base. Collodion was then used to hold the light sensitive materials. In case this sounds innocuous, you should know that collodion is a solution of gun-cotton in ether. This adventure was called the wet-plate process.

You also need to know that Talbot eventually called his negatives 'calotypes' and they were the world's first permanent negatives. **Dr. Maddox** later eliminated the collodion by inventing a gelatine emulsion, thus creating the dry-plate process and permitting **George Eastman** to pioneer celluloid roll film in 1889.

You may now appreciate why the death of the photographic heir in *Kind Hearts and Coronets* was taken so philosophically by the survivors – in all likelihood there were several such deaths weekly among the monied experimenters. A small bang in the darkroom, a few too many sniffs of mercury vapour, or an accidental ingestion of one or more of the other ingredients probably played hell with the population and may explain why they had to breed so assiduously, what with photography and the Empire to support.

There is no doubt about the interest in the subject. In the late 19th century housewives became acutely aware of a shortage of eggs, although chickens were laying normally and distribution was not being affected in any way. The explanation was simple. An article in the *Photographic Journal* gave a recipe for a new developer based upon the humble egg-white (albumen). Every dedicated amateur throughout the land dashed to his grocer for eggs. Fortunately the exercise proved to be both messy and unreliable, and photographers rapidly returned to tried and tested cheaper methods.

For the record, there was one potato based process, in 1904, the first practical colour emulsion, known as Autochrome and based on potato starch.

The most famous quote about the early processes comes from Paul Delaroche, the painter, whose reaction to the Daguerreotype was 'From today painting is dead' which with hindsight tells us more about his painting than about his prophecy.

Which Camera Did What First

This is an area where the bluffer can establish massive moral superiority, not just by knowing who was first but by knowing which popular candidate was not. It can also be great fun because the popular choices are seldom right. Good public relations and/or advertising have conveyed fallacious impressions, probably because most people in the public relations and advertising world are bluffing too. Wilful ignorance seems to be the philosophy wherever facts conflict with client needs.

Motordrive is a good example. Agfa spent large sums of money announcing the world's first compact motorwind camera and had to be reminded by the Advertising Standards Authority that Robot did it first, in 1934. Robot enthusiasts, who tend to be very keen on examples with swastikas and other Germanic military insignia all over them, do not care to be reminded that the Debrie *Sept* was earlier still (in 1922), but not so compact.

Polaroid instant cameras are also regarded as the first examples of instant photography. Alas, at least one and possibly two processes preceded them. **Jules Bourdain**'s is the better process to quote. To console *Polaroid* aficionados you may inform them that Polaroid did produce the first electronic shutter, as this fact may have passed them by. It was the American **Dr. Edwin Land** who invented both. Prophets are without honour in their own time when that time honours profits more.

The bluffer should also note for quotation the fact that the litigation by *Polaroid* which removed *Kodak*'s Instant picture range from the market was *Kodak*'s second disappointment in this field. The first was their frustration at being the inventors of relatively instant pictures for use during World War II, but debarred from producing a commercial system because the Government applied its '30 year rule', so Polaroid Land were able to capture the post-war market.

Asahi Pentax is widely regarded as the first name in instant return mirrors. You can irritate all *Pentax* owners by pointing out that historians attribute this honour to the 1947 *Gamma Duflex*, although it was hardly a commercial success. *Pentax* owners are not overjoyed either by the fact that the so-called *Pentax* screw mount was actually introduced by *Praktica*. In fact most of the things which proud *Pentax* owners claim as Asahi firsts turn out to be Asahi seconds, but done better or more widely than the innovators. *Pentax* were third with the pentaprism viewfinder (the thing which gives a right way up, right way round image in the viewfinder). *Contax* and *Alpa* were 1st and 2nd. *Pentax* owners are sitting ducks, because they are even prepared to believe that Asahi introduced the first TTL (through the lens) metering when it is a matter of record that the *Topcon RE Super* did it a year earlier.

You can also remind *Pentax* or *Leica* owners that *Leica* (with its Astroflex reflex box attachment between lens and body in 1933) has a tenuous claim to the first 35mm SLR although the Russian *Sport* may have been the first built-in example, closely followed by the *Kine-Exacta* in 1936. The merits of this claim are that it annoys the Asahi crowd by identifying yet another area where they were not first and reminds the *Leica* people that they were almost first with the SLR principle which later destroyed their market when it was done properly by others.

Further salt in the *Leica* wound can be poured by mentioning the first use of 35mm film in a still camera. *Leica* fans will usually claim this was theirs, pioneered by **Oskar Barnack**. You need only point to the 1912 *Homeos* to refute this and can turn the knife in the wound by adding the 1922 Debrie *Sept*. *Leica* didn't get rolling with a production model until 1925. Having established a clear lead, you can then permit the *Leica* team their one point for the first interchangeable lens in 35mm cameras.

Other useful firsts include:

- *Hasselblad* – first on the moon and left there, to save weight on the return journey not, as ungracious owners might suggest, because the extras to keep it up to date are so costly.

- *Focaflex* – the French contender for world's most irritating SLR which with true Gallic independence used a simple mirror prism rather than a pentaprism so that the image is reversed as on a TLR, although the casual buyer might assume the presence of a normal system; the UK price certainly implied this.

- *Nimslo* – for trying to make stereo sandwich prints popular. Traditionally most pioneers fail financially. So did they.

FAMOUS NAMES

Photography is full of famous names. Personal names and product names abound and even the rankest amateur knows most of the manufacturers. So bluffers should have some names up their sleeves, which were attached to photographers, rather than products. This will put you ahead of most amateurs, who don't know them, and most professionals, who don't care about anyone except their rôle models and their direct competition.

The best way of getting maximum effect with minimum knowledge is to:

1. Preface your guess with a negative (so you get credit whether you are wrong or right)

2. Find a way of throwing in your second and third guesses (perhaps the only other two names you know).

For example, if you are faced with period monochrome photographs of exceedingly well-assembled young men, coyly facing away from the camera, with taut buttocks and interesting shadows, there is a strong possibility that **George Platt Lynes** was involved, one way or the other, but you cannot be certain. The correct line of attack could be "Surely that can't be an early Lynes? One sees so much of homo-erotica revived now – and not because it's out of copyright." You can then go on to muse "Of course it's unlikely to be **Bruce Weber** or **Robert Maplethorpe**, whom he is believed to have influenced, because the period looks wrong, somehow." (The 'somehow' is important because it enables you to be vague about your reason, if challenged.)

Armed with this technique it is safe to acquire a little knowledge about the more idiosyncratic photographers. As a group they are less exciting than the great eccentric painters and musicians and most have the normal complement of ears. None appears to have caused the death of their models while posing (like Lizzie Siddall, at the hands of Dante Gabriel Rossetti). There is no famous blind photographer to balance the deaf Beethoven. Even their love lives are not so notorious.

It will come as a relief to know that you do not need to know all the Victorians. There were a lot of them. Quotable names include **Matthew Brady**, the war photographer, who concentrated on the American Civil War and **Roger Fenton** who covered the Crimea. Their work is readily identified by the costumes coupled with the fact that there are absolutely no action shots – films and lenses were not up to it. You are more likely to have seen Brady's portraits, particularly the famous one of Abraham Lincoln, widely regarded as a crucial factor in the success of Lincoln's presidential campaign – perhaps the first instance of modern media interference in the democratic process.

Spare a thought too for **Alexander Gardner**, Brady's assistant, who was the first recorded sufferer from the filched picture problem still rife in professional circles.

Lewis Carroll is also quotable. Most people know he wrote *Alice in Wonderland* and was really the Reverend Charles Dodgson. Few people are aware that he specialised in pictures of little girls in coy poses and indeed coy outfits and gave up photography very suddenly. The charitable view is that this was due to his unwillingness to change from the wet collodion process to the new-fangled dry plate.

Julia Cameron was a good example of the liberated though not emancipated Victorian lady. Hers is one of the few female names which survives from this period. The horrid darkroom processes mentioned earlier might have been a factor. Alternatively the hand and stand cameras which demanded good muscle tone and enlarged biceps rather than pectorals are more likely to have deterred women. You need to be aware that most of Mrs Cameron's sitters were the élite of the day and this is probably the reason for the survival of her products and hence her reputation. Professional photographers and bluffers may say her images left a lot to be desired.

Francis Frith was a photographer of record and we are never going to be allowed to forget it. Perhaps unfortunately for his memory a vast collection of his negatives has survived and is being marketed widely in every town and village which his early tours put on record. You would do him a service and enhance your own reputation by recalling his Egyptian temples rather than his English country scenes.

Eadweard Muybridge is the best known artist technician. He it was who first resolved the conundrum – what happens to a horse's legs when at the gallop. He was also credited with the murder of his wife's lover and his real name was Muggeridge.

Coming closer to the present, it is not possible for the bluffer to remember all the photographers nor, with most of them, is it possible to guess who took a specific photograph by its style. There are exceptions.

Man Ray is best known to photographers for his surreal effects and use of solarisation, which you can identify by the little halo effect round the edges of each change in tone. The effect may originally have been produced by accident because it demands that the material be whipped out of the soup during processing, given a brief and traumatic exposure to white light and then put back in again. One can assume that the first time it was accompanied by a expletive as the error was realised, followed by experiment as the result became apparent and tempted repetition. Nowadays technique is more outside the darkroom than in.

Dr. Harold Edgerton for example, the bête noir of available light photographers, in 1931 at MIT invented the flashgun (as distinct from the flash bulb) thereby taking photography even further from art in many eyes.

The main difficulty with all photographers is to recognise their work without spending hours staring at it. **Henri Cartier Bresson** you will recall because his between wars shot of the fat French family picnicing at the riverside has been so often reproduced. It is very characteristic of his work in that it is very French, very unposed, monochrome and preserved at what he calls the 'decisive moment' which, more than most of the above characteristics, may help you to identify his work. Not so the man himself who was seldom, if ever, photographed. This is allegedly so that his anonymity would be preserved to aid his future work. The bluffer may care to consider the alternative, which is that he had seen so much bad work from his contemporaries that he used his personal stature to protect himself from the ravages of amateur contemporaries.

Robert Capa also deserves a mention or two. He would be a contemporary photographer, had he not been killed in action. He is doomed to be remembered by one photograph, of the soldier in the Spanish Civil

War, arms spread wide as he is (or perhaps, is not) shot. Now believed to have been posed, it is not necessary to prove this, just to know of the possibility. (The absence of blood is a pointer.) You could aid Capa's memory by quoting and emulating his advice: 'If your pictures aren't good enough, you aren't close enough.'

Theatre has many exponents. **Angus McBean** is probably the name here because he did it so long and so well. However, **Lord Snowdon** also deserves an honourable mention for moving stage photography on from the posed and starchy prints which always looked younger than the Thespians pictured, to the modern style of press grab-shots in available light. This is considerably more difficult than it looks. It also reminds you that he was at one point a competent and envied press photographer who helped to wean his colleagues from the heavy cameras of the postwar period to today's miniatures and, of course, was photographer before peer, unlike **Lord Lichfield** who did it the other way round, but also on merit.

Another name whose work looks odd, was **Weegee**, whose candid photography in New York in the 1940s is instantly recognisable by its excessive contrast (very black, very white) and the faintly weird nature of his subjects. Even the normal looked odd in front of Weegee's lens and he had an eye for the oddity too. Useful because a few examples will permit authoritative later recognition of others. (Nobody else wanted results like this.)

William Eggleston is worth mentioning for his masterly introduction of colour as the dominant ingredient of his photographs, with its hyper-saturation and intensity transforming low life subjects such as old boots, to Graceland (the Elvis spread), into art.

Finally, here is a short list of some other recent and contemporary names the bluffer might be expected to know. Note that despite our earlier reservation about the lack of eccentricity, this includes a suicide, a Sherpa, a fraud, a government department as patron, and a nutter.

Ansel Adams
Both in musical and photographic circles it is useful to be able to mention that Ansel Adams trained as a concert pianist. In an ideal world his landscapes would deter anyone from imitating him. Alas, the reverse applies, so any fool (except a bluffer) with a wide angle lens thinks he can emulate.

Diane Arbus
She moved from fashion to the ugly and eccentric. It is possible to refer to her as the Dorothy Parker of photography, not least because she took Parker's suicidal interest further, to implementation, in 1971.

David Bailey
You will have some difficulty finding general exhibitions with Bailey material. This is because he allegedly does not permit his work to be exhibited with others. A useful self-publicist, none the less.

Bill Brandt
It is acceptable to describe Brandt as the greatest British photographer of the 20th century. His Russian descent probably helped.

Alfred Eisenstadt
It is not permissible to accept that Eisenstadt invented the modern candid (not least because Cartier-

Bresson, Kertesz and Salomon all did it first). Remember instead the spontaneous VJ Day image of the young woman being thoroughly kissed in Times Square by a sailor – with her foot raised ecstatically behind her.

Farm Service Administration
The FSA sponsored a lot of superb photographers between the wars in rural America. Remember **Dorothea Lange** (their best), **Walker Evans**, **Russell Lee** and **Carl Mydans**.

Robert Frank
Less well known than his work deserves, although it has been in the public domain for nearly forty years. His monochrome images of America and to a lesser extent London and bits of Wales, are a haunting social history. Things he did in the 1950s before he gave up still photography are still influencing serious photographers as the millennium approaches. Look for more space than Weegee, more observation of real people, less trickery.

Philippe Halomann
Whatever his merits, all you need to know is his obsession with 'jumpology' a theory that people show more of their inner selves (in their faces and attitudes) when aloft than when static. Fortunately this did not catch on.

Bert Hardy
The real talent behind *Picture Post* despite Lorant, Hopkinson and Hulton, who took most of the credit.

Yousuf Karsh
You will already know Karsh from his famous studio portrait of Churchill (the one where he achieved the bulldog expression by pinching Churchill's cigar a moment earlier). This is very typical of Karsh – impeccable technique, formal pose, studio based, famous sitter – which gives you a better chance of recognising his work than most.

Andre Kertesz
Most easily remembered for his own comment that he did Leica work before Leitz invented the Leica. This (correctly) implies brilliant candid photo-journalism. Born Hungarian, he became American.

Laszlo Moholy-Nagy
Important for early photograms and later technical inventiveness. Remember just to prove you can pronounce correctly (his last name rhymes with large).

Gary Powers
Powers, of U2 fame, may not be the best aerial photographer or the most successful, but he is certainly the most famous, in part because of his lack of success. A useful name with which to trivialise the conversation.

Jacob Riis
Founder of photo-journalism. He changed the view of New York and early America towards the poor immigrant.

Sabattier
The man who invented what everybody misdescribes as solarisation. It is not necessary to master the *real*

technique, simply mention it.

Erich Salomon
A diplomatic/political photographer. In the end he paid the equivalent of the war photographer's price and died in Auschwitz. Another brilliant candid reportage miniature worker.

Merlyn Severn
The female *Picture Post* great. Hardly known, perhaps because she wasn't male.

Susan Sontag
Produced one of the best books ever on photography – *On Photography*. It is a bluffer's dream too: no illustrations.

Sherpa Tensing
Better known for his climbing skills, but his work has been more widely published than many well-known professionals. (Well, who do you think did all those shots of Hunt at the top of Mount Everest?)

GLOSSARY

As in other areas, photography has some unique words, and uses other ordinary words but with alternative meanings. Here are some you ought to know:

Aberration – That which adversely affects lens performance.

Adult, as in 'adult photographs' – Prurient appeal to juvenile minds.

Aperture – a) A hole, which in cameras is cunningly concealed inside the lens; b) The effective size of the hole as a measure of the light reaching the film. Relatively few amateurs know that the maximum aperture of the lens is actually the diameter of the hole, divided by the focal length of the lens. Reducing the size of the hole is known as 'stopping down'.

Available light – Light that has not been enhanced by flash or flood. Photographers thus resort to making more available with reflectors, domestic lights, massed candles, etc. Called **existing light** in America – 'I bring it, therefore it exists.'

Backlight – When much or all of the light comes from behind the subject. Used to be called 'contrejour'.

Bellows cameras – Acceptable generic term for any camera with a black pleated bag between lens and camera body.

Blowup – An enlargement, not anything military.

Blueprint – The result of a specialised document copying process. Nothing to do with photography, or saucy pictures.

Bracketing – The cautious process of taking several different exposures of the same subject, greater and lesser than the 'correct' setting in case your meter or guesswork is wrong.

Bridge cameras – Those that bridge the gap between compacts and SLRs.

Built-in, as in built-in exposure meter – Included, but not coupled to the lens and shutter.

Candid photographs – Generic term for photographs taken without the subjects' knowledge and/or consent. No excuse for poor quality.

Circle of confusion – a) Professionals' view of an amateur gathering. b) The diameter of the largest out of focus area in a print which can be seen as a point at normal viewing distance.

Contact – Short form for 'contact print', a 1:1 print made in direct contact with the negative. Do not confuse with 'contact magazines' which introduce people with specialised sexual tastes to other people with identical or complementary needs.

Coupled – Linked, but not automatic.

Dedicated, as in dedicated flash – Feature that won't work with other cameras.

Definition – Indefinable precision.

Double exposure – When you are haunted by your ghost images.

ERC (Every Ready Case) – That which prevents you bringing the camera into action in less than 2.7 seconds.

Fast lenses – Those that admit a lot of light, and avoid the need for:

Fast films – Those that are grainier than slow ones.

Flair – What most amateurs lack. Professionals substitute technical competence and a lot of wasted film.

Flare – That which results from unplanned light.

Fixing – The process of making images permanent, nothing to do with drug abuse.

Graduate – Nothing to do with universities or Mrs Robinson, but a calibrated measure.

Grain – Visible fault that some photographers turn into a virtue.

Guide numbers – No help at all unless you know if it's based on feet or meters.

Incredible lens offer – Obsolete stock.

Instamatic – Neither instant nor automatic, but conveying a hint of both.

Leader – The bit of film whose reason for existence is that the useful and used bits of film have something to follow. It becomes useless (because exposed) before it can perform this function. quite like other leaders, really.

Light fog – Patch caused by the intrusion of unwanted light.

Light tight – What a darkroom is until someone opens the door.

Light trap – Device which permits film but not light to pass through. Treat well or it scratches.

Mat, **matt**, **matte** – The surface finish of a photographic paper; the opposite of glossy. Something halfway between the two extremes is known as **lustre**, **semi-gloss** or **semi-matt**.

Mirror image – Any image which is reversed left to right. It confuses users who have to move the camera to the left to catch a subject vanishing off their screen to the right. Anyone waving a camera around like a windscreen wiper has not mastered this.

Macro lens – Any lens nowadays which can focus a bit closer than arm's length. (A true macro lens achieves 1.1 reproductions.)

Miniature camera – One that is slightly more pocketable.

Monochrome – One colour only, all shades of black.

Photofinishers – Commercial processors of film. Many terminate the product entrusted to their care, rather than just finish it.

Pull – Photojournalists' slang for exposing a film at a lower effective speed rating than that advised by the manufacturer, and compensating for it in later processing. Point out that the correct word for pull is **cut**, but the opposite is still to **push**.

RC paper – Resin coated paper, not *The Catholic Herald*.

Red-eye effect – Seeing red in a flash.

Resolution – The ability of a lens to resolve very fine subject detail on the film plane. Great if the film is up to it, fairly stupid if not, because you'll never see it.

Shot of a lifetime – One that didn't come out.

SLR – Single lens reflex.

TLR – Twin of the above.

Telephoto lens – Lens which is not as long as, nor even longer than, the focal length it claims.

Touching up – The secret need of most prints. It is safer to call it re-touching.

Reciprocity – As with any relationship, this is only mentioned when it fails.

THE AUTHOR

John Courtis has been playing with cameras for over forty years. He points out that he started very young. He now has over 25,000 negatives waiting to be catalogued, probably by his literary executors.

Photography has been therapy throughout his careers as accountant, consultant, editor, writer and headhunter.

Apart from the negatives and indeed the prints and slides, an astonishing array of over 100 cameras has passed through his hands including *Agfa*, *Beirette*, *Canon*, *Corfield*, *Dekko*, *Exacta*, *Foth*, *Gilbert*, *Houghton*, *Ilford*, *K.W.*, *Konica*, *Leica*, *Minox*, *Minolta*, *Olympus*, *Pentax*, *Ricoh*, *Rollei*, *Swinger*, *Topcon*, *Voigtländer*, *Wirgin*, *Yashica*, *Zenit*, *Zorki* and *Zeiss*.

He writes from personal experience of nearly all the things bluffers are advised to avoid and is seriously trying to give them up.